希利尔讲艺术史

[美]希利尔/著　　李爽 朱玲/译　　宋协立/校

贵州出版集团
贵州教育出版社

图书在版编目（CIP）数据

希利尔讲艺术史 /（美）希利尔著；李爽，朱玲译 .
– 贵阳：贵州教育出版社，2010.4（2014.6 重印）
ISBN 978-7-5456-0084-1

Ⅰ .①希⋯ Ⅱ .①希⋯ ②李⋯ ③朱⋯ Ⅲ .①艺术史 – 世界 –
儿童读物 Ⅳ . ① J110.9-49

中国版本图书馆 CIP 数据核字（2010）第 056979 号

希利尔讲艺术史

（美）希利尔 著 李 爽 朱 玲 译

出版发行 贵州出版集团
贵州教育出版社
社 址 贵阳市黄山冲路 18 号 A 栋（邮编 550004）
印 刷 北京宝隆世纪印刷有限公司
开 本 787mm×1092mm 1/16
印张字数 24.25 印张 320 千字
版次印次 2010 年 4 月第 1 版 2014 年 6 月第 10 次印刷

书 号 ISBN 978-7-5456-0084-1/J · 31
定 价 49.80 元
如发现印、装质量问题，影响阅读，请与印刷厂联系调换。
厂址：北京市大兴区南六环中轴路磁各庄桥南 电话：010-61260505 邮编：102600

目　录

PAINTING 第一部分　绘画

SCULPTURE 第二部分　雕塑

ARCHITECTURE 第三部分　建筑

PART 1
PAINTING
第一部分 绘画

第1章 世界上最古老的图画

我在听老师讲课，手里拿着一支铅笔。在我课桌上有两个相距大约一英尺宽的小点。我漫不经心地用铅笔尖在一个点上戳了一下，又在另一点上戳了一下。这两点就成了一双小眼睛。我在每只眼睛周围画上一个圈，然后用一条弧线把两个圆圈连起来，就成了一副眼镜。

第二天，在眼睛底下，我又画了鼻子和嘴巴。

第四天，我加了一个帽子。

第五天，我给它加了身子，包括胳膊、腿和脚。

第六天，我用铅笔重重地沿着画描了一圈。我一圈一圈地把画的线条加深，直到最终它们在课桌上留下了一道道凹痕。

第七天，老师发现了我，而我也把画作完成了。

第八天，老师得到了买新课桌的费用，而我得到了——嗯，管它画的是什么呢。

我妈妈说："他可能会成为一个艺术家。"

我爸爸说："那老天可得阻止啊！不然我要花的钱可就远不止一张新课桌费啦。"后来，老天果然阻止了。

据我所知，有个小学在学校大厅专门放了一张大木桌用来给学生们画画。在木桌的上方写着：如果你实在忍不住要画，画在这张桌子上，别在

课桌上画。

如果你把一支铅笔放到一个人手中，他绝对忍不住要画些东西。

不管他是在听老师讲课还是接电话，如果有本子，他总会在本子上画些圆圈、脸蛋、三角形或正方形。没有本子就在桌面上或墙上画，总之他就是忍不住要画点什么。

想想看，哪本电话簿上不是涂满了东西？我们把这叫做人之本性。只要是人，就会这么做。

如今，动物也可以学会许多人类会做的事，但是画画是动物学不会的。狗可以学着用两只脚走路去取报纸；熊可以学会跳舞；马可以学会数数；猴子可以学会从杯子里喝东西；鹦鹉可以学会讲话。但是人类是唯一可以学会画画的动物。

每个小孩肯定都画过画。你可能画过一匹马、一座小屋、一艘船、一辆汽车或者一只猫或狗。可能你画的那只狗看起来就像一只猫或四不像，但即便如此你也比任何其他动物要强得多。

即使是很久以前住在洞穴里浑身长毛看起来就像野生动物的原始人也会画画。那时还没有纸和铅笔，人们在洞穴的墙壁上画画。画好的图画也不会用框子装起来挂在墙上——他们就直接画在洞穴的墙上和洞顶上。

有些图画是直接在墙上刻划出来的，还有些图画是事后画上去的。当时人们用的颜料由有色黏土和动物油脂混合而成，通常只有红黄两色。或者，他们直接用血做颜料，一开始是红色，然后渐渐褪成暗黑色。有些图画看起来是用烧过的木棍画出来的，比如燃过的火柴棍就可以画出黑色的印记。还有些图画是刻在骨头上的，比如鹿角或象牙上。

那么，你认为这些穴居人会画些什么呢？假如我让你随便画点什么，什么都可以。试试看，我想你画的东西应该不超出以下五种猜测：我首先会猜是一只猫，然后猜是一只帆船或一辆汽车，再然后是一座房子，再猜是一棵树或一朵花，最后猜是一个人。除此之外，还有别的吗？

事实上，穴居人只画一种东西。
不是男人，不是女人，不是树，不
是花，也不是景色。他们画的主要
是动物。那么你认为是哪种动物呢？
狗？不是的。马？也不是。狮子？
还不是。他们画的动物通常很大，
很奇怪。但这些动物都画得很好，

● 猛犸（长毛象）图，发现于法国拉·马德冷洞。

所以我们可以看出来它们的样子。上面是一张穴居人在几千年前画的图画。

看得出这张图画的是某个动物，而且这个动物不是猫或其他四不像。
这是一种存在于他们那个时代的动物。它看起来像大象，事实上的确也是
一种巨型象。但它的耳朵没有现在大象的耳朵长，而且它的毛发非常长。
现在的大象有兽皮，但几乎没有毛发。我们将这种动物叫做长毛象。长毛
象毛发很长，因为那时美国气候非常寒冷，长毛可以保暖。另外，长毛象
比现在的大象要大很多很多。

现在已经没有存活的长毛象了，但是有人找到了它们的骨头，将这些
骨头拼起来组成了大型骨架。如今我们仍然把非常庞大的东西叫做"长毛
象"。在美国肯塔基州就有个长毛象洞。事实上这里以前没有长毛象居住，
它叫这个名字只是因为这个洞非常大。

除了长毛象外，穴居人也画其他动物，包括美洲野牛，是水牛的一种。

● 猛犸（长毛象）图，发现于法国拉·马德冷洞。

5 美分硬币

在我们的 5 分硬币上就有一张水牛的图片，看起来和公牛差不多。以前在西班牙，有一个小女孩跟着他爸爸进了一个洞穴去找箭头。当她爸爸在地上找时，小女孩往洞顶望了一下，发现洞顶上画着一些东西，看起来像一群公牛。小女孩就叫道："快看，有公牛！"他爸爸以为她见到了真的公牛，忙叫着："在哪？在哪？"

穴居人画的其他动物跟今天的动物差不多，比如驯鹿、长角鹿、熊和狼。

穴居人画这些图画时，洞穴里非常暗。因为那时洞穴当然是没有窗户的，唯一的光线就是洞壁灯所发出的昏暗的光。那么，他们为什么要画这些画呢？这些图画绝不只是墙壁装饰那么简单。我们认为那时的人们画这些画是为了祈求好运，就像有些人把一只鞋留在门外希望可以带来好运一

● 西班牙阿尔塔米拉山洞的野牛壁画。

🔴 野牛图，发现于法国南部拉斯科山洞。

样。或者，他们希望讲述一个故事，或记录下他们宰杀的某种动物。还可能穴居人就是忍不住想画点什么，就像今天的小孩总是忍不住在车库墙上画点东西，甚至有时候是在自家房子的墙上，或者更严重的是在课桌上画点东西。

　　这些原始人——长须长毛的穴居人——所作的画是世界上最古老的图画，这些画的画家早在几千年前就去世了。你能想出什么东西可以像这些图画一样保存这么长时间吗？

第2章　这幅画出了什么毛病？

上一节我们说到穴居人在洞壁和洞顶上画画。古埃及人不住洞穴，而是住在房子里，不过他们不在墙上或天花板上画画。古埃及人住的房子通常是小土屋，比洞穴好不了多少，但这些埃及人感兴趣的不是自己活着时住的房子，而是自己死后住的地方（就是我们所说的坟墓），以及他们为神所建的房子（就是我们所说的神殿）。

如今，大部分人死后都埋在地下，古埃及人却认为人死后绝对不能埋在地下。再加上尼罗河每年夏天都会定期涨水，埃及大部分地面一年大半时间都淹在水中，很不适合建土墓。

● 埃及人带着礼物朝觐国王（局部）

古埃及人相信，他们死后，尸体在几千年后又会重生。因此，一些有实力的国王和富翁就会给自己建陵墓，准备死后埋在里面。古埃及人希望把自己的尸体放在像保险柜那样安全的地方，所以这些陵墓用的材料绝不是木头或其他类似的东西，而是坚固的石头或砖块，以便永久保存下去。另外，在古埃及，人死后，人们就给尸体抹上药物保存起来，这样尸体就不会腐烂了。

这些用药物保存起来的尸体叫做木乃伊，装在人形木盒里。装木乃伊的人形木盒上、陵墓和神殿的石膏墙上，都涂有许许多多的图画，密密麻麻不留一点缝隙。这些图画一般在陵墓主人去世之前就画好了。

古埃及人在木乃伊盒、陵墓或神殿墙上画的画，与穴居人画的不同，内容不再是野生动物。当然，有些画中也会有动物，但也与穴居人画的动物不同。它们大部分画的是人物：普通民众、皇亲贵族和各种神明。

有一个方法，可以不问年龄就得出小孩的岁数。我们可以给一些小孩三张人脸的画，每张画上的脸都缺一些东西。第一张画上的脸没有眼睛，第二张没有嘴巴，第三张没有鼻子。然后让这些小孩说出每张画都缺了什么。你可能认为每个小孩都能说出来吧，但事实上，在 6 岁之前，小孩子是完全看不出来这些画都缺了什么的。所以，如果他们不能说出缺了什么，我们就可以推断出，他们还不到 6 岁。

右图就是一幅古埃及人画的画，画中有几处不对劲的地方。这幅画画的是一个坐着做长矛的人，也就是个长矛匠。我不知道你的年龄有多大，能不能看出这

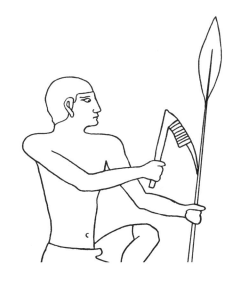

幅画中的毛病。

试试看，在我不告诉你之前，你能不能找出画中的问题。如果看不出来，可能你不到 6 岁，也可能已经有 60 岁了，因为许多年龄很大的人也会看不出。这有点像猜谜，看你猜出来了没有。

答案就是：画中人物的眼睛正视我们，脸却是侧向一旁。所以说，有毛病的地方就是，一张侧面的脸上画了一只正面的眼睛。

这幅画另一个奇怪的地方是：画中人物的身体是扭曲的，他的双肩是正面图案，两腿双足却呈侧面。

事实上，古埃及画像遵守的是"正面侧身律"。人物的眼睛和双肩是正面，脸和身体却是侧面。所有古埃及画家学的都是这种画法，而且他们也必须这样画。

你有没有观察过杂志封面上的图画？有些画的是美女鲜花。有些画的是一个故事，或故事的一部分。这种故事性图画中，有些底下会有文字说明画的含义，还有些却没有任何文字。那些画虽然没有任何文字，却仍然可以讲述一个故事。我们就把这种画叫做插图。

古埃及画大部分是插图。画的都是各种故事——某位已去世的国王或王后的事迹、某场战役、狩猎聚会或游行。有的没有文字，还有的有一些古埃及文字，说明图画的内容。这些文字本身看起来也像图画。事实上，古埃及文字就是图示法的一种，叫做象形文字。

古埃及人同时画一位国王和许多平民时，通常把国王画得非常高大，其他人非常矮小。画中的国王看起来就像个巨人，是平民的两到三倍高，目的就是显示出国王的伟大。

今天我们在画一群人时，如果要区别前后，我们知道，将后面的人画小一点，往上画一点就可以了。但古埃及人不知道这种做法。他们将远处的人和近处的人画得一样大。为了区别前后，他们就将后面的人画在前边人上面。

●《埃及亡灵书》（局部），表现的是一个叫阿尼的人的心脏正在被真理女神玛阿特的天平称量，来决定其是否获得永生。图画上方是以拉和奥西斯为首的十二位陪审大神，图画中央是阿努比斯正在移动天平的游标，天平的左侧是阿尼的心脏，右侧是象征正义的砝码——玛阿特羽毛。周围装饰的是象形文字。

　　如今，我们有各种各样的颜色和阴影，但古埃及人只有四种亮色——红黄蓝绿，以及黑白棕几种颜色。但是他们的颜色都不容易褪掉。你知道，在今天，要想找到不褪色的颜料是非常难的。除非是用耐晒的材料做成的，否则我们的窗帘、沙发罩，甚至衣服的颜色都很快就褪掉了。但古埃及人画的这些画，即使到今天，颜色还和几千年前刚画好时差不多一样鲜艳。一方面，是因为他们使用的颜料耐性好；另一方面，也是因为这些画长期藏在黑暗的陵墓里，没有经受日晒。这些石膏墙上的画颜色非常明亮，甚至亮得有点不自然。事实上，古埃及人根本不在乎画的东西有没有颜色，或者本应当是什么颜色。他们喜欢怎么画就怎么画。因此，他们有可能把人的脸画成艳红色，甚至绿色！

　　古埃及画都在陵墓里，所以它们从一开始就不是用来给任何人看的。那么古埃及人为什么要画这些画呢？他们的想法是什么呢？事实上，今天我们建一座大楼，比如教堂、神殿或基督教寺庙，我们总会在地基里放一块空心石头，叫做奠基石。在这块空心石头里，我们塞满日报、相片等东西。为什么呢？因为我们希望建筑物能够保存几个世纪，奠基石就可以一直埋在底下，直到建筑物倒了才被打开。这又是为什么呢？我不说答案，你们自己猜猜吧。总之，其实说到底，我们的想法和古埃及人的想法差不多。

第3章　宫殿上的拼图

从地图上看，离埃及只有1英尺远的地方有另一个古老的国家。不过事实上，这个国家离埃及有1000英里远。它的名字叫做——嗯，那个地方有太多国家了，而且名字都很难记，所以就先不说了吧。埃及境内有一条河，叫做尼罗河，所以我们把埃及所在的地区叫做"尼罗河流域"。埃及以东的这些国家境内有两条河，所以我们就将这些国家都放到一块儿，简称为"两河流域"。如果你们真想知道这些国家的真实名字，那么我就告诉你们吧，它们分别是：美索不达米亚、卡尔迪亚王国、巴比伦王国和亚述。

据说，伊甸园曾经就位于这个地区。两河流域和尼罗河流域都是世界上最古老的区域。至于哪个流域历史更悠久，我们也不清楚。

两河流域的城市是那时候所有城市中最重要、最大的，可能比现在的纽约和伦敦还重要，还要大。它们都由威武但残暴的国王统治。不过这些古老的城市如今没有一座建筑物保存下来。这是因为两河流域石头很少，只有很多泥土，所以那里的人们只能用土砖来盖房子，土砖房自然就不能像埃及人的石砖房那样保存很久了。而且，两河流域的人民只是把砖块放在太阳底下晒干，没有像古埃及人那样用火煅烧。我们都知道，晒干的土块通常很快就会碎裂，所以这些用晒干的土砖砌成的房子很快就塌掉了。

那些曾经宏伟的城市，如今只剩下了一堆堆砖灰，看起来就像一座座天然形成的小山。

你肯定在想，既然煅烧过的砖块几乎比其他任何东西保存时间都更长，为什么两河流域的人民不把砖块放到火里煅烧呢？这是因为，他们没有足够的木头和其他燃料来生火。不过，他们会在一些砖块上画上图画或装饰图案，然后再在这些图画或装饰图案上抹上一层类似玻璃的物质（我们把这种物质称为釉）。接着，他们就把这些砖块放到火中煅烧，烧成琉璃砖片。这些琉璃砖片保存了下来，而且后来被人发现并挖掘了出来。

在上节提到过，古埃及画主要是给死去的人看的。在两河流域，人们并不关心已经死了的人，他们画的画是用来给还活着的人们看的。

两河流域的国王们也不会给自己建陵墓。他们对自己死后会变成什么

● 巴比伦众神行列街道壁上的狮形彩釉砖浮雕，复原图。

样不感兴趣。相反，他们建庞大的宫殿和神庙。这些宫殿和神庙也是用土砖砌成的，看起来不怎么漂亮，所以工匠们就在雪花石膏板和墙砖上画上图画，贴在这些建筑物的墙上。

雪花石膏是一种石头，通常是白色，非常软，很容易在上面刻划。工匠们在雪花石膏板上刻出各种图画，画画的手法和古埃及人差不多。

他们在每块墙砖上画出一幅画的一部分，许多块砖放到一起就组成了一幅完整的画，像拼拼图一样。有一种图画你可能没见过，叫做镶嵌图案，由许多不同颜色的小块砖拼凑而成。两河流域的画家是第一次运用这种图案的人。

古埃及人在陵墓和神庙墙上画的画至今仍保留在墙上，不过木乃伊盒上的图画却已经移到博物馆里保存了。两河流域的绘画，从土堆中挖掘出来后，如今也保存在博物馆里。

两河流域人民在雪花石膏和砖块上画的画，主要是他们国王和大臣们的日常活动。那时的国王和大臣们最喜欢做的就是狩猎和打仗。所以，很多画画的都是各种战役和狩猎聚会。

我们在两河流域发现的图画，很多方面都与古埃及绘画非常相似。比

● 乌尔王陵出土的表现战争场景的镶嵌图案

● 亚述国王猎狮图（局部）

如，和古埃及画像一样，两河流域画像中的人物，也是侧脸和正面的眼睛。不同的是，两河流域画像的双肩也是侧面。另外和古埃及人的画法一样，两河流域画家为了区分画中人物的前后，也会把后面的人画在前边人上面。不过在有些画中，他们会把后面的人稍微往上画点，比例缩小一些，并用前边的人稍稍挡住后面人的一部分身体。这种表现远近距离的画法叫做透视法。

不过两河流域画像中的人物与古埃及画像不同。两河流域人民崇尚强壮的人，而且他们认为强壮的标志就是长头发和长胡须。所以，他们画的国王都非常健壮，肌肉发达，头发和胡须长长的，而且每一缕头发和胡须都是规则的螺旋卷，就像刚刚用铁棒烫出来似的。

两河流域人民画的动物要比古埃及人画的更加自然。他们最喜欢画的是狮子和公牛，因为这两种动物都非常强壮。

另外，两河流域人民非常擅长画图案和边框装饰。他们画的有一种装饰图案叫做圆花饰，中间是一个圆点，周围有许多环形的花纹，这种图案直到今天还在使用。

🔵 两河流域常用的装饰图案　　　🔵 生命之树

　　另外他们还画一种叫做连接环的图案。今天我们浴室的地板砖或公共建筑的砖墙上也会用到这些图案。

　　两河流域有一种图案被许多其他国家的人模仿。这种图案画的是一种树，叫做生命之树。这种树与自然界中生长的树木不一样，同时长满不同种类的树叶、鲜花和果实。这种图案通常用在地毯和刺绣上。至于它的含义是什么，为什么要叫做生命之树，我们也不知道，所以你就自己猜一猜吧。

第4章（让人误以为真的）愚人画

以前我养了只小猫。我总喜欢逗它玩,把它举得高高的让它照镜子。看到镜子里的自己时,它总以为是另外一只小猫,就会弓起背对着镜子"喵喵"地叫个不停。我当时觉得有趣极了。可奇怪的是,如果你给它看一张小猫的图片,它却没有任何反应,就像没有看到似的。小狗也是这样,它总是会对着镜子里的自己汪汪地叫个不停,对图片中的小狗或小猫却毫无反应。所以,虽然动物能看见东西,却不会欣赏。

有些人也是这样。他们能看得见画,但就是不会欣赏。所以能不能看见和会不会欣赏是两回事儿。《圣经》里说有些东西"有眼睛,但不会欣赏",说的也就是这个意思。

小时候,我家附近的街角有一家糖果店,店里的柜台上画了一枚1美元的银币。这枚银元画得实在太逼真了,几乎所有看见的人都试过把它捡起来。我当时觉得这幅画真的很棒,画它的画家也很了不起。

我还记得小时候去过一个美术馆。里面有一幅画我最喜欢了。画上是一位女士躲在半掩的门后向外偷看。第一次看到这幅画时你肯定会大吃一惊,因为这幅画实在太逼真了,简直让人难以相信它只是一幅画,太不可思议了。我当时想,要是一幅画栩栩如生,能够让人误以为真,那一定是件很了不起的作品。

古希腊的画家似乎跟我有同感。你肯定知道希腊与埃及隔着地中海相望。但你可能不知道的是，希腊人是世界上最了不起的雕塑家和建筑师。不过，他们的绘画倒没什么了不起。因为他们的画大部分都是我上面提到的那种以假乱真的愚人画。也就是说，他们总试着画让人误以为真的画。

埃及和亚述有许多画广为人知，但我们不清楚这些画的作者是谁。相反，我们知道许多希腊画家的名字，却不清楚他们有些什么作品。接下来介绍的这位画家是第一位我们确切知道名字的画家。他是希腊人，名字比较难拼，不像史密斯或者琼斯这么简单，事实上，大部分希腊人名在我们看来都很奇怪，读起来也很拗口。但他被称作"希腊绘画之父"，如果你真想记住他的名字的话，我就告诉你吧，他叫波利格诺托斯。同时代的作家都在书上记载说他是位十分了不起的画家，但他没有任何画作保存下来，所以我们只能相信书中的记载了。

事实上，保存下来的希腊绘画作品寥寥可数。其中一个原因是当时绝大部分的画都画在可移动的物体上，就像我们现在将画挂在墙上一样。这些可以移动的画后来全都流失或者被毁坏了。

最有名的愚人画画家中有一位是希腊画家宙克西斯，他出生于公元前400年。据说，他曾画过一个手里捧着一大串葡萄的小男孩。画中的葡萄实在是太栩栩如生了。结果你猜怎么着了？许多鸟儿飞过来啄画，想吃画上的葡萄！宙克西斯拿这幅画与另一位名叫法哈修斯的画家进行比赛。所有人都认为宙克西斯肯定会胜出，因为他画的葡萄甚至连小鸟都可以骗过。法哈修斯用来比赛的画被一幅帘子遮住了。

"现在，"宙克西斯说道，"请把帘子拉开让大家看看你的画吧。"

法哈修斯回答说："我画的就是这个窗帘。连你这样一个大活人都以为这是一幅真的窗帘。所以，我赢了。你骗了小鸟，我却骗了你。还有，你画的那个拿葡萄的小男孩其实还不够逼真，否则他应该会吓跑那些小鸟才对呀。"

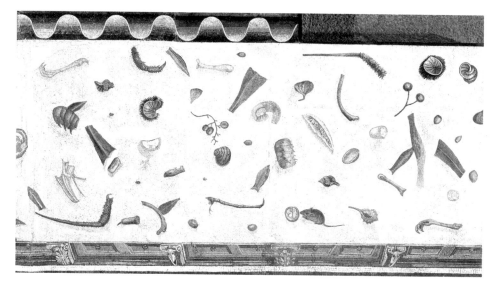

未打扫的大厅。索萨斯，根据公元前 2 世纪帕加马马赛克复制。

还有一幅希腊绘画作品，人们对它褒贬不一，有人说它是希腊最好的画，也有人说是最糟糕的。这幅画画在一个著名大厅的地板上，画中是一些果屑纸皮、剩饭剩菜，看起来就像是从桌上掉下来，还没打扫干净。因此这幅画就叫"未打扫的大厅"。希腊人都觉得这幅画很不错。可是不管这幅画多么自然、逼真，我也不觉得它很美，或者称得上是艺术作品。

最著名的希腊画家叫做亚比利斯。他和年轻的统治者——亚历山大大帝是朋友，为亚历山大大帝画过许多肖像画。然而与他的画相比，他更有名的是曾说过的两句话。

有个鞋匠曾指出亚比利斯画中人物的鞋画得不对。亚比利斯非常高兴能有一个懂鞋的行家给自己提出意见，便欣然地接受了他的批评，做出了修改。可第二天，这位鞋匠又指出他另一个地方画得不对。这一次亚比利斯不喜欢鞋匠的批评，觉得这个鞋匠根本就在瞎说，所以他大声说道："鞋匠老兄！你管好你的楦头就好了。""楦头"就是做鞋用的木制模型。这句话的意思就是说，鞋匠只要管好自己份内的事就好了，不要对自己不知道的东西指手画脚。

亚比利斯工作非常努力，规定自己每天都要做些有意义的事情。他经常说："要曲不离口，笔不离手才行。"尽管他生活在两千年前，直到现在

⬤ 亚比利斯和鞋匠。弗兰肯二世作。

我们仍然会引用他说的一些话。他的话作为格言流传了下来，他的绘画作品却没有一幅保存下来。尽管与他同时代的人都非常尊敬他，把他称为希腊最伟大的画家。

另外还有一个故事，讲的是亚比利斯绘画技术非常高超。据说，有一天亚比利斯去看望他的一位画家朋友——普罗托格尼斯。但普罗托格尼斯恰好不在家。于是亚比利斯拿起一支画笔，沾了点颜料，在朋友的画板上画了一条非常细的直线，就走了。他想看看普罗托格尼斯会不会知道这条线是他画的。过了一会，普罗托格尼斯回来了，他看到这条线时惊叹道："啊！看来亚比利斯来过了！这个世界上，除了我和亚比利斯以外，没有人能够画出这么美的线条了。"

于是普罗托格尼斯顺着线条用另一种颜色画了一条更细的直线，将之前的线正好一分为二。不久，亚比利斯又来到普罗托格尼斯家。当他看到自己画的那条直线中间多了一条更细更直的线后，他又一次拿起画笔，在普罗托格尼斯的那条线上画了一条更细的线，将它也分开来。这真是让人难以置信，这幅画就该叫做"分叉的头发"。

很可惜，这些画没有一张保存下来，所以我无法展示图片给你们看。要是有图片，我们可以自己评判一下，看看这些画是不是真的那么了不起。

第5章 瓶瓶罐罐上的绘画

有一种希腊绘画一直保存至今，我们今天可以在许多博物馆里看到它的代表作品。这种绘画就是希腊花瓶绘画。

今天的花瓶大多是用玻璃、瓷器或铜做成的，通常只是用来插花。我们一般也不会在花瓶的瓶身上画上装饰图画。古希腊的花瓶都是用黏土做成的，不是用来插花，而是用来装各种液体，比如水、酒、油、药膏和香水，就像今天我们用的各种瓶瓶罐罐、水杯水壶等容器。古希腊的花瓶各种形状的都有，非常漂亮。有的又高又细，有的又矮又肥；有的像水杯一样只有一个手柄，有的又有两个手柄。今天我们用的水罐和水壶，不管是什么材料的，都是模仿希腊花瓶的形状。古希腊人差不多为每种形状都起了个名字，尽管这些名字都很难记，你还是可以学几个，这样你就可以用希腊语来叫你们家的各种容器了，你的朋友们听了肯定都会大吃一惊的。

Kylix 是一种敞口平底的花瓶，形状有点像我们用的果盘。

● 希腊花瓶

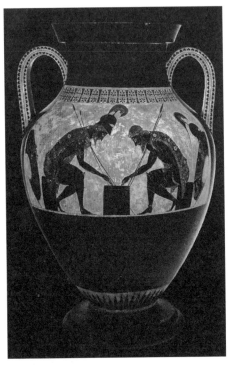

● 希腊花瓶（上两图）

　　Askos 是一种低矮的花瓶，侧面有一个喷嘴，顶上有一个长柄，是用来给油灯添灯油的。也就是说，Askos 其实就是一种油罐，只不过不是用铝做的。

　　Amphora 是一种瓶身很肥大，瓶颈处有两个手柄的花瓶。

　　oinochoe 是一种形状像大水罐的花瓶。

　　lekythos 是一种高高细细的花瓶，形状像水瓶，只有一个手柄。

　　所有上等的希腊花瓶外面都画有图画。要是在古埃及，这些图画肯定不是国王就是王后。要是在亚述，肯定就是国王。但那时的希腊没有王室，也就没国王王后可画。所以这些图画主要画的是希腊的神、英雄人物或者希腊童话和神话故事里的情景。古希腊花瓶上的绘画很多看起来就像书中的插画，非常优雅漂亮，也很逼真，不过还是不足以让人误以为真。事实上，除非画中的人物和物品就跟真人真物一样大，否则很难让人误以为真。

　　这些图画大体可以分为两种风格。一种风格是，画面是黑色或暗色，背景是红色或陶土色；另一种风格是，背景呈黑色，画面是红色或陶土色，这种风格的画看起来就像是整个瓶身本来都涂成了黑色，上面的图画是后来刮出来，露出了底下陶土的颜色。

● 黑底红画古希腊花瓶

第6章　耶稣像和基督教徒

我们最熟悉的历史人物要数耶稣基督了，可没有人知道他到底长什么样。尽管耶稣的画像比其他任何人的都多，但是所有关于他的画都是想象出来的。如果我们能够拥有一张真正耶稣的画像，那么这幅画肯定会是世界上最珍贵的画。早期的耶稣画像都是在耶稣去世后很久才完成的，那些画家从没有见过耶稣本人，因此他们只能按自己想象中耶稣的模样来画。

耶稣时代最著名的城市要数意大利的罗马。罗马的基督徒数量很多，很快就超过了耶稣出生和生活的地方。早期的基督徒是一个秘密团体。当时的统治者认为基督教徒很危险，经常折磨他们，甚至随便找个借口就将他们处死，所以他们不得不隐藏起来。

罗马的基督教徒在地底下挖了上万个隧道和地下室，在这些地方聚集开会。他们死后也葬在

地下墓穴里的殉道者。勒内弗作。

24

地下室的壁洞里。洞穴里非常昏暗潮湿，只有一些昏暗的小灯照明。这些洞穴就叫做地下墓穴。地下墓穴的顶部和壁上都画满耶稣的画像。其中有一幅叫做《耶稣好牧人》，画中的耶稣肩上扛着一只羊。我曾说过，没有人见过耶稣，那么你认为这些早期的画家都是依据什么来画耶稣的呢？答案就是：一个古希腊神的画像！

早期基督徒的画描述的都是丹尼尔被关进狮子洞、约拿鲸鱼腹中历险还有希腊神奥菲斯使用魔法迷惑野兽等故事。

🔵 耶稣好牧人。地下墓穴中的天顶壁画。

地下墓穴中绝大部分的画与我们平时所说的画都不同，它们不仅仅是一种装饰。这些画对于基督徒来说是有一定意义的。他们画鸽子，是因为他们认为圣灵是以鸽子的形象从天而降的，鸽子就是圣灵的代表。他们画公鸡，是因为在彼得否认自己认识耶稣时，正好有公鸡啼叫。他们画铁锚，是因为在他们眼里，基督教就好比一个铁锚：像铁锚可以保护暴风雨中的船只不触礁一样，基督教也是他们的保护伞。他们画鱼，是因为在希腊语中，表示鱼的单词的头两个字母正是耶稣的姓。他们还画藤蔓，因为耶稣曾经说过："我就是一条藤蔓。" 除了这些之外，基督徒还画过很多类似的具有象征意义的画。

耶稣死后三百年左右，罗马君主君士坦丁大帝成了基督徒。基督教终于不再是一个秘密的团体了。基督徒们也不再害怕受到迫害，所以他们从那些地下墓穴中走了出来，对耶稣公开膜拜。他们在地面上修建教堂，教

堂墙壁上刻满了图画和镶嵌图案。在后来的一千多年里，他们图画的主题主要是《圣经》里的人和故事。

希腊画家画的人物通常都不穿衣服，因为他们认为人体是世上最美丽的东西，不愿意把它遮盖起来。基督徒画家则认为这种画不够得体，所以他们画中的人物都是穿得严严实实，只露出脸、手和脚。他们千方百计让画中人物的脸看起来不仅漂亮，而且神圣高尚，所以这些画的背景都是金黄色的。有时候这些图像并不是画出来的，而是用石子镶嵌出来的。石膏墙上的画通常容易脱落、破裂或被擦掉，石子镶嵌画却可以永久保存。因为只有这种用石子做的画才能经得起脚踩，不会被磨损或磨光，所以教堂地板上的画通常都是这种镶嵌画。

● 善良的牧人基督。加拉·普拉西狄亚陵墓内门廊上方的马赛克艺术。

14世纪玻璃镶嵌画，表现的是耶路撒冷国王麦基洗德带着酒和面包前来拜访亚伯拉罕。

13世纪玻璃镶嵌画，表现的是《圣经》中约押谋杀押尼珥的故事。

　　基督教画家最好的作品是《圣经》或其他圣书上那些小小的插图，或者装饰图。这些图画有一些和邮票差不多大。它们绝大部分是修士——也就是把一生都奉献给了教堂的虔诚的基督徒——画的。那时打印机还没发明，所以所有的书都是手写的（我们把手写的书叫做手稿）。这些书本上的图画就叫做插图，插图通常都是黄金做的，颜色亮丽，比教堂墙上和天花板上的大型图画还漂亮得多。

第7章 牧童画家

你很可能从没见过一幅名画吧。事实上，只有很少的人真正见过，他们或者出过国，或者去过我们国家最大的几个艺术博物馆。大部分人只见过名画的图片。这就有点像我们看印有尼亚加拉大瀑布的明信片，看的只是瀑布的图片，而不是真正的瀑布。不过通过看图片，我们可以知道瀑布大概的样子。同样，通过看名画的图片，我们也可以大致知道那些伟大的绘画作品是什么样子。不过看图片的感觉和看实物的感觉还是很不一样的。比如，如果你能看到的就只是一张彩色图画的黑白图片，那么你就得充分发挥想象力，去想象出这张彩色图画真实的样子。

我在前一章说过，希腊绘画之父是波利格诺托斯。大约两千年之后，

● 圣母像。契马布埃作。

有一个人被称作"意大利绘画之父"，他的名字叫契马布埃。契马布埃住在佛罗伦萨，它的意思是"花城"，位于意大利中部。契马布埃的绘画很少保存下来，那些保存下来的我们也不能确定是不是真是由他画的。而且，从这些保存下来的画中，你可能也很难看出为什么我们会说他是个伟大的画家。

　　要是契马布埃生活在今天，他很可能算不上伟大的画家，不过在他那个时代，他是非常

　　圣弗朗西斯伴随圣母子。契马布埃作。

伟大的，比他之前一千多年以来所有的其他画家都要好。他曾画过一幅圣母玛丽亚的画像。画好后人们都觉得非常非常好，所以大家就举行了一次庆祝游行，吹着喇叭，舞着旗帜，把画像从契马布埃家一直抬到安放画像的教堂里。

　　契马布埃的另一幅名画画的是一个圣方济修士。修士就是把所有的时间都花在修身行善之上的圣徒。圣方济会是圣方济发起的一个修士会，叫做方济各修会。所有修士在加入这个组织时，都得承诺像耶稣那样生活。他们必须放弃所有的钱财，终身不娶、一心行善。他们还必须动手劳动，自己种粮食、建房子。而且，他们也得经常把头顶的头发剃光，只留下光秃秃的头皮，让大家一看就知道他们是修士。这种剃光头的做法叫做剃度。修士们穿的是粗糙的棕色带帽长袍，腰间用一根粗糙的绳子系起来。

　　在你翻到下一页之前，我得先提醒你一下，不要期待在下一页能看到漂亮的图片。事实上，下一页的图片非常难看，你看了肯定会惊叫："这个

人真是又老又丑！"图中画的是圣方济，他头顶的光圈叫做光环，圣人的头顶一般都会画一个光环，表示他们很神圣。圣方济手上的小黑点并不是不小心弄上去的。据说，圣方济总是非常希望自己能够像耶稣，所以有一天一个天使来到他身边，在他手指和脚趾指甲上钻了许多洞，就像耶稣当初被钉在十字架上时，手指和脚趾上钻出的洞一样。这种指甲上的标记叫做"圣痕"。

不过，契马布埃之所以有名倒并不是因为他自己的成就，而是主要因

契马布埃和乔托。莎巴杜里作。描绘了大画家契马布埃在路上发现15岁的放羊娃乔托在石头上作画展露出惊人才华，便收他为徒的情景。

为他的一个学生，这个学生后来成了非常著名的画家。据说，有一天，契马布埃在离佛罗伦萨不远的一个乡村散步，无意间看到一个正在放羊的牧童。这个牧童一边放羊，一边在一块硬石板上给羊群画画。契马布埃就凑过去看了看，看了后大吃一惊，忙问这个牧童叫什么名字。小男孩回答说："乔托。"

契马布埃就问乔托愿不愿跟他回佛罗伦萨学习绘画。这个小男孩当然非常开心能有这样一个机会。征得他爸爸的同意后，小男孩就跟着契马布埃一起生活和学习了。他长大后，画了许多有名的画像，画的主要是耶稣和圣母玛丽亚，但更多的是契马布埃过去常画的圣方济。

圣方济住在离佛罗伦萨不远的一个小镇，叫做阿西西。这个小镇上有一座为他而建的教堂。不过这座教堂其实是由两座小教堂组成的，上下各一座。在上面那座教堂的墙上，乔托画了许多画，描述圣方济的生平故事。

关于圣方济，有一个神奇的传说，就是说他常常能吸引许多鸟儿聚在他身旁听他布道。右边这幅画描述的就是这一情景。

在乔托那个时代，画家用的颜料和我们今天用的不一样。今天的画家用的颜料一般是由彩色粉和油混合而成（我们把它叫做油彩），而且他们在画布上作画。但在那个时代，画家不用油彩，也不在画布上画画。他们将彩色粉和水混在一起，然后在刚刷好的石灰墙上作画。或者，他们将彩色粉与一些黏性的物质——比如蛋清

●向鸟儿布道。乔托作。

手持调色盘的乔托

或胶水——混在一起，然后在干燥的石灰墙、木板或铜片上作画。前面那种在刚刷好的石灰墙上画的画叫做"湿壁画"，意思是这种画是画在潮湿的墙壁上的；而后面那种绘画叫做蛋彩画，意思是这种画的颜料是用各种材料与蛋清混合而成的。

据说，有一次教皇想找人画一幅画，就派了一个使者去乔托那里，问他要一幅绘画作品的样本。乔托用画笔蘸了点颜料，轻轻挥了一笔，便在一片木板上画出了一个规则的圆。他让使者把这个圆交给教皇看，以示自己的才能。如果不用圆规，你认为你能一笔画出一个规则的圆吗？先用铅笔试着画一下，然后再用画笔试一下。

肯定画不出来吧？不过，即使你能画出来，也不意味着你就是个伟大的画家。描摹出一幅画是很容易的。即使不描摹，看着一个东西临摹出一幅画也难不到哪去。成千上万的人都能画出一篮子水果、一瓶花或一处漂亮的风景，但这些画都只是简单的临摹而已。还有许多人可以临摹出伟大画家的作品，有些甚至临摹得非常像，简直让人辨别不出真假。但很少有人能够全凭自己的画笔创作出一幅画，能够将各种零散的碎片拼凑成一幅美丽的图画。只有能够做到这一点的人才能算得上天才画家。

第8章　天使般的弟兄

修士们住的房子叫做隐修院。因为修士视所有人都为兄弟，我们也就把他们叫做"兄弟"。今天有些教堂的成员也互相叫兄弟姐妹。

在有"花都"之称的佛罗伦萨，有一座名叫圣马可的隐修院，圣马可便是写《圣经·新约》的那位使徒。这个隐修院里有一个修士非常善良、圣洁，别人都叫他"天使般的弟兄"。他名叫弗拉·安吉利科。可能你会觉得奇怪，修士竟然也能成为了不起的画家？事实上，弗拉·安吉利科很有画画的天赋，圣马可隐修院内墙上的圣经图画都是他画的。

修士睡觉的地方叫做单人小室，每个房间都非常简陋，像囚房一样。圣马可隐修院里一共有40个这样的单人小

● 一个中世纪的隐修院复原图

室。弗拉·安吉利科一生中绝大部分时间都在这些房间的墙上画画，这样，所有的修士都可以在墙上欣赏到《圣经》中的情景，并思考其中的意义。这些图画当然都是壁画。除了这些画之外，弗拉·安吉利科还会用蛋彩在木板上画画。还记得吗？我曾说过，蛋彩是由颜料和鸡蛋清或胶水这种黏性的东西混合而成的。

尽管弗拉·安吉利科比乔托（意大利画家、雕刻家、建筑师）晚出生一百年左右，他的绘画风格与乔托却非常相似。据说，他总会在开始画画

天使报喜。弗拉·安吉利科作。

圣彼得。弗拉·安吉利科作。

圣母像。弗拉·安吉利科作。

前认真地祈祷很长一段时间。真正着手画画后，他会坚持保留第一次画出来的样子从不修改，因为他相信，是上帝指引着他的手在画画，所以不应该做任何修改。作为这样一个虔诚的信徒，他自然只画与宗教有关的画，比如圣人或天使，并且也不索求任何回报。

那个时代的画家非常喜欢画的一个宗教主题就是"天使报喜"。还记得吗？《圣经》里说过，上帝派遣天使加百利来到玛丽亚面前报喜，告诉她，她将怀孕并生下圣子耶稣。这就是"天使报喜"的故事，也就是天使告知玛丽亚，她将成为圣子之母。你要是看到弗拉·安吉利科画的《天使报喜》，肯定也会觉得画面非常甜蜜温馨。我们可以从画上看到圣母玛丽亚坐在门外的圆凳上，双臂在胸前环抱。一个小天使从天而降，半跪在地上，告诉玛丽亚她即将生下上帝之子。

除非在某些特定时刻作为特殊奖励，否则圣马可隐修院的修士们是不允许私下交谈的。他们绝大部分时间都必须保持安静。试着想想，要是让你一天，哪怕一个小时保持沉默，不能与身边的任何人讲话，那将是件多么痛苦的事呀！这个隐修院之所以制定这一规则，是为了让修士们一心想着上帝和教义，而不是把时间浪费在没有意义的闲聊上。弗拉·安吉利科

在圣马可隐修院一个门道上方画了一幅画，画中圣彼得把手指放在嘴唇上，提醒修士们保持安静。

圣马可隐修院现在已经成了弗拉·安吉利科绘画作品的博物馆，里面有他绝大部分可移动的画作，以及单人小室墙上的壁画。其中有一张可移动画作刻画的是怀抱着耶稣的圣母玛丽亚。所以这幅画叫做圣母像。

在后来的几百年内，人们画了成千上万幅圣母像。实际上，每位画家都至少画过一幅圣母像。每个教堂也至少有一两幅圣母像。每个家庭，只要能够买得起画，也都会有一幅圣母像挂在墙上，就好像现在每家至少有一本《圣经》一样。

弗拉·安吉利科画的《圣母像》装在宽宽的金边框里。通常边框都只是用来将画与墙壁以及墙上的其他东西分隔开来，本身并没有什么美感。但在这幅画的边框上，弗拉·安吉利科画了12个小天使，每个天使都在演奏不同的乐器。后来的人们根据这些天使像制作了成千上万的明信片和其他复制图片。你们家可能就有这样一张呢，试着去找找看吧。

● 被天使环绕的圣母像。弗拉·安吉利科作。

第**9**章 文艺复兴时期的画家

古埃及人相信，他们在死后一千多年时会重生，但他们一直都没重生。古希腊人并不相信重生的说法，但就在古希腊画家死后大约两千年时，在意大利出生了一批人，他们在许多方面都与古希腊人非常相似，简直就像古希腊人重生，只不过他们不再住在希腊，而住在意大利罢了。所以，我们把这一时期叫做复兴时期，或者文艺复兴时期，意思就是重生时期。

文艺复兴时期早期的画家中有一位是个年轻的小伙子，他有一个非常难听的外号。有很多人长大后都还被人叫小时候的外号，这没什么奇怪的。但这个男孩后来成了伟大的画家，人们却还是一直叫他难听的外号，这就有点奇怪了。而且直到今天，我们也还只知道他的外号：马萨乔。因为这是个意大利名字，你可能觉得并不难听，但事实上，它的意思是"脏兮兮的汤姆"。

马萨乔非常贫穷，可能正因为如此，他才会脏兮兮的，而且他很早就去世了。他去世的时候仍然十分贫困、脏兮兮的。他活着的时候，几乎没人喜欢他或他的画，有人甚至说，他是被不喜欢他的人给毒死的。但是他死后，人们对他的看法有了改观。许多有名的画家都认为他的画非常好，他们甚至前往保存这些画的地方去研究和临摹这些画。

● 亚当和夏娃被逐出伊甸园。马萨乔作。

其他画家之所以研究和临摹马萨乔的画，是因为马萨乔成功地做到了以往画家都无法做到的一些事。比如，马萨乔的画看起来非常有立体感，你可以直接看到画面的后部去。我们把这种效果叫做透视。

过去几千年的画家一直都想弄出这种透视的效果，但他们都没做到。因此，文艺复兴时期的画家就很想弄清楚马萨乔是怎样做到的。马萨乔最有名的一幅湿壁画画的是一个天使将亚当和夏娃赶出伊甸园的场景。

在所有研究马萨乔湿壁画的画家中，有一个叫做弗拉·菲利普·利皮的修士。然而菲利普跟其他的宗教画家不一样；他虽然是一个好画家，却不是个好修士。据说，他厌倦了修士的行善生活，便从隐修院逃出来了。在外面经历了一些冒险后，他被一群海盗抓去，卖去给人作奴隶。有一天，他用一块木炭给他主人画了一张画像，因为画得非常像，主人就把他释放了。恢复自由后，菲利普回到了意大利。后来，一个女隐修院请他去画一张圣母玛丽亚画像。女隐修院就是修女们住的地方，她们决心把自己的一生都献给上帝，一起住在女隐修院里。当时，这个女隐修院有一个年轻漂亮的修女奉命作为马萨乔圣母画像的模特。

隐修士和修女本来是不允许相爱的。尽管如此，菲利普还是爱上了这

●比萨斜塔

位修女，而且他们不顾一切地私奔了。后来他们有了一个儿子，取名叫菲利皮诺，意思就是"小菲利普"。菲利皮诺长大后也成了一名伟大的画家，比他爸爸还要有名。

文艺复兴时期还有一位著名的画家，叫做"贝诺佐·戈佐利"，这个名字很有趣，因为姓和名里都有一个"佐"，读起来很押韵。

比萨城有一座著名的塔叫做比萨斜塔，这座塔非常奇特，塔身没有与地面垂直，而是稍稍倾斜。除此之外，比萨城里还有一个很神奇的东西——一块墓地。这块墓地之所以神奇，是因为它的泥土都是从耶路撒冷大老远运过去的，是耶稣曾经踏过的圣土。当时建成这块墓地一共花了53艘船的圣土。所以这块墓地就叫做德尔坎波圣多明各，意思是"圣陵"。

圣陵周围有一面围墙，贝诺佐·戈佐利在围墙的里侧画了许多画，描述《旧约》上的故事。比如，诺亚舟的故事、巴比伦的故事、大卫的故事、所罗门的故事，等等。一共有22幅画。每幅画上都有大批人物，人群后面通常还有许多建筑（我们把这些建筑物叫做背景）。

文艺复兴时期的宗教画像中，人物的服装与圣经时代人们的着装很不一样，而且背景建筑的风格也完全不同于圣经时代或《圣经》中提到的那

● 最古老的国王的游行。贝诺佐作。

● 圣母之死。贝诺佐作。

些地方的建筑风格。这是因为,文艺复兴时期的画家从没去过《圣经》中
讲述的地方,也不知道《圣经》中的人物着装和建筑风格应当是什么样的,
所以他们只得按照意大利人的穿衣和建筑风格来画。

　　前面提到的三位画家就是文艺复兴时期早期的著名画家,文艺复兴时
期早期指的是 1400 年到 1500 年之间的那一百年。可能在你看来,这三名
画家并不像是希腊人重生,但是一定要记住他们的外号:脏兮兮的汤姆、
不守规矩的修士和墓地画家。

第10章 罪恶与布道

在美国几乎所有小朋友首先学会的一个历史年代都是 1492 年——哥伦布发现美洲的那一年。哥伦布是意大利人，但当时大部分意大利人对哥伦布并不感兴趣，也不关注他在做些什么。他们只对两件事情感兴趣：一是享受生活，二是艺术。他们对希腊、希腊的艺术和知识尤其感兴趣，对哥伦布发现的新大陆却不怎么关心。这个时期被称为文艺复兴鼎盛时期的开始，也就是 1492 年左右。

你在地球仪上可能很难找出意大利在哪里，它非常小，比你小拇指大不了多少，不起眼地坐落在地中海旁边。不过在文艺复兴鼎盛时期，这块小拇指大小的地方上却居住着有史以来最伟大的画家。我们把这些画家叫做"古代大师"。你可能会觉得很奇怪，为什么在意大利那么小的一块地方会有那么多了不起的画家呢，简直每隔几里就有一位了。原因就是：意大利是当时基督教的中心，而且至此之前，意大利的画家都只画宗教主题的画。

后来有一批意大利画家开始画一些圣经故事以外的事物，其中有一个画家叫波提切利。波提切利也画宗教画，但他尤其喜欢画的是古希腊神，以及其他虚构的人和事物。我曾说过，在文艺复兴时期，所有人都对古希腊的艺术、历史和知识感兴趣。波提切利的画有自己独特的风格。他画中的女性腿通常都很长，看起来就像在地上翩翩起舞，而不只是站在地上或

● 春。波提切利作。

者在行走。这些女性通常身上裹着一层薄纱似的长袍,通过长袍可以清楚地看到她们的婀娜的体态,就仿佛没穿衣服一样。

哥伦布时代,在佛罗伦萨住着一个修士,他叫萨佛纳罗拉（Savonarola）,有些人认为他是疯疯癫癫的疯子。但不管怎么说,他都是一个很厉害的传教士,因为任何人只要听过他的传道,都会按照他的要求做任何事情,就像是被他催眠了一样。佛罗伦萨的人们大多都缺乏道德,他们只贪图玩乐,享受生活,而且只要能够享乐,他们从不在乎自己有多坏。萨佛纳罗拉宣扬反对世间的各种罪行,预言那些不知悔改的人必将走向灭亡。他劝诫人们不要玩纸牌和骰子、不擦胭脂、不穿戴饰品、不跳舞、不唱圣歌以外的歌、不写与宗教无关的书或画与宗教无关的画。于是,佛罗伦萨的人们开始忏悔。有一天,他们把所有的饰品、花哨的衣裳和不健康的书都堆到一个广场上,然后一把大火把它们全烧掉，火苗比房屋还要高。这样，许多不正当的东西都被烧毁了，其中大部分都是理应被烧毁的。其实，如果每年我们都能选择一天，大家聚到一起，把房子里所有坏掉的饰品、没用的画和其他垃圾一并烧掉，也是个不错的想法呢。

波提切利听了萨佛纳罗拉的布道后，也觉得自己有罪，因为他画了很多神像和其他非宗教主题的画。所以他把这些非宗教主题的画都拿去烧掉了。不过，幸运的是，烧毁掉的只是一小部分，他的佳作至今仍完好无缺地保存在艺术馆里。

下面这幅画属于宗教画，是一幅圣母像。它不像大部分画那样是方形，而是圆形的。这种圆形的画就叫圆形画。

这幅画叫《圣母加冕图》。从图中我们可以看到，两个小天使正在给玛丽亚戴王冠，表明她成为圣母。玛丽亚正在一本书上写一首歌，圣婴好像在指引着她的手。这首歌直到现在还经常在教堂里唱到，叫做《圣母玛丽亚颂》。所以这幅画也常被叫做《圣母玛丽亚颂》。歌曲歌颂的是玛丽亚感谢上帝从万人之中挑选她作为耶稣之母。

画中那两个分别手托油墨缸和手拿书本的小男孩是现实存在的人物。他们也不是生活在耶稣时代，而是在波提切利那个时代。所以，把他们俩画到这幅画

● 圣母加冕图。波提切利作。

里，感觉有点奇怪。但古代大师们总做这样的事。这两个小男孩长大后都成了教皇。

后来，被萨佛纳罗拉指责为罪孽深重的那些人实在忍受不了他了，甚至他的一些追随者也开始背弃他。最后，他们把他抓了起来，吊死在公共广场的十字架上。可他们还不解恨，把他的尸体放在木桩上烧掉了。这样做后他们还不解恨，又把萨佛纳罗拉的骨灰扔进了河里。

当时在佛罗伦萨还有另外一个年轻的画家，他像波提切利一样，也把自己所有的非宗教类画作都烧掉了。他看到萨佛纳罗拉的下场时，非常震惊，决定放弃画画，成为一个修士。他自封名号弗拉·巴托洛米奥，住在萨佛纳罗拉曾经居住的隐修院，安吉利科在搬去圣马可隐修院以前也在那生活过。接着有整整六年，弗拉·巴托洛米奥再没画过一幅画，连画笔都没碰过，每天就只是做祷告。后来，他被人说服，重新拿起了画笔，并从此画了许多漂亮的画。当然，他所有的画都是宗教主题的。其中有一幅画的是一个叫做塞巴斯蒂安的圣人。据说，圣塞巴斯蒂安秘密皈依基督教后被人发现，被乱箭射死。弗拉·巴托洛米奥为隐修院画的圣塞巴斯蒂安画像一丝不挂，身上插满箭。修士们都认为这幅画很不得体，最终这幅画被移走了。

● 萨佛纳罗拉。弗拉·巴托洛米奥作。

弗拉·巴托洛米奥还画过他的崇拜者——萨佛纳罗拉。萨佛纳罗拉长得一点都不好看。事实上，他的鼻子很大，非常丑，所以他的反对者总嘲笑他。弗拉·巴托洛米奥画的萨佛纳罗拉画像虽然也不好看，但却形象伟大。弗拉·巴托洛米奥并没有改变萨佛纳罗拉的长相，只是照着他自身的样子画了出来，不过这幅画像却很好看，因为画像中的人物为了坚持自己认为是对的信念，遭受了世界上最痛苦的折磨和苦难。

绝大部分画家在画人物肖像时，都会找真人摆造型。我们把这些摆造型的人叫做模特。不过，弗拉·巴托洛米奥使用的模特不是真人，而是关节可以自由活动的木头娃娃。他先帮这些娃娃穿好衣服，然后按照自己想画的人物造型摆好娃娃的姿势。这种木头娃娃叫做人体活动模型，是专门用来为画画摆造型的。

弗拉·巴托洛米奥是第一个在圣母像脚下画婴儿天使的画家，后来的画家都模仿他这种画法。

第11章 伟大的老师和"最伟大的"学生

许多城市都是以人名来命名的，比如华盛顿、圣路易斯、杰克逊维尔等。很少有人会根据城市的名字来取名，不过有一位画家的名字就是根据一座城市来取的。这座城市是意大利的佩鲁吉诺。事实上，佩鲁吉诺出生时并不叫这个名字，但大部分人已经忘记了他的真名。他甚至也不是在佩鲁吉诺出生的，只不过后来在那里定居，而且在那里开办了一所绘画学校。

有些时候，你收到一封信，不用打开信封，只看信封上的字迹就能猜出是谁寄来的。同样，即使画上没有名字，我们也可以猜出哪些画是佩鲁吉诺画的。佩鲁吉诺最常画的是圣母玛丽亚和各位圣徒。通常只要看过他的几幅画，你就能认出他其他的画，尽管你可能也说不出具体要怎么认，为什么能认出。不过，他画中人物通常都是脑袋偏向一边，脸上带着甜甜的微笑，一只脚微微屈着。

● 拉斐尔像

佩鲁吉诺画过许多漂亮的画，不过他主要还是因为自己的一名学生而出名。这名学生是个年轻的小伙子，许多人都认为他是有史以来最伟大的画家。他的名字叫做"拉斐尔"。拉斐尔跟着佩鲁吉诺学习了三年。到他 19 岁时，他已经把老师能教的所有东西都学会了，所以他开始自学。拉斐尔27 岁就去世了，但他一直都非常辛勤地画画，到去世时，他已经一共完成了一千多幅画。事实上，据说他就是因为太辛苦而累死的。

大公爵的圣母。拉斐尔作。

拉斐尔差不多每个星期就完成一幅画，有些画还非常大，人物非常多。要想完成这么多画，只有一个办法，就是让他的学生们帮忙。事实上，据我们所知，拉斐尔也正是这么做的。他通常自己先把画中人物的脸画好，然后让学生们画人物的服装、四肢和其他不那么重要的地方。

如果在每页纸上印一张拉斐尔的画，那么他所有的画加起来可以凑成好几本书。《大公爵的圣母》是他最有名的画作之一。这幅画之所以叫这个名字，是因为有一个大公爵曾经高价买走这幅画，出价比他自己所有财产加起来的价值还要高。事实上，这个公爵甚至都不愿意把这幅画挂在自己宅邸的墙上，或者锁在柜子里保存起来，他希望把它时刻带在身边。所以无论走到哪里，他都把这幅画放在自己的马车里，这样他就能随时欣赏

椅中圣母。拉斐尔作。

到它了。

当然，这个大公爵现在已经不在世了，这幅画也被放到了佛罗伦萨的一个美术馆里。到这座美术馆的任何人都可以参观这幅画，看多少次、看多久都没关系。你可能在想，住在佛罗伦萨的人多幸运呀，他们可以天天免费地欣赏这幅画！不过，据我所知，有些佛罗伦萨人还从未去看过这幅画。很奇怪吧？人就是这么怪。有些人千里迢迢，花大笔钱专门去看这幅画；还有些人就住在隔壁，却从不"多走几步路"去看一看。

拉斐尔另一幅有名的圣母像叫做《椅中圣母》，采用的是圆形构图，整幅画是圆形的。

据说，有一天拉斐尔正在乡间散步，无意间看到一个年轻的母亲抱着一个婴儿坐在门边。

拉斐尔自言自语道："多么漂亮的一个圣母玛丽亚呀！我得趁着她还没改变姿势前赶快把她画下来。"

他马上往四周望了望，看有没有合适的东西可以用来画画。接着，在不远处的一个垃圾堆里，他找到一个垃圾桶的圆盖。他立即在上面用铅笔勾勒出那位年轻母亲和她小孩的轮廓。然后，他一回到家，就马上根据轮廓把她们画了出来。

不过世界上最著名的画要算拉斐尔的另一幅圣母像,叫做《西斯廷圣母》。"西斯廷"是最初安放这幅画的教堂的名字。不过,现在这幅画已经放在德国德累斯顿的一家美术馆里,在那里,它被单独放在一间专门的屋子里。因为人们认为,世界上再找不到其他任何一幅画配与它放在一起。

我给你看的许多圣母像中的圣母都很漂亮,不过画中的圣婴却一点都不好看,通常看起来要么像个小老头,要么就只是个普通的胖小孩,完全不像我们想象中上帝之子应该具有的形象。不过,拉斐尔《西斯廷圣母》中的圣婴却非常漂亮。画中圣母玛丽亚的脚下,有两个小天使倚在画的边缘处。拉斐尔是从他的好朋友费拉·巴尔托洛梅奥那里获得这

西斯廷圣母。拉斐尔作。

个灵感的。画中另外两个正在朝觐圣母的人分别是西克斯特教皇和芭芭拉圣徒。这两个人自然都不是耶稣时代的人物,但拉斐尔还是将他们放在了画中,就像波提切利在他的《圣母加冕》中画了两个人世间的小男孩一样。

第12章 画画的雕塑家

文艺复兴时期，年轻的女孩通常都喜欢在头上戴金黄色的花环，就好像现在的女孩子喜欢戴手链或者戒指一样。有一个金匠金属花环做得特别好，所以非常出名，被人称为吉兰达约，意思就是做花环的人。后来，吉兰达约不做花环了，开始画画。他画了许多很有名的画。然而，他做过的最了不起的事要数培养出了世界上最伟大的画家——米开朗基罗。米开朗基罗跟着吉兰达约学习了三年，老师不但没有收他学费，相反，还给他钱呢。

吉兰达约绝对是个很好的美术老师，不过，比起画画来，年轻的米开朗基罗更喜欢雕塑。所以他离开了吉兰达约的工作室，转而开始学习雕塑。

可是，米开朗基罗并不是一个很好相处的人。他总是想到什么就

● 米开朗基罗像

说什么，从不避讳，也从不理会自己的话会不会伤害别人。有一天，米开朗基罗公开发表评论，说另一位年轻雕塑家的雕刻作品不怎么样。也许他说的并没有错，不过那位雕塑家非常生气，一拳揍中了米开朗基罗的鼻子。因为打得太用力了，米开朗基罗的鼻骨都断了。从那以后，米开朗基罗的鼻子就又丑又歪。

米开朗基罗很快就成了一个有名的雕塑家——也就是专门雕刻塑像的人。他从佛罗伦萨搬到了罗马，开始为教皇工作。教皇非常喜欢米开朗基罗的作品，他甚至不允许米开朗基罗为其他任何人做雕像。

教皇希望给西斯廷礼拜堂的穹顶画上画。西斯廷礼拜堂位于梵蒂冈，是教皇的宫殿，它的穹顶是一个高高的拱顶。

● 圣马太。米开朗基罗作。

教皇想让米开朗基罗来做这个工作，可是米开朗基罗拒绝了，他说："我是一个雕塑家，根本不喜欢画画。"这个时候，一些嫉妒他的人希望看到他出丑，就开始传播谣言，说米开朗基罗之所以不愿意画，是因为他根本画不好，不敢尝试。米开朗基罗听了后非常生气，下定决心要向大家证明自己也能像其他画家一样画出很好的画。

首先，他在教堂里建了一个脚手架。脚手架是一种木架，顶部离穹顶很近的地方装有许多块木板，米开朗基罗可以爬到这些木板上去画画。

如果你稍微仔细想想，就会明白，在穹顶上画画是多么不容易的事呀！

● 西斯廷礼拜堂穹顶画全景（上页）
● 西斯廷礼拜堂穹顶画及祭坛一端的壁画（右）

画家必须躺在脚手架顶部。可由于躺得离穹顶很近，他能看到的就只有眼前的那一小块地方，除非他爬下梯子站在地面上仰视。西斯廷礼拜堂的穹顶非常大，所以上面的画也要特别大，这样人们站在地面仰视时才能看得清楚。假如让你不看人物双脚的位置，就画出人物的头，你觉得会怎样呢？事实上，即使是很了不起的画家，也很难画得好。而且，如果米开朗基罗画笔上蘸的颜料太多，就会滴得自己浑身都是。难怪他不愿意干这个活！

　　可是一旦着手去做了，米开朗基罗就会坚持下去，没有什么能够阻止他。一开始他请了一些画家帮忙，可后来他发现这些画家做的工作不能让自己完全满意，所以就把他们打发走了，全由自己一人负责。

　　他花了整整四年半的时间才画完穹顶的壁画。想想这份工作的繁重程度，我们就知道，四年半的时间根本不算长。教皇一直不停地催他，所以米开朗基罗干脆把床搬到教堂里，这样就可以有更多的时间来画画。

　　可是教皇还不停地唠叨画应该要怎么画才好。米开朗基罗很不喜欢，

● 西斯廷天顶画中的
《最后的审判》部分

因为他觉得自己在这方面比教皇懂得多。所以，有一天，当教皇又站在底下不停地指指点点时，米开朗基罗就故意把锤子从脚手架上掉下去。但是他非常小心，让锤子刚好掉到教皇的旁边，既吓到了教皇，又没伤到他。从那以后，在米开朗基罗作画的时候，教皇再不敢踏进教堂半步。

最后，在顶部的壁画差不多完成时，米开朗基罗本想添几笔金色线条。可教皇非常心急，只想尽快开放教堂，所以米开朗基罗不得不放弃这个想法，把脚手架移开了。

罗马人从四面八方赶来西斯廷礼拜堂，想看看这个雕塑家到底画了什么，画得怎么样。他们看到的是一幅以圣经故事为主题的图画。穹顶边缘

● 上帝造人。米开朗基罗作。

是预言到耶稣诞生的先知们的画像。穹顶正中央画的是《圣经·旧约》里的故事，比如创世纪、诺亚方舟以及大洪水等等。所有画都画得非常好，人们看了都目瞪口呆，赞不绝口。

最顶部画的那些男男女女看上去非常强壮。另外，所有人物看起来都有点像雕像，因此也像真人一样有立体感，不只是普通的平面图。出于这个原因，我们把米开朗基罗的画叫做"类雕像画"，意思是类似雕像。

上面的图片是西斯廷礼拜堂穹顶画作的一小部分，画的是"上帝造人"的故事。亚当的肩膀多么坚厚，肌肉多么发达！

米开朗基罗完成这幅画将近三十年后，他又奉命为西斯廷礼拜堂祭坛一端的墙壁画画。这面墙上原本有佩鲁吉诺的画，所以他得先把佩鲁吉诺的画覆盖掉。米开朗基罗新画上去的画叫做《最后的审判》。尽管比不上穹顶的那六幅画，它也是世界上最伟大的画作之一，画的是在审判日复活的人群。

除了上面提到的这几件作品外，米开朗基罗其他就没几幅画了。然而，

我们唯一能确定是他画的一件完整的作品是《神圣家族》。画中圣母玛丽亚双膝跪地，伸手捧着耶稣让约瑟看。这幅画同时也说明，米开朗基罗真的很喜欢把人画成各种奇怪的姿势。

米开朗基罗活了很长一段时间。可是他年龄越大，脾气就越差，也越难相处。尽管他是个古怪的老头，人们还是非常尊敬

神圣家族。米开朗基罗作。

他，敬仰他，把他视为人类历史上最了不起的画家之一。在本书的雕塑部分，我将更详细地给你讲他的故事。

第13章　列奥纳多·达·芬奇

把下面这行字放到镜子前，就可以轻松地把它读出来了。

CAN YOU READ THIS?

有一位伟大画家留下的笔记也是这样写的，也要用这种方法才能认得出来。这个伟大的画家就叫做列奥纳多·达·芬奇。不过，我们当然不是因为他能写反字，才说他伟大。我们之所以说他伟大，是因为他会做很多事，而且大部分事做得比其他任何人都好。至于他为什么要从右到左地写字，很可能是因为他是左撇子吧。

列奥纳多·达·芬奇出生在文艺复兴时期的意大利，比拉斐尔先出生、晚去世。达·芬奇擅长的领域也包括绘画。而且直到今天，还有人认为达·芬奇是有史以来最好的画家。除了绘画，他还有其他许多的爱好，所以尽管他活了很长时间，他一生中画的画却只有很少几幅。

达·芬奇有一幅画现在保存在巴黎的一个名为卢浮宫的艺术博物馆里。这幅画名叫《蒙娜丽莎》。几年前，有人把这幅画从卢浮宫的墙上偷走了，在当时引起了很大的轰动，世界各国的报纸都用大标题报道了这件事，就像报道国王去世或者轮船下沉一样。幸运的是，后来这幅画被找到了，重新放回了卢浮宫。不过真正的小偷却一直都没抓到。

《蒙娜丽莎》画的是一名意大利贵妇。她脸上挂着一种浅浅的微笑，微笑非常浅，仿佛画家的画笔当初如果稍有一点改动，这个微笑就会根本不存在了。蒙娜丽莎的微笑非常让人捉摸不透，她仿佛是在对着一个只有她自己才知道的东西微笑。

除了蒙娜丽莎的微笑外，画中还有一些细节值得关注。比如，你看，画中人物看起来多么饱满！不但不像厚纸板刻出的人物一样扁平，相反，看起来就像个真人似的。达·芬奇之所以可以把人物画得这么逼真，是因为他懂得如何运用阴影和光线以及如何处理从明亮部分到阴影部分的过渡。达·芬奇是历史上第一个懂得运用这种绘画手法的画家。

● 蒙娜丽莎。达·芬奇作。

接下来看看画中的背景，也就是蒙娜丽莎身后的那部分画面。背景是一片由山谷和河流组成的自然风景。你知道的，我们在看自然风景时，总会发现远处的景物没有近处的景物那么清晰。这是因为，你和远处的景物之间有空气存在。尽管空气看不见，但空气越多，你透过它看到的事物就会越模糊。列奥纳多·达·芬奇的确非常伟大，他在画自然风景时就考虑到这种现象，把远处的景物做了模糊处理，这样一来，画面中的风景看起来就像真的在远处一样。事实上，达·芬奇也是历史上首位知道这种绘画手法的画家。

达·芬奇另外还有一幅画也很有名，要是也保存在美术馆里，肯定也会得到非常细心的照料。不过，不幸的是，这幅画却是放在意大利一个隐修院里一间低矮潮

● 最后的晚餐。达·芬奇作。

湿的房间里，所以它被水汽严重破坏了。事实上，这幅画是世界上最优秀的画作之一，之所以一直没被放进美术馆，是因为达·芬奇直接把它画在了墙上，没办法移动。

这幅画的名字叫《最后的晚餐》，画中耶稣和十二使徒围坐在一个长桌边（《圣经》中有个故事，讲的是耶稣的十二使徒中，有一个叫犹大的人出卖了耶稣。所以耶稣才会受难，被钉在十字架上。不过在此之前，耶稣其实已经知道自己使徒中出现了叛徒，所以他在一次吃晚餐时，试探性地跟所有使徒说："你们中间有一个人要出卖我了。"第二天，犹大便出卖了他——译者注）。达·芬奇特意挑选了耶稣刚刚讲完"你们中间有一个人要出卖我了"时的情景来画。

你能想象一下，对于这些使徒来说，出卖他们深爱的主人，也就是被他们视为上帝之子的耶稣，该是多么可怕的想法。通过刻画他们的动作、手势和表情，达·芬奇恰到好处地描绘出每一个使徒在听到这句话时的感

● 达·芬奇自画像

情变化。

要想在画中表现人物的感情是非常困难的。画中的人物自然是不会自己"说出"自己的感受的，所以画家就得通过刻画人物思考时的表情，来表现人物内心的情感。在画这幅画之前，达·芬奇拜访了许多聋哑人，了解他们在激动、高兴、害怕或生气时，是如何表达自己感情的。这样一来，他在画画时，就能随心所欲地表现出画中人物的内心情感，仿佛这些人物本身就是聋哑人。

《最后的晚餐》画好后没过几年，就开始从石灰墙上脱落。一个原因是因为这幅画是画在干了的石灰上的。米开朗基罗和其他的壁画画家通常都是在刚刷好还未干的石灰墙上画画。这样，颜料就会渗透到湿润的石灰中去，除非石灰墙脱落，否则画好的画绝对不会从墙上剥落。还记得吧，我告诉过你们，这种绘画叫做"湿壁画"。不过达·芬奇对于尝试新的绘画方式非常感兴趣，所以，很不幸，他并没有选择用旧的湿壁画方法来画《最后的晚餐》。

当《最后的晚餐》画面好几处脱落后，其他的画家开始对一些脱落的地方进行修补。所以没多久，达·芬奇这幅画的很大一部分都被这些蹩脚的画家们蹩脚的画给盖住了。最糟糕的是，隐修院的修士们决定在墙上开一扇门，门的顶部刚好就在这幅画底部的正中央。钻洞时的锤锤打打也震落了许多画面的碎片。

后来，拿破仑带领军队攻入了意大利，他的一些士兵就把这个房间用做自己的马厩！而且，为了好玩，他们还把靴子扔到画上，比赛看谁能砸中画中的犹大。

因此，年复一年，这幅美丽的画被毁坏得越来越厉害，最后甚至差不多要彻底消失了。好在后来一个聪明的意大利人发明了一种方法，可以让剩下的画面永久地粘在墙上，再也不会脱落。而且，他还试图擦掉了画上其他画家添加的部分，所以现在这幅画要比它几百年前的样子好多了。

除了上面介绍的这两幅外，达·芬奇其他画作一共也只有三四幅。其中有一幅叫做《岩间圣母》，画中圣母玛丽亚抱着还是婴儿的耶稣坐在地上，旁边坐着小圣约翰和一个天使。他们周围有许多岩洞和暗色的岩石。通过岩石的裂缝，可以看到蓝色的瀑布和绿色的植物。

达·芬奇比他同时代的其他任何人都更加了解花草树木。他的学生卢

● 岩间圣母。达·芬奇作。

伊尼有一幅画就是根据一种花来命名的。那幅画中一个年轻女子抱着一束耧斗菜，所以这幅画就叫做《耧斗菜》。画中的女子也有着达·芬奇最擅长画的那种浅浅的微笑。卢伊尼也是一名出色的画家，但无论如何也比不上他的老师达·芬奇。达·芬奇绝对是个了不起的天才。

第14章 六个威尼斯画家

威尼斯是一座水城，城里的路是水道，所以如果你要去某个地方，就得坐船，而不是乘坐汽车。现在，我们都知道威尼斯属于意大利。可是在文艺复兴时期，尽管威尼斯位于意大利，却不属于意大利。

那时意大利还不是王国，威尼斯是一个独立的共和国，由自己统治。它有自己的军队和海军，自己的统治者——总督，也有自己的行事方式。当然，它也有自己伟大的画家。文艺复兴时期的画家至今仍然很出名，主要是因为他们绘画作品的色彩都非常美。

在文艺复兴早期，威尼斯有个画家叫贝里尼，他有两个儿子后来也成了画家，甚至比他还有名。贝里尼一个哥哥有两个年轻的学生，这两个学

● 总督罗瑞达诺肖像。贝里尼作。

● 提香自画像　　　　　　● 戴手套的男人。提香作。

生后来比贝里尼家族中所有成员画画都好。他们就分别叫做乔尔乔涅——就是"大乔治"的意思，和提香——就是"黄褐色"的意思。所以，这里我们一共提到了五个人：三个贝里尼家族成员、乔尔乔涅和提香，但我们只要记三个名字就行了。

　　我真希望能跟你们多说说贝里尼家族成员的故事。我猜你肯定会喜欢他们为威尼斯共和国的统治者——也就是总督——画的画。只可惜，这章没有足够的空间展示所有这些画。所以，我只能先让你们看看其中一幅了。前面那一页的图片就是贝里尼为罗瑞达诺总督画的一张肖像画。

　　乔尔乔涅被认为是世界上最伟大的画家之一。和达·芬奇一样，我们能确定的是他画的画并不多，只有寥寥几幅。其中有一幅非常有名，叫《音乐会》。大部分人都认为这幅画是乔尔乔涅画的，可也有些人认为是他的朋友提香画的。《音乐会》画的是三个男人的脑袋和肩膀。其中一人坐在翼琴旁。

你知道翼琴是什么吗？它跟钢琴很像，主要在钢琴还没发明前使用。另一人手里拿着一把小提琴。剩下的第三个人头上戴着一顶大帽子，帽檐上有许多羽毛，看起来就像一个女人。小时候，我家的墙上也挂了一幅《音乐会》的临摹图，我一直都以为那个戴帽子的人是女的，长大后才知道原来他是个男的。

可是不幸的是，乔尔乔涅很早就去世了，所以他画的画不是很多。当时一种叫做瘟疫的可怕疾病在威尼斯传播。乔尔乔涅感染上了瘟疫，32岁时就去世了。

● 想象。提香作。

但他的朋友提香寿命很长，所以他有时间画比乔尔乔涅更多的画。提香尤其擅长为那时的贵族画肖像画。他有一幅肖像画叫做《戴手套的男人》，这幅画中的男子到底是谁至今没人知道。

除了肖像画之外，提香也画其他类型的画。他曾经为威尼斯一座教堂的祭坛画过一幅画，名叫《想象》，画的是圣母玛丽亚升入天堂。威尼斯人非常喜欢这幅画，尤其是它鲜艳的色泽。因为威尼斯本身就是五颜六色的：蓝色的深海环绕四周，大理石宫殿在灿烂的阳光下熠熠发光。

威尼斯人还喜欢在建筑外墙上画画，这些画为整座城市增添了更多明亮的色彩。乔尔乔涅和提香都在房屋外墙上画过画，但是经过风吹雨打后，这些画早已不复存在了。

过了很长一段时间后，提香也结束了他漫长的绘画人生，有人认为他跟乔尔乔涅一样死于瘟疫。

不过在他之后威尼斯还有许多伟大的画家。其中有一个叫丁托列托，意思是"小染匠"，因为他爸爸就是一个染工。丁托列托比提香年龄小很多。他很小的时候就被送去了提香的工作室，或者叫画室，去学画画。

可是不知道出于什么原因，提香只让丁托列托在他的画室待了十天。从那以后，丁托列托就不得不自学绘画。

丁托列托也在建筑物的外墙上画过许多画，像乔尔乔涅和提香的画一样，它们也都被雨水冲洗掉了。提香卖画的时候总是非常小心，希望能卖个好价钱。可是丁托列托不一样，他好像不那么在乎钱。就算卖出的价格低于画本身的价值，他也很满足。他还经常把自己的画拿来送人。

丁托列托做过许多了不起的事，其中一件就是为威尼斯一座叫做圣洛可大教堂的建筑外墙画画。

米开朗基罗喜欢在湿石灰墙上画画；达·芬奇喜欢在干石灰墙上画画；但丁托列托喜欢在帆布上画画，画好后再把帆布固定到墙壁上。圣洛可大教堂墙上的画就是这样完成的。

丁托列托画画时，还喜欢捏一些小泥人做模型。他画画的速度很快，所以他一生中画了许多了不起的作品。他的画作大多充满活力、具有动感，有些作品中的人物就像在空中飞驰而过。因此，与意大利早期画家的静态画相比，他的画就显得与众不同。他的画在活力方面很像米开朗基罗绘画的风格，但又具备提香绘画作品那种艳丽的色彩。

他在自己画室的门上方写着："米开朗基罗的手法和提香的色彩。"不过，有时他会在提香的基础上有所突破。比如，提香最常用的颜色是金褐色、亮红色和绿色，丁托列托晚期的画却使用了柔和的灰色阴影，并用银色修饰代替了金色亮光。

● 圣马可的奇迹。丁托列托作。

丁托列托还有一幅非常有名的画叫做《圣马可的奇迹》。据说，圣马可有一个非常忠诚的仆人，因为是基督徒所以被判酷刑处死。当时圣马可正好在外地。这个仆人被平放在法官席前面的地板上，即将接受行刑。就在这时，行刑者手中的工具突然断裂，圣马可出现在上方的空中，拯救了他的仆人。

丁托列托画中的圣马可正好从行刑者上方的天空飞过，但除了一个小婴儿外没人注意到他。所有人都正盯着行刑者手中破碎的刑具。

丁托列托老年时，奉命画一幅巨大的天堂画。这幅画非常大，要能够遮盖住一堵长 74 英尺，宽 30 英尺的墙壁。

丁托列托开始着手工作，接着完成了世界上最大的一幅帆布画。他的《天堂》画的是基督和圣母玛丽亚坐在空中的云朵上，底下是一群群圣人和天使，一共 500 多个人物。这幅画是丁托列托最后一幅名作。这幅画完成后没多久，他就去世了。

● 天堂。丁托列托作。

　　丁托列托绘画作品的质量参差不齐，有些好些，有些差些。威尼斯人常说他有三支铅笔，一支金的、一支银的，还有一支铁的。意思是他有些画很好，有些只是不错，还有一些就不怎么样了。

　　丁托列托之后，威尼斯还出现了许多了不起的画家。但这么小小的一章只够挤得下这几位了：贝里尼家族成员、乔尔乔涅、提香和丁托列托。

第15章 裁缝之子和光影大师

如果你叫安德烈，爸爸是个裁缝，常被人称作"裁缝的安德烈"，肯定经常会听到有人问你："你会画画吗？"这是因为，意大利佛罗伦萨文艺复兴时期有一位著名画家就叫做"裁缝的安德烈"。

这个裁缝的儿子长大后，娶了一位帽匠的寡妇，听起来很好玩吧。这位寡妇非常漂亮，但总是喜欢唠叨，而且喜欢挥霍、自私自利，花安德烈的钱跟流水一样快。

有人把安德烈的两幅画带到了法国，法国的国王看了后，非常喜欢，想把这两幅画的作者请到法国去给他画画。所以安德烈就去了法国。国王非常满意他的作品，付了他很多钱。但没多久，安德烈就收到她妻子寄来的一封信，让他回意大利去。国王要安德烈答应一定尽快回法国，还给了他一笔钱，让他从意大利买一些画带回法国。

从接下来的故事中我们就可以看出，安德烈的画要比他的人好得多，因为他正是我们所说的那种"懦弱"的人。安德烈回到意大利的家中后，他妻子让他给她建一座漂亮的房子。发现自己的钱不够建房子后，他竟然动用了国王给他的买画的钱！当然，做了这样一件昧心事后，他也就不敢再去法国了。

在意大利，安德烈给一些隐修院画了几幅湿壁画。你还记得我告诉过你们什么是湿壁画吧。湿壁画是在石灰墙还没干时就画上去的画。因为石灰还是湿的，颜料就会直接渗到墙里。由于整幅画都与墙壁融为一体了，如果画家画错了一笔，就没办法擦掉。所以，大部分湿壁画画家在石灰干了之后都会再将画润色一下。不过安德烈从不需要这么做。他的画画得非常好，画完后，完全不用做任何修改，因为实在没什么要改的。

安德烈的油画和湿壁画一样好。还记得吧，早期文艺复兴时期的画家常常将颜料和鸡蛋清或胶水混在一起用。但后来，有人发现将颜料和油混在一起更好。所以没过多久，除了画湿壁画外，所有的画家都开始用油料画画。如果用传统的鸡蛋清或胶水混合而成的颜料，画家就只能在涂有石膏粉的木板上画画。但是如果用油料，画家就可以直接在画布上或没涂石膏粉的木板上作画了。

安德烈最有名的油画是一幅圣母像，画中的圣母怀抱着圣婴，两旁分别站着圣方济和圣约翰，他们俩中间是两个小天使。这幅画有一个特别的名字，叫《有鸟身女妖基座的圣母玛丽亚像》。你知道什么是"鸟身女妖"吗？鸟身女妖是一种虚构的动物，有着鸟的身子和女人的脑袋。画中的圣母站在一个基座上，基座上有两个小小的鸟身女妖装饰图案，所以这幅画就叫《有鸟身女妖基座的圣母玛丽亚像》。

据猜测，这幅画中圣母的原型应该是安德烈的妻子，因为差不多他所有的画里都有以她妻子为原型的人物。不过当可怜的安德烈后来感染上瘟疫，病得很严重时，他自私的妻子却因为害怕自己被传染，抛弃了他，留下他一个人孤零零的没人照料，直到去世。

下面我们再来认识一下另一位以自己的家乡命名的画家。你们还记得佩鲁吉诺吧，他的名字就是根据他住的那个小镇——佩鲁贾——而取的。在离佩鲁贾不远的地方有一个小镇叫"科雷吉欧"，那里住着一名画家，大家都以这个小镇的名字来称呼他。对科雷吉欧的一生我们所知很少，但我们知道大家都很欣赏他的绘画。像安德烈·德尔·萨托一样，科雷吉欧既画

● 有鸟身女妖基座的圣母玛丽亚像及其细部。安德烈作。

湿壁画也画油画。他所有的湿壁画都在意大利的帕尔玛，因为他以前专门为那里的教堂作画。

帕尔玛大教堂顶部有一个圆形的塔，叫做圆顶塔，科雷吉欧在这个圆顶塔内部画了一幅画。这幅画是圆形的，所以正好可以放在圆顶塔的天花板上。因为这幅画只能从底下的地板往上看，科雷吉欧就决定，将画中的天使和其他人物都画成在空中飞时人们在地下看到的样子。假如你抬头看到一个天使从你头顶飞过的话，你肯定会发现，天使的脚底要比他的头离你更近。相反，如果你是从上往下看到这个天使，你就会觉得他的头离你更近。

画一个你仰视时看到的人的样子是不容易的，很少有画家能画出来。科雷吉欧首先让一个雕塑家用陶土雕刻了几个人物模型，然后从各个角度去观察这些模型，总结出人物在各个角度看起来的样子，这样一来，他就能够画出各种观察角度下不同姿势的人物了。这种绘画方式叫做"短缩法"。科雷吉欧还有一些圆顶画,也是按"短缩法"画的。不过这种绘画方式太新了,当时的人们还不能理解，所以他的画一开始并不受欢迎。有人甚至说这种画看起来就像是画了一堆青蛙。不过后来，另一位名叫提香的画家来到了帕尔玛，他看到科雷吉欧在大教堂圆顶塔上画的那幅画后，惊叹道："这幅画可真珍贵！把整个圆顶塔拆下来，全镀上金，也抵不上这幅画的价值。"

　　科雷吉欧的油画因其出色的光影处理而著名，因此他被称为"光影大师"。他画中的人物都非常优雅，面带微笑、美丽动人、神态幸福，所以差不多人人都喜欢看。不过,科雷吉欧绘画的唯一缺陷可能就是"内涵"太少,

● 帕尔玛大教堂里的圆顶画及其细部。科雷吉欧作。

他不像米开朗基罗或达·芬奇那样是伟大的思想家，所以他的画通常都没有太多的"思想"。

科雷吉欧另一幅名画叫做《圣凯瑟琳的神秘婚礼》。圣凯瑟琳曾梦到自己即将嫁给圣婴，而这幅画描述的正是圣婴在玩弄圣凯瑟琳在梦中所看到的那枚结婚戒指。

科雷吉欧还有一幅画跟这幅一样有名，叫做《圣夜》或《牧羊人的膜拜》。画中圣婴躺在马槽里，身边围着圣母玛丽亚和牧羊人，一道绚丽的亮光从马槽里散出，把周围那些朝拜者的脸照得通亮。

关于科雷吉欧的去世，有一个奇怪的故事，但这个故事是不是真的我们就不知道了。据说，有一次，科雷吉欧给人画好一幅画后，那人决定全用铜板来支付他。你知道的，如果我们用便士买很贵的东西，就得花很多个便士才

● 圣凯瑟琳的神密婚礼。科雷吉欧作。（上）
● 牧羊人的膜拜。科雷吉欧作。（下）

行。同样，由于科雷吉欧的画酬实在太高了，那人在支付科雷吉欧画酬时，就用了许多的铜板，加起来一大堆，可重了。接着，科雷吉欧就把那一堆铜板背回了家。那天天气很热，那堆铜板又非常重，科雷吉欧一路上又热又累，回家后就病倒了，在床上躺了没多久后就去世了。这个光影大师的一生就这样结束了，不过他的画作在他死后很久还一直给人们带来快乐。

第16章 佛兰德斯人

你知道佛兰德斯人是什么吗？它可不是你在动物园里看到的某种奇怪的动物哦。实际上，佛兰德斯人跟你差不多，也是人类，居住在佛兰德斯。不过，他们有一个奇怪之处：由于佛兰德斯位于现在的法国、比利时和荷兰的交界处，所以一名佛兰德斯人必定同时也是一名法国人、比利时人、或荷兰人。

有趣的是，佛兰德斯人中也有许多了不起的画家，他们与意大利早期文艺复兴时期的画家处于同一时代。那时佛兰德斯有名的画家虽然比意大利少，却比其他任何国家都要多。如果你想在地图上找到佛兰德斯，我建议你先找到比利时，然后你就会发现佛兰德斯刚好位于北海沿岸。

佛兰德斯最早的著名画家是一对兄弟，他们姓凡·艾克。哥哥叫休伯特·凡·艾克，弟弟叫杨·凡·艾克。他们在布鲁日工作。现在，布鲁日并不是很重要的城市了，可是在那时它是欧洲面积最大、最富有的城市之一。这两兄弟为根特一个教堂画过一幅非常宏伟的祭坛装饰画。与一般的画不同，这幅画就好像三折式屏风。中间是一块平板，两侧各有一个翼板。翼板可以像百叶窗一样自由折叠，所以凡·艾克兄弟得在它们的正反面都画上画。

这幅画最初是休伯特发起的，但画还没完成时，他就去世了。于是杨

🔵 根特祭坛画。凡·艾克兄弟作。

接着把画画完了。当时的人们特别欣赏这幅祭坛画，几个城市争着把它放进自己的博物馆。结果，这幅画就四分五裂了。后来很长时间，中间的平板和两个翼板都分别保存在不同的城市。第一次世界大战后，这三部分全都回到了根特，人们又把它们连成了一个整体。

仅这一幅祭坛画便足够向我们证明，休伯特的确是位非常优秀的画家。杨的画保存的更为完好，他有许多幅著名的画作都收藏在博物馆里。凡·艾克兄弟都用油彩画画。而且他们非常擅长运用油彩，画出的作品颜色非常突出，画面永远鲜艳。所以，很快就有传言说油画是他们发明的。这种说法并不完全对，但他们的确对油画做了很大的改进，我们甚至可以称他们为"油画之父"。而且意大利人也是从他们那儿学会油画的。

在这两兄弟之后，佛兰德斯还有其他许多优秀的画家，但我不得不把他们都一笔带过，只介绍下佛兰德斯最伟大的画家。这个画家生活在凡·艾

克兄弟去世两百年后的时代，也就是 1577 年到 1640 年之间。他的名字叫做彼得·保罗·鲁本斯。

彼得·保罗肯定从小就很聪明，因为他同时会说拉丁语、法语、意大利语、西班牙语、英语、德语还有荷兰语！你知道还有谁会说七门语言呢？

彼得·保罗·鲁本斯年轻的时候曾为一个意大利公爵画过几年画。这位公爵可喜欢他的画了，根本不许他离开。然而，有一天，鲁本斯接到来自佛兰德斯的口信，说他母亲病得很厉害。所以，还没来得及征得公爵的同意，他就动身回家了。

佛兰德斯的统治者们看到鲁本斯回来非常高兴。他们不仅请他画画，还在其他方面重用他。他们经常委派他去西班牙、法国和英国。他走到哪里都可以交到许多好朋友。西班牙的国王授予他爵位。英国国王也授予他爵位。各种荣耀纷至沓来。但他没有骄傲自满，继续画了上千幅画。他房子里有一间很大的画室，许多年轻画家都在这里跟着他学习，同时也给他帮忙做事。鲁本斯最喜欢画巨幅画。所以，他把画室里的楼道建得特别宽，这样，在画完那些大型的画后，就可以很方便地把它们从画室搬出去了。

鲁本斯还因他绘画作品中丰富多彩的颜色而著名。他的画各种主题都有，包括人物肖像、风景、动物、战争、宗教、神话或历史故事等。有些画充满了动感，让人一看到就觉得非常兴奋。《猎狮》就是这样一幅作品。画中一个男子手拿长矛

● 鲁本斯自画像

猎狮。鲁本斯作。

骑在马背上，正向狮子发起进攻。一看到这幅画，你立刻就会明白，猎狮可绝不是懦弱者玩的运动。为了画好狮子，鲁本斯还租了真的狮子作为模特呢。

和他那个时代绝大部分的画家一样，鲁本斯并不介意画中过去的人物穿着与他那个时代人物一样的服装。当时的人们都不觉得，画像中一位古希腊时期的人穿着 17 世纪佛兰德斯人的服装有什么奇怪的。但是如今的画家在画人物时，总会想方设法给人物画上他们所处时代应该穿的衣服。

很多人认为鲁本斯的代表作要算《基督下十字架》。这幅画描述的是耶稣被绞死在十字架上后，他的信徒把他的尸体从十字架上搬下来的情景。现在这幅画放在比利时安特卫普大教堂里。

他还有一幅画也广受欢迎，画的是他的两个儿子。鲁本斯画这幅画时，他的大儿子 11 岁，小儿子 7 岁。画中的他们看起来栩栩如生，你觉得呢？

事实上，除了服装不同外，他们看起来的确和现在的小男孩没什么两样，只不过今天的小男孩即使要去参加宴会或为了照相专门盛装打扮一番，也不会穿成他们那样。

鲁本斯从不懒惰。他工作很努力，也很有效率，但即使这样，他还是不能应付越来越多的订单。有时候他会让学生帮忙画一部分，既为了节约时间，也为了给他们实践的机会。他总是热心地帮助其他画家。有时候仅仅因为一些画家缺钱，鲁本斯就会买下他们的画。有个画家对他非常不友好，但是出于同情，鲁本斯也买下了他的几幅画。

鲁本斯的画室收了非常多年轻的学生，其中有些在耳濡目染下，自然而然也成了著名的画家。鲁本斯的学生中最著名的是安东尼·凡·戴克。他

● 基督下十字架（局部）。鲁本斯作。

● 亚伯和尼古拉(鲁本斯的两个儿子)肖像。鲁本斯作。

● 查尔斯一世的孩子们。凡·戴克作。

● 农民的婚宴。老勃鲁盖尔作。

后来去了英国定居，为国王画画。英国国王还因为他出色的工作授予了他爵位呢。安东尼爵士最有名的绘画作品就是他为国王、贵族和他们的家人画的肖像画。但他也有许多不错的宗教画。他上面那幅画画的就是英国国王查尔斯一世的三个孩子。

安东尼爵士的肖像画非常有名，由于他画中的王公贵族几乎都留着又小又尖的胡须，我们现在就把这种胡须又叫做"凡·戴克胡须"。

安东尼肖像画中人物的双手大多又长又细。据说，这种又长又细手指的原型就是他自己的双手。

我真希望还能给你们介绍一下其他的佛兰德斯画家。只用这么小小的一节介绍佛兰德斯的画家，你肯定觉得他们在绘画史上没那么重要。但是在凡·艾克兄弟和鲁本斯之间，佛兰德斯还有三位了不起的画家。我一定得告诉你们他们三个人的姓。他们是父子关系，所以姓是一样的，都是勃鲁盖尔。如果你能够让你妈妈、老师或者图书馆阿姨给你看看他们的作品图片，我敢保证你肯定会喜欢他们的。至于为什么，我不告诉你。你自己

● 雪中猎人。老勃鲁盖尔作。

去找找他们的资料，看你会不会喜欢上他们。

我能告诉你的是：他们的画与意大利画家的画完全不同。

我本来只打算告诉你们四位佛兰德斯画家，现在又告诉你们三位了，所以一共是七位佛兰德斯画家。回顾一下，他们分别是：

凡·艾克两兄弟

勃鲁盖尔三父子

鲁本斯

凡·戴克

一共七位佛兰德斯画家。

第**17**章 两个荷兰人

欧洲北海海岸邻近佛兰德斯有一个国家叫做"荷兰"（the Netherlands）。这个国家因木屐、风车、郁金香、风信子、须德海、运河和堤坝而闻名。

和意大利及佛兰德斯一样，荷兰也有一个文艺复兴时期。荷兰的复兴时期开始的时间要比意大利和佛兰德斯的晚，但在这一时期内荷兰也出现了许多世界级的画家。

荷兰画家的绘画风格和意大利或佛兰德斯画家不一样。荷兰人信仰的是新教，不是罗马天主教。而且荷兰人也不像天主教徒那样注重教堂的装饰，所以荷兰画家很少画宗教画，很少画圣母玛丽亚或圣家族的其他成员。相反，荷兰画家通常画肖像画、自

● 微笑的小孩。哈尔斯作。

然风景、普通人以及他们身边的事物。

荷兰画家的绘画还有其他一些独特的地方。比如，在意大利或佛兰德斯画家的传统绘画中，画中人物的面部表情通常都很自然，是自然状态下的表情。看到这些画，你就会想象出画家对一个找他画像的人说："好了，坐着别动，我开始给你画像了。"但是一些荷兰画家对肖像画的看法却完全不同。有一个荷兰画家叫做弗兰斯·哈尔斯，他画的人物就完全不是那种坐着一动不动，表情自然的样子。弗兰斯·哈尔斯画中人物的面部表情是我们所说的"转瞬即逝的表情"。他捕捉到人物瞬间的表情，比如一个微笑、露齿而笑或眉头一皱，然后把它们画下来。因此，他画中人物

● 微笑骑士。哈尔斯作。

的表情都富有动态，看起来像下一秒就会变了一样。

弗兰斯·哈尔斯的画还有其他一些独特的地方。比如，在有些画中，画笔留下的痕迹并没有清理掉，就留在画面上，看起来就像画家故意把它们留下，好让你知道这幅画是匆匆忙忙画出来的。因为如果想捕捉到人物转瞬即逝的面部表情，就得快速几笔把表情画下来。但是并不是他所有的画都是这样的，有些画也处理得非常干净细致。《微笑骑士》是弗兰斯·哈尔斯最有名的肖像画之一，画中骑士袖口的花边就画得非常仔细，而且，事实上花边对画家来说是非常难画的。《微笑骑士》中的骑士不是在开怀大笑，而是嘴角挂了一种得意的微笑。

通过哈尔斯的另一幅名画，我们可以看出他非常擅长快笔画。这幅画

名叫《希勒·巴贝》，画的是一个妇女和她的鹦鹉。画中的鹦鹉看起来像一头猫头鹰，老妇人看起来也一点都不和善，所以人们有时也把这幅画叫做《哈勒姆的女巫》。"哈勒姆"指的是哈尔斯的故乡。

在弗兰斯·哈尔斯那个时代，荷兰才刚刚成为一个自由独立的国家。为了确保荷兰足够强大，能够捍卫自己的自由不受外国侵犯，荷兰训练了大量的市民组成士兵连，以备不时之需。那时火药和手枪才刚刚发明，非常罕见，所以这些士兵连的成员仍然自称为"射手"或"弓箭手"。士兵连的长官通常都会让人给他们画一张集体画像。哈尔斯便

● 希勒·巴贝。哈尔斯作。

● 官员和公民卫队圣哈德良警长。哈尔斯作。

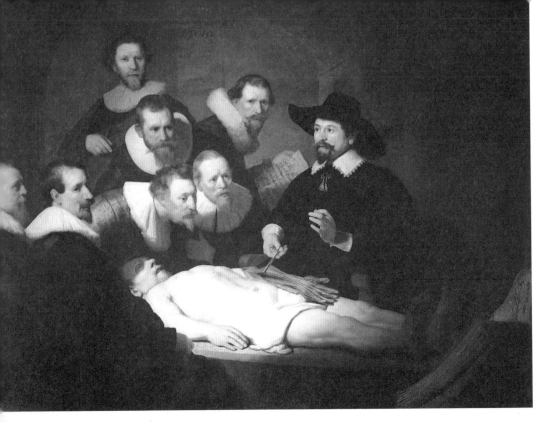

● 杜普教授的解剖学课。伦勃朗作。

为许多士兵连画过这种肖像画。不过，尽管哈尔斯非常受欢迎，荷兰人最喜欢的画家还是伦勃朗。

伦勃朗是荷兰的绘画大师，他大部分的画都是在阿姆斯特丹完成的。他的画作不仅限于肖像画，题材非常广，可能比其他任何画家的题材都要广。伦勃朗的画中有一种特殊的光线。这种光线既不是日光，也不是灯光，却能很好的突出画中的光影和阴影。他一生中有很长一段时间都是在辛勤地画画，快乐地生活，既有钱又有名。但他花了太多钱用来收集他喜欢的漂亮东西，所以最终他赚的钱根本不够他支付这些东西的费用。而且，后来他的画也渐渐不受欢迎了，到他老年时，已经很难再卖到钱。

有一幅画，我们现在认为它是世界上最好的画作之一，但在过去它却遭到嘲笑，没人喜欢，而且害得画它的画家都不受欢迎了。这幅画就是伦勃朗的《夜巡》。《夜巡》是阿姆斯特丹城里警卫队的成员请伦勃朗画的。因为这幅画要用来挂在他们俱乐部里，他们就共同出钱请伦勃朗来画。

伦勃朗想表现警卫队出巡时引起的骚动，所以他把警卫队的队长和副官画在最前面，其他成员拿着手枪和矛急匆匆地跟在他们后面。画面中还有许多跑出来看热闹的孩子，甚至还有一条狗。一些人物身上的光线非常亮，其他人则全笼罩在黑暗的夜色中，形成强烈的对比。不过因为画面中的光线与普通光线完全不同，有些人就认为这幅画画的明明是白天的情景，根本不算是"夜巡"。

警卫队的成员看到这幅画时，非常不喜欢。

夜巡。伦勃朗作。

他们说："我们出钱让他给我们画像，他却把我们全画成背景。而且后面黑沉沉的，根本就看不出来是我们。"

其他荷兰人也拿这幅画开玩笑，他们说："这画画的到底是白天还是晚上，实在看不出来。"从那以后，买伦勃朗画的人就越来越少了。

想不想我给你们列个世界一流画家的排名表，排出第一名、第二名、第三名，一直到第二十名、第五十名、甚至第一百名。不过我没有排名表可以给你看。不是因为我不想，而是因为，世界上没人能做出这样一个排名表。即使我列出一个排名，也只是我个人的想法，我认为是世界上最好的画家不一定就真的是最好的。事实上，也没有哪个画家真的比其他画家好很多，以至于人人见了他都会说："毫无疑问，他就是世界上最好的画家！"

不过，如果硬是要所有对绘画有所了解的人，都按自己的想法各自列个画家排名表，我可以确定，伦勃朗在所有人的排名表中肯定都是名列前茅。

● 伦勃朗自画像

　　所以，一定要记住有一个伟大的画家叫做伦勃朗。如果你这一生中，能够有机会亲眼见到他画的画，而不只是书上的图片，一定要久久地、认真地欣赏。然后，你就可以想一想，如果让你列个画家排名表，你会把伦勃朗排在第几位。

第18章 德国画家

和意大利、佛兰德斯以及后来的荷兰一样，德国也经历了文艺复兴时期，阿尔布雷特·丢勒就是德国文艺复兴时期最伟大的画家。他和前面提到的提香、米开朗基罗还有列奥纳多·达·芬奇处于同一时代。事实上，丢勒本人也认识一些伟大的意大利画家，因为他曾经去过威尼斯，还在那里待了一段时间。

丢勒的绘画方式与意大利画家的不太一样。他也画各种各样题材的画，不过他最著名的是肖像画。除了绘画之外，丢勒也会作版画。作版画时，画家得先在木板或者铜板上刻画，然后，在刻出的线条里倒入墨汁，再把沾有墨汁的刻板压到一张纸上。这样印出来的图画就叫做版画。丢勒制作过很多版画。他是唯一一位既擅长版画又精于油画的画家。他有些版画和他的油画作品一样出名，比如《忧郁》。

丢勒的木刻画也很有名。木刻画和版画

● 丢勒自画像

87

● 忧郁。版画。丢勒作。

的制作方法恰好相反。画家得先在木板上画好画，然后把画线以外的木头部分刨掉，只剩下凸出的线条。给凸出的线条沾上墨汁再压在纸上便成了木刻画。

我曾说过，丢勒曾去过威尼斯。威尼斯人非常欢迎和尊重他，把他当做名人对待。当时威尼斯画家贝里尼已经很老了，有一天他问丢勒："你愿意送我一支你画人物头发时用的特殊画笔吗？"丢勒说："当然可以。"于是就把自己用的画笔送给了贝里尼。

贝里尼看后说："怎么可能呢？这只是一支很普通的画笔呀，你真是拿这支笔画出那么好看的头发吗？"听到他这么说，丢勒当即拿起画笔画了一些头发，果然和他画像中人物的头发一样漂亮。也只有丢勒能画出这样好看的头发了。

丢勒非常欣赏意大利画家的作品，但当他回到德国后，还是按照自己的方式作画，没有模仿意大利画家的风格。

阿尔布雷希特·丢勒画过许多自画像。当然，他只要对着镜子，然后画出自己在镜子中的样子来就可以了。从他的自画像中我们可以看出，他长得非常英俊。他为别人画的肖像画也同样非常出名。我猜想，等你看到下一页那张他父亲的肖像画时，你肯定也会喜欢。

● 丢勒的父亲。丢勒作。

● 丢勒的母亲。丢勒作。

　　丢勒喜欢在画中添加很多小细节。他的画里有各种各样的小玩意儿，一粒小小的纽扣都画得非常仔细，仿佛和人物的脸蛋一样重要。大多数德国画家都喜欢这么画画，但在大部分画家的画作中，太多细节反而成了一种缺陷，因为视线很容易就被这些次要的细节吸引住，不能更好地关注重要部分。不过，尽管丢勒也和其他德国画家一样在画作中加入很多细节，他却比他们做得都好，他将这些细节处理得恰到好处，绝不会抢掉画中重要部分的风头。

　　德国文艺复兴时期第二位伟大的画家同样也既画肖像画，又做木刻画。他叫汉斯·荷尔拜因，因为他的父亲也是一位画家，也叫汉斯·荷尔拜因，我们通常就叫他小汉斯·荷尔拜因。

　　小荷尔拜因后来到了以阿尔卑斯山闻名的瑞士。他与瑞士的一位大名人成了好朋友，这个人就是伊拉斯谟。伊拉斯谟是个了不起的思想家，他知识渊博，写过许多书。小荷尔拜因给伊拉斯谟画过五幅画像。其中最受欢迎的是下面左起的第一幅。

　　这幅画画的是伊拉斯谟的侧视图。人物的侧视图就叫侧面像。画中伊拉斯谟坐在书桌旁边写东西。这幅画看上去好像没有许多细节，但在小荷尔拜因的另一幅名肖像画《吉斯泽画像》中，吉斯泽身旁摆放着大约25篇文章。即便是这样，小荷尔拜因也能做到和丢勒一样，很巧妙地处理这些细节，把我们的目光都吸引到主人公乔治·吉斯泽身上。事实上，在画肖像画时，他会省去人物脸上不重要的细节，只剩下最有说服力的几笔。

● 伊拉斯谟像。小荷尔拜因作。

小荷尔拜因在瑞士不能接到很多画画的委托，所以做了个大胆的决定，决定前去英国，看看自己在那里的情况。伊拉斯谟给他写了封推荐信，小荷尔拜因拿着这封信就去了英国。结果证明，英国人非常喜欢他的画作。在亨利八世时期，大多数重要的英国人士的画像都是小荷尔拜因画的。

除了弗兰斯·哈尔斯，相比其他任何画家画的肖像画，小朋友们都更喜欢小汉斯·荷尔拜因画的。他的画还受到许多大人的青睐。所以，我敢保证你肯定也会喜欢上这位肖像画大师的画，如果你见到他的肖像画画册，一定会特别开心。

● 吉斯泽画像。小荷尔拜因作。

但是不要忘了丢勒，你肯定也会喜欢他的画的。

这一章给大家介绍了阿尔布雷希特·丢勒和小汉斯·荷尔拜因。你们更喜欢谁呢？

第19章 遗忘与发现

大部分伟大画家的人生故事都可以写出几本书来，但我们对于荷兰画家杨·维米尔的一生了解得却特别少，加起来还不到几页纸。我们只知道杨·维米尔1632年出生在代尔夫特，1675年去世，留下一个妻子和八个小孩。这样简短的一句话便概括了维米尔整个一生。甚至都没人知道他一共画过多少幅画，因为有些画我们认为是他画的，事实上却可能根本就不是。

但那些我们确信是他画的画都画得非常好。他的画大多画的是室内景物。据我们所知，他所有画中只有一幅是风景画。而且，他的画大部分画的都是一个妇女在做一些日常琐碎的事，比如读一封信、做针线活、弹翼琴，或者有时候只是往窗外眺

● 在窗前弹翼琴的女子。维米尔作。

望。维米尔画画时，可能是拿他的妻子或一个女儿做模特。有些画里有两个女人，还有几幅画中有一些男人。不过大部分情况下，画中的人物都在窗户旁边。

看到维米尔的画，你的第一反应肯定就是惊叹，他怎么可以这么出色地画出日光透过窗户照进房间的样子；接着，你就会感叹，他怎么可以把每件物品的材质都表现得这么好。花边袖口、丝绸裙、木椅、银质水壶、熟透的水果、闪闪发亮的玻璃水杯、珍珠项链以及蓝色瓷盘：所有东西都画得非常好，让人一看就知道每件东西是由什么材料做的，甚至都能说出每个东西摸起来会是什么感觉。当然，画得最好的还是从窗户照进的阳光，它将整个画面都紧密地连在了一起。有人说他画中的日

● 信。维米尔作。

光是世界上画得最好的室内日光。很显然，维米尔的绘画水平是很少有人能够达到的。

这是维米尔的一幅画，叫做《信》。画面非常简单，就只是一个妇女在读一封信，但画得非常好，所以非常有名。

不过，维米尔好像没什么想象力。他只能画出自己见到的东西。比如，他从来不对画中的妇女做任何修饰，把她们画得比真实的样子更漂亮。所以，我想他肯定也不会画龙或圣乔治（"圣乔治"是《圣经》中的人物，所以人们是不可能亲眼看到他本人的。这里作者是想说明，维米尔只能画自己亲眼看到的东西，既然龙和圣乔治都是现实世界不存在的，他肯定就不能亲眼看到，也就画不出来了——译者注），除非他能亲眼看到一条真的龙（世界上当然不存在真的龙），或者看

到圣乔治本人。

为什么人们对于这么出色的一个画家知道得却这么少呢？他是不是很神秘？事实上，维米尔的画在他那个时代是很受人喜爱的。不过后来，不知因为什么原因，有大约整整几百年，他的画都被人们彻底遗忘了，也没人想到要为这个画家写点什么。再后来，他的画被再次"发现"，变得非常值钱，买一幅都得花很多钱。如今，大部分维米尔的画都被小心翼翼地保存在博物馆里。

对于这么重要的一位画家来说，用这么短短的一章来介绍他是远远不够的。不过，除非我自己编造出一些关于他的故事来，否则我是真找不出其他故事来讲了。维米尔在画画时不愿用自己的想象力，那么我也就不用我的想象力来给你们讲一些虚构的故事了。就让他的画来为他说话吧。

● 画室。维米尔作。

第20章 话说西班牙人

这一章我们主要来说说西班牙。但首先我想给你们介绍克里特岛。它跟西班牙一点关系都没有，它是位于希腊南部的一座岛屿，属于希腊。岛上的人都说希腊语。大约15世纪中期（没有人知道具体是什么时候），克里特岛出生了一个婴儿，他后来成了声名远扬的画家。你肯定从没听说过他的名字，而且就算听过，你肯定也读不准。现在我告诉你他的名字吧，但只是让你了解一下，你不用费力去记住他的名字，因为人们从来不叫他的全名，只是叫他的昵称。他的全名就是多梅尼科·狄奥托科普洛斯。

奥尔加斯伯爵的下葬。埃尔·格列柯作。

多梅尼科·狄奥托科普洛斯很神秘，所以没人了解他的生活。他似乎后来离开克里特岛，去了威尼斯，跟着伟大画家提香学习绘画。接着据说他又去了西班牙，在托莱多城定居。他此后就一直待在西班牙，1614年在那儿逝世。不过，他一直都把自己看作是希腊人，而不是西班牙人，他最重要的画作上的签名也都是希腊名。和我们现在一样，西班牙人从不叫他多梅尼科·狄奥托科普洛斯，就叫他埃尔·格列柯，意思是"那个希腊人"或者"希腊人"。

埃尔·格列柯的画和其他画家的作品完全不一样，第一眼看上去，你可能会觉得他的画不好看。他画中的人物都又长又瘦，看起来不像真人，画作的颜色也和大部分画不一样。

在欣赏埃尔·格列柯的画时，千万要记住，他的画作绝不是单纯地向我们展示画中的事物。他画里的人物和景色都表达了一种精神或者说观念。这与你看到真人真景时的感觉是不一样的。很多人都不理解这一点。他们认为画出来的东西就应该与事物真实的样子一样。如果只是这样，相机也可以做得和画家一样好。所以，许多画家像埃尔·格列柯一样，有时只会按照他们认为漂亮的样子画画，而不是完全依照物体的原型。

埃尔·格列柯去世时，西班牙最伟大的画家还只有14岁。奇怪的是，他随母亲姓，而不是

● 委拉斯开兹像

父亲姓。这是希腊的一种古老习俗。你
不用记住他的全名，因为太长了，叫迪
迭戈·罗德里格斯·德席尔瓦·委拉斯开
兹。你只要记住他叫委拉斯开兹就行了，
因为人们都这么叫他。委拉斯开兹 1599
年出生在西班牙塞的维利亚，与荷兰画
家凡·戴克刚好同一年出生。

委拉斯开兹长大后，开始从事绘画，
后来他决定前去西班牙的首都马德里。
当时的西班牙国王见过他一些作品后，
非常喜欢，所以，第二年委拉斯开兹就
去了马德里，从此专为国王作画。我们
都很清楚这位西班牙国王长什么样，因
为委拉斯开兹为他画过许多画像。当然
这也是他作为御用画家的职责之一。这
个国王就是腓力四世。看到腓力四世的
画像时，你首先注意到的肯定是他的大

玛格丽特公主。委拉斯开兹作。

胡须，卷得满脸都是，一直到他的眼睛处。腓力四世肯定很讨厌这些胡须，
因为每天晚上睡觉时，他都得用皮套套住胡须，这样才不会变形。我在想，
要是他这些精心卷好的胡须被雨淋湿了，那会变成什么样呢？

委拉斯开兹画中几乎所有国王和贵族的脖子上都有一个宽宽的、硬硬
的白衣领。这种白领是腓力四世引以为豪的东西，因为那就是他自己发明的。
他非常为自己这个新发明自豪，为此他还特地举行了一次大型的庆祝活动，
活动结束后他带领臣民庄严地游行到教堂，感谢上帝的恩赐。

委拉斯开兹的绘画风格与埃尔·格列柯的很不一样。埃尔·格列柯按照
自己想要的效果画画，常常会在画中添加自己的想法。他更多的是用想象

画画，而不是简单地把他双眼看到的东西画在帆布上。但委拉斯开兹却完全依照物体真实的样子画画。我们把他这种画家叫做写实主义画家，因为他们只是看到什么，就画什么。

鲁本斯到马德里时，腓力四世让委拉斯开兹带领鲁本斯参观西班牙的艺术珍品。鲁本斯和委拉斯开兹相处得很融洽。鲁本斯非常欣赏委拉斯开兹的画作，委拉斯开兹也很欣赏鲁本斯的作品。

委拉斯开兹希望能亲眼看看意大利伟大画家的著名作品，所以他得到国王的许可，前去意大利游览。在那里，他临摹了丁托列托、米开朗基罗和提香的一些作品。

下面这张图画的是我们的老朋友——伊索，好多有名的寓言故事都是

● 伊索像。委拉斯开兹作。

● 牟利罗自画像

他写的，比如《狐狸与葡萄》、《马槽中的狗》等等。

　　伊索生活的年代比委拉斯开兹的年代早两千多年呢，所以，图中的人物自然就不是真的伊索，他是委拉斯开兹按照自己的想象画出来的。

　　委拉斯开兹也被称作"画家中的画家"，因为好多的画家都非常欣赏他的画。他是西班牙最伟大的画家，比埃尔·格列柯更了不起，甚至比接下来我要介绍的西班牙画家牟利罗还要了不起。与委拉斯开兹一样，牟利罗也出生在塞维利亚。他后来也去了马德里。在那里，委拉斯开兹鼓励他画画，并且帮他获得许可到国王的画室学习绘画。两年之后，牟利罗回到了塞维利亚，但仍然一贫如洗，一点名气都没有。

● 圣母与圣子。牟利罗作。

　　就在那时，方济各修会的修士们正在找画家为他们的建筑画画。他们希望能找到一个有名的画家，但是他们的钱不够，请不起那些名画家。所以，他们决定让牟利罗来画。牟利罗为这座隐修院画了11幅画。大家都很喜欢他的画，所以找他画画的人越来越多，使他应接不暇。

　　接着牟利罗又为另一座建筑画了11幅画，比之前那11幅更好，这让他一举成名。牟利罗还有一幅名画非常栩栩如生，关于它还有个小故事。这幅画画的是一个神父，他脚旁边站一只西班牙猎犬。据说，有一条小狗看到这幅画时，以为画里的西班牙猎犬是真的，竟对着画"汪汪"地叫个不停呢。看到这，你是不是想起了鸟儿啄宙克西斯画中的葡萄的故事了呢。不过，我认为这个小狗的故事肯定不是真的，小狗才不会被画骗呢，它们

🐚 贝壳和孩子们。牟利罗作。

只会被镜子中自己的影子欺骗。

牟利罗非常擅长画婴儿和圣母玛丽亚。他画的圣母通常都有着乌黑的头发和眼睛。接下来这幅图是所有小朋友都非常喜欢的。它画的是小耶稣和小圣约翰用贝壳喝水的样子。图画角落上有一只小羊羔，它看起来好像也很渴，也想喝上一口水。

牟利罗卖了许多画，赚了很多钱。他非常慷慨大方，经常资助穷人。他自己曾经就很穷，所以他知道那些穷人都多么需要别人的帮助。

在他老年时，有一天他爬到一个脚手架上去画一幅画的上半部分，结果没站稳摔了下来。因为摔得太厉害了，以后再没好起来，那幅画也一直就没有画完。

塞维利亚的人们从来都不曾忘记这位了不起的画家，即使到今天，他们仍然把任何漂亮的画都叫做"牟利罗"。

第21章 风景画和广告牌

防火梯是城市景色的一部分，而自然风光是乡村景色的一部分。

防火梯与绘画没什么联系，自然风光与绘画却有很大的联系。不过，自然风光在过去也曾像今天的防火梯一样，与绘画几乎没任何联系。

说起来有点奇怪，自从穴居人开始在洞穴里画动物的图画以来，一直到17世纪中期，欧洲几乎没人画过一张真正的风景画。意大利文艺复兴时期有许多著名的画家，意大利也有许多漂亮的自然风景，但奇怪的是，没有哪一位著名的画家想到去画这些漂亮的自然风景。即使我们在意大利画家的画中找到一两处自然风景，它们也只是用做画面中人物的背景。

佛兰德斯的凡·艾克兄弟的《根特祭坛画》有点接近真正的风景画，但这幅画的情节要比画中的风景更加重要。

大约1500年时，德国有些画家画了一些风景画，但也没有引起多少关注。

奇怪的是，最开始画意大利自然风景的画家不是意大利人，而是两位法国人。其中一个名叫尼古拉斯·普桑，他对古希腊故事以及古罗马的遗址非常感兴趣。他的画前部通常都是希腊人，后面的背景就是真正的自然风景。接下来的这张画画的是一群希腊人，叫做《阿卡迪亚牧人》。阿卡迪亚是古希腊的一个乡村，因其善良而简单快乐的乡村居民和牧羊人而闻名。

◉ 阿卡迪亚牧人。普桑作。

◉ 克娄巴特拉在塔尔苏斯登陆。洛兰作。

普桑画的这些牧羊人看起来正在谈论画中的一个大理石墓碑，其中一个牧羊人指着墓碑上的一些字。在书上这张图片中这些字很模糊，看不清，但在原画中可以看清楚，它们的意思是"我也曾住在阿卡迪亚。"

另一个在意大利画风景画的法国画家叫克劳德·洛兰。他的姓本来不是"洛兰"，但因为他来自法国的洛兰地区，大家就把他叫做克劳德·洛兰。据说，他本来是个糕点师，后来成为一个意大利画家的仆人。他的一项工作就是给主人清理画笔，这慢慢激起了他对绘画的兴趣。主人教了他一些绘画知识，很快他自己也成了一个画家。

克劳德·洛兰的画里通常都有人物，但总的来说，人物都非常小，而且相对比较次要，自然风景才是重要的部分，甚至比普桑画中自然风景的地位还重要。所以，人们有时会把洛兰称为"自然风景画之父"。不过相对于自然风景，洛兰更喜欢画海景，因此我们也可以把他叫做"海景画家"。

另一个同样重要的法国画家比普桑和洛兰晚出生一百多年，他叫华托。他有一幅画是画在木板上的，是一个帽店的广告牌。华托非常可怜，一生很凄惨。他一开始非常穷。刚到巴黎画画时，他每天都得辛苦地工作，但还是挣不了几个钱，差点饿死。后来，等他成为有名的画家，能够挣足够的钱过上舒服的日子时，他又老是生病，不能好好地享受生活。最终，他病死了。

我之所以告诉你们华托的这些悲惨故事，是因为他画的画一点都没有悲伤的痕迹。只凭他的画，你完全看不出原来他的遭遇这么悲惨。而且他画

● 音乐会。华托作。

的人物也与他自己完全相反。

他画的不是穷人，而是那些衣着华丽的年轻男女。

他不画跟他一样辛苦工作的人，只画那些在尽情享乐的人们，比如跳舞、参加野餐或室外聚会的人。

他画的人物也不像他一样丑陋粗俗，而是非常优雅、漂亮和文质彬彬。而且世界上估计也没有任何人可以像他画中的人物那样无忧无虑。

夏尔丹是另一个法国画家，出生比华托更晚。夏尔丹也画过一个广告牌。他可能是从华托那里获得这个灵感的，不过他的广告牌是为一个外科医生的诊所画的，画中一个外科医生正在给一个在比剑中受伤的人包扎伤口，街上挤满了围观的群众。

夏尔丹喜欢画静物画。静物画画的是没有生命的东西，比如水果、死鱼、

● 玩陀螺的小男孩。夏尔丹作。

● 一束花。夏尔丹作。

🔵 女家庭教师。夏尔丹作。

🔵 餐前祷告。夏尔丹作。

盆器、剪花、死了的兔子或野鸡，以及其他玩具、锅碗瓢盆之类的。他也画肖像画。不过他画得最好也最有名的还是他的第三种画，画的是室内的一些日常生活的情景。这些画里通常都有小朋友。他有一幅画画的是一个母亲在教她的女儿们做餐前祷告；还有一幅画的是一个小男孩在桌上玩陀螺；另外还有一幅画的是一位母亲在她儿子出门时，提醒他小心自己的新帽子。

　　尽管夏尔丹那个时代人们的穿衣风格跟我们现在不一样，看到他的画，我们还是会说："这些人看起来就像现实生活中的人。"我们可以感觉到，夏尔丹画的不是什么惊天动地的大事，他只是想画出普通法国家庭里的普通生活情景。

第22章 动荡的年代

1793 年，法国大革命推翻了法国国王的统治。一直以来，法国的普通老百姓都忍受着法国国王的压榨和不公平的统治，最后，他们实在不能再忍受了，于是选择了罢工。法国由此变成了共和国。上千个反对共和制的人都被砍了头。国王和他的家人也被关进了牢房。人们投票决定国王一家也应该被砍头。

投票认为国王应该被处死的人中，有一个叫做雅克·路易·大卫。大卫是一名画家，他相信革命是正确的，尽管他自己曾经是一名王室画家。王室画家指的就是专门为国王画画的画家。

一些革命者读过古罗马共和国的故事，就是你在历史书上读到的那些故事，喜欢把自己想象成和古罗马人一样强壮英勇。他们还喜欢把自己新建的共和国想象成古罗马共和国。所以在法国大革命时期，模仿古罗马英雄人物成为一种潮流。大卫让剧院的演员穿上罗马的服饰，而不是法国的服饰。很快，其他法国人也开始仿照罗马人的穿着。他们甚至把自己的家具都设计成罗马时代的样子。大卫发现人们都喜欢有关罗马时期的画，所以他画了好多以罗马历史故事为主题的画。

不过，在我们今天看来，大卫的画并没有像那些法国革命家认为的那样了不起。但他的画倒真是非常重要，因为它们开创了一种新的绘画风格。

● 荷拉斯兄弟之誓。雅克·路易·大卫作。

古罗马和古希腊时代被称作"古典主义时代"，大卫普及起来的这种绘画风格就被称作"古典主义画派"。大卫和其他古典主义画家都认为，除了古典主义绘画外，其他任何类型的画都不值得去画。他们还制定了许多绘画规则，希望所有画家都能遵守。

　　事实上，早在法国大革命开始之前，大卫已经在画罗马人画像了。其中有一幅画叫做《荷拉斯兄弟之誓》。

　　如果你仔细读过罗马历史，肯定会记得，荷拉斯三兄弟都是一流的战士。当时，罗马正与另一座城邦进行战争。如果让双方军队直接作战，肯定会导致许多人死亡，所以，双方达成一致，各自选出三名战士进行搏斗，最后赢的那方就赢得这次战争。罗马人挑选了荷拉斯三兄弟，他们庄重地宣誓，

● 萨宾族妇女。雅克·路易·大卫作。

表示一定要为罗马赢得战争，否则将以死谢罪。大卫这幅画画的就是这三
兄弟宣誓的情景。

　　搏斗结束时，三兄弟中有两个牺牲了，但剩下的一个成功地杀死了对
方的三名战士，从而为罗马赢得了这次战争。

　　大卫还有一幅古罗马画很出名，画的是许多妇女跑向战场上各方的战
线中间，试图阻止罗马和萨宾之间的战争。许多罗马历史书都以这幅画为
插图。

　　大卫也很擅长画肖像画。他曾为法国贵妇雷卡米埃夫人画过一幅画像，

画中的雷卡米埃夫人躺在沙发上。沙发是罗马式的，这位夫人的服饰也是罗马风格，当时法国的女性都是这种风格的打扮。

在法国大革命后，拿破仑出现了，他自封为法国的国王。大卫非常欣赏拿破仑，所以画了很多幅拿破仑的画像。其中包括骑马穿越阿尔卑斯山时的拿破仑、加冕时的拿破仑（拿破仑自己为自己加冕，也就是戴皇冠的意思），以及战场上的拿破仑。

拿破仑被赶下台后，另一位拿破仑家族的成员成了法国国王。大卫曾投票处死一名法国国王，所以，他自然不能成为新王国的王室画家了。实际上，大卫不得不逃离法国，在布鲁塞尔度过了余生。

但大卫发起制定的古典主义绘画规则却保留了下来。大卫有许多学生，有些后来也成了有名的画家。其中有一个叫安格尔。安格尔是个非常出色的素描画画家，他画的线条非常漂亮。他认为一幅画的线条比色彩或者亮度更重要。事实上，所有古典主义画家在画画时，都更注重画的线条和形状，

雷卡米埃夫人。雅克·路易·大卫作。

拿破仑像。雅克·路易·大卫作。

而不是色彩。所以，他们绘画作品的色彩通常都比较暗淡，给人死气沉沉的感觉。安格尔最出名的要数他画的肖像画。他的肖像画都是用铅笔画成，不添加任何颜色，从这些画中我们可以看出，他的确是画线条的高手。

格罗男爵也是大卫的学生。可是不幸的是，他的古典主义画作没有其他古典主义画家成功，因为他太过严格地遵守大卫制定的那些规则了。格罗一直都在努力画出优秀的古典主义画作，当他最后发现自己做不到时，很是灰心丧气。但他最著名的画作正是那些他看不起的作品，因为它们画

● 荷马礼赞。安格尔作。

🔵 德拉克洛瓦自画像

🔵 船上基督。德拉克洛瓦作。

的不是希腊人和罗马人。不过，在我们看来，这些画都非常有趣，它们画的都是当时发生的事件，格罗亲眼见到过这些事件，所以能够画得很好。

拿破仑认为在自己军队里安排一个画家也很不错。所以，他就任命格罗为军队的随军督察，让他始终跟随军队，画下战争的场面。格罗亲眼见到了战争的残酷，所以，他不想把战争画成一件很光荣的事。尽管他的画展现了士兵的英勇，但同时也体现了他们的痛苦。

接下来要介绍的这位法国画家完全不相信古典主义绘画风格。古典画派要求所有画家都严格遵守他们的规定，这让这位法国画家非常气愤。他就是欧仁·德拉克洛瓦。德拉克洛瓦发起了对古典画派的反对运动。许多画家把他的这次运动叫做浪漫主义运动。浪漫派画家认为画希腊人和罗马人没有任何意义，他们希望画当下世界所发生的事情。古典派画家强调线条，浪漫派画家反对这种观点，他们认为，线条再漂亮，也比不上画的色彩重要。

古典派的画家自然非常仇恨浪漫主义画派，想方设法遏制它的发展。但德拉克洛瓦和他的追随者却越来越受欢迎，最终取代了古典主义画派画

家的地位。

德拉克洛瓦画过许多题材的画，包括十字军、圣经故事、阿尔及尔人，以及当时希腊和土耳其之间的战争（他完全支持希腊）等等。上一页右边那幅画描述的是一个圣经故事，色彩非常漂亮。并不是德拉克洛瓦所有的画都比其他画家的好，但他画作的色彩的确是一流的。

自由引导人民。德拉克洛瓦作。

德拉克洛瓦还有一幅名画叫做《自由引导人民》。展示的应该是1830年，法国大革命时期发生的事件，当时许多法国民众挤在巴黎的街道上，与国王的士兵发生冲突。这幅画非常生动形象，富有动感。实际上，这幅画是有双重含义的。除了表明法国民众想推翻国王统治的意愿外，还暗示了当时的画家想推翻极力打压其他画派的古典主义画派。所以这幅画也可以理解为，自由引导着浪漫派画家，反抗古典主义画派僵化的规则。

第 23 章　后来居上

知道什么是国际画展吗？国际画展就是不同的国家把许多绘画作品放到一起供人们参观，这样人们就可以比较每幅画有什么相同点、什么不同点了。

假如在 1700 年，世界所有的大国决定一起举办这样一个国际画展——当然，事实上那时候没有哪个国家有这个想法，我们只是做个假设，虚构出这样一个画展来。下面我们就制定参展的规则：

假设画展是在 1700 年举办，每个国家都可以寄一幅画来，评出最好的可以获奖。

现在看看我们都能收到哪些作品：

威尼斯寄来的是提香的一幅画

罗马寄来的是米开朗基罗的作品

西班牙寄来的是委拉斯开兹的作品

佛兰德斯寄来的是鲁本斯的作品

荷兰寄来的是伦勃朗的作品

德国寄来的是丢勒的作品

法国寄来的是普桑的作品

　　总之，除了英国，其他每个大国都寄来了一幅名画。英国在 1700 年是世界上最大的国家之一，但它寄给我们的就只有一封信，说它非常抱歉，不能寄来一幅英国名画家的画，因为英国根本就没有有名的画家。你肯定在想，不会吧？世界上最大的国家之一，甚至可能就是最大的国家，居然没有一名著名的画家？这对我们的画展来说该是多大的遗憾呀！

　　不过尽管英国在 1700 年还没有一位有名的画家，它很快就赶上来了。1700 年，英国第一位有名的画家还只有 3 岁，名叫贺拉斯。贺拉斯之后又出现了更多的画家。假如我们那个虚构的国际画展是在 1800 年举办，英国肯定就有许多绘画作品可供选择了。

　　贺拉斯一开始是一个银店的雕刻师。后来他学着在铜板上雕刻，并把雕刻出的图画印出来。这些印出来的图画非常受欢迎，卖得很好，足够让他过上好日子。不过贺拉斯一直都想成为一个画家，因此他开始从事画画。不过，他的印刷图画实在太出名了，根本没什么人关注他的绘画，大家都更喜欢他的印刷图画和雕刻。后来，贺拉斯发现，他可以把自己画好的画雕刻出来，然后印成图画，这样就会比原本的画好卖得多。不过，如今我们还是认为贺拉斯是非常伟大的画家，也是整个英国第一位伟大的画家。

● 选举招待会。贺拉斯作。

可能所有的小朋友都喜欢读连环画。不过报纸上的连环画通常都画得很差，简直不能叫做艺术。贺拉斯画画有时也会采用连环画的手法。他常常给同一个人一连画七八张画，表现这个人一系列的动作。不过贺拉斯的画不仅仅只是好笑，他还希望通过他的画来展现那个时代英国社会丑恶的一面。这些画当然通常都非常幽默，但我们把这种幽默叫做讽刺。

●拉选票。贺拉斯作。

贺拉斯有一组画画的是一个准备竞选议会成员的人。其中一张画的是这个人在做演讲；另一张画的是他雇了一群人拿着木棍，强迫人们给他投票；还有一张画的则是他在贿赂投票人，也就是说，他给这些人钱，让他们给他投票。这些画每一张都画得非常好，不过这一组画应该放在一起看，就像连环画那样。这些画给当时的英国人留下非常深刻的印象，而且就像贺拉斯希望的那样，它们可能也的确帮助改善了选举中的坏现象。比如，今天英国的选举可以算是世界上最公平的。

贺拉斯也画肖像画，他有一张画画的就是自己和他的小狗。接下来你将看到的这幅《卖虾女》也是他的作品。今天我们通常是去商店或菜市场买虾，但在贺拉斯那个时代，伦敦的人们都是从卖虾女那里买虾，卖虾的女孩通常把虾装在自己头顶的篮子里。

贺拉斯捕捉到卖虾女的一个笑脸，就像哈尔斯捕捉人物的笑容一样，然后用干净利落的几笔匆匆画了出来。如果我们把这幅画与丢勒为他爸爸

画的画像放在一块来看，这幅画肯定看起来就像还没画完似的，但我们通过它对卖虾女的认识，绝对不亚于通过丢勒的描绘对他爸爸的认识。我更喜欢贺拉斯这种表现手法，你呢？

大约 18 世纪中期，贺拉斯还在画画，但另外两个英国人已经名声大噪，成了非常有名的画家。这两个人一个是约书亚·雷诺兹爵士，另一个是托马斯·庚斯博罗。他们俩最有名的都是肖像画。既然约书亚·雷诺兹爵士要比庚斯博罗大几岁，我们就先介绍雷诺兹爵士吧。

首先，我要跟你们讲一个有关非洲海盗的故事。不过别激动，我知道你们肯定都非常喜欢听海盗大战的故事，但这个故事里没有海盗大战。这

● 卖虾女。贺拉斯作。

● 雷诺兹自画像

116

● 海雷少爷。雷诺兹作。

● 草莓女孩。雷诺兹作。

个故事里的海盗是一个阿拉伯国王，专门在地中海地区拦劫过往的船只。英国派了一个船长带领一批舰队去和这个海盗谈判。

　　这个船长是雷诺兹的朋友，他就邀请雷诺兹和他一起乘战船出发。雷诺兹接受了邀请。到了意大利后，他就留在那里研究意大利名画家的作品，比如米开朗基罗、提香、科雷吉欧和拉斐尔。雷诺兹最喜欢的是米开朗基罗，甚至喜欢到变成了聋子！听起来很奇怪吧，但这是真的。有一次雷诺兹在西斯廷礼拜堂研究米开朗基罗的作品时，正好坐在一个通风装置旁边。但是他太专注于绘画作品了，根本没注意到那个通风装置。直到后来他站起来准备走的时候，才发现耳朵不对劲。从那以后他的耳朵就渐渐听不到声音，没过多久就不得不戴助听器了。

　　雷诺兹后来回到了伦敦，成为整个伦敦最受人喜欢的肖像画家。那个

● 纯真年代。雷诺兹作。

● 天使的脑袋。雷诺兹作。

时候还没有相机，所以没人能够照相。人们就请画家给他们画像。穷人当然请不起像雷诺兹这样的画家，所以雷诺兹的肖像画大多画的是皇室家族的成员。后来，国王授给他一个爵位，他就成了约书亚·雷诺兹爵士。

约书亚爵士一直非常辛勤地画画，总是试图把每张画都画得更好。他尤其擅长画妇女和小孩。你有没有听过《草莓女孩》、《海雷少爷》、《纯真年代》以及《德文郡公爵夫人和她的女儿》？这些都是雷诺兹有名的肖像画。

不幸的是，雷诺兹总是尝试新的颜料，所以他的很多画都褪色或变形了。有些画甚至才画好没多久就褪色了。不过人们对他的画的喜爱还是没有因此而减少。他的一个朋友说："雷诺兹的画即使褪色了，也强过任何人刚画好的画。"

上面那幅有五个小天使脑袋的画是雷诺兹画的，画的是同一个小女孩五个不同角度的样子。

另一个画家托马斯·庚斯博罗最喜欢画的是风景画。不过他的风景画卖不出去，所以他只得一直画肖像画。他画的人物看起来非常优雅迷人，所以找他画像的人非常多。庚斯博罗的肖像画不像雷诺兹的那样明亮多彩，画面主要是银灰色。

庚斯博罗有一幅世界名画叫《蓝孩》。据说，雷诺兹曾说过如果一幅画中有太多蓝色，肯定会不好看。庚斯博罗画这幅画就是想证明雷诺兹说的不对。不知为何，庚斯博罗好像很不喜欢雷诺兹。也许是嫉妒吧。不过临死时，庚斯博罗请求雷诺兹原谅他，还说自己其实是非常欣赏他和他的画的。

庚斯博罗与雷诺兹给许多相同的人画过画像。比如，他们都给德文郡公爵夫人和西斯登夫人画过画像。至于他们谁画得更好，还真是难说。你

● 德文郡公爵夫人。康斯博罗作。

● 德文郡公爵夫人和她的女儿。雷诺兹作。

● 萨福克的风景。庚斯博罗作。

们可以看看庚斯博罗给德文郡公爵夫人画的画像，看到没，她的帽子可真大呀！

刚才那一张图旁边就是雷诺兹给德文郡公爵夫人和她女儿画的一张像。

如今，庚斯博罗的风景画要比他去世前更受人喜欢。尽管他的风景画没有他的肖像画那么有名，通过这些风景画，我们还是可以看出来，庚斯博罗的确是一位非常出色的英国画家。

第**24**章 三个不同的英国人

你喜欢读鬼故事吗？鬼故事里通常有闹鬼的房子、半夜时叮当作响的链条和隐约可见的白色影子。最适合讲鬼故事的时间自然是晚上，因为在晚上，即使你知道这些故事不是真的，还是会觉得很诡异、很恐怖。

不过，今天我要给你讲的这个鬼故事既不会让你觉得恐怖，也不会让你吓得两脚发抖。这个故事讲的是跳蚤幽灵。一听说是跳蚤幽灵，你肯定马上想到的就是一个跳蚤变成鬼，来吓抓死它的小狗，你会忍不住想笑，一点都不觉得害怕。其实，这个跳蚤幽灵的故事不算鬼故事。故事里的跳蚤幽灵和一般的鬼可不一样，有个很著名的画家还曾为它画过肖像画呢。

这个画家画的画就名叫《幽灵跳蚤》，他叫威廉·布莱克。他是个英国人，生活在伦敦，那时美国殖民地正在进

● 布莱克像

121

行独立战争，反抗英国的统治。

威廉·布莱克和之前提到的那些画家都不一样。首先，除了是个画家外，他还是一位诗人。其次，威廉的画和其他画家的画完全不同。再次，威廉能看到幻影。幻影跟梦境差不多，是人们脑海中显现出的虚幻的东西。有些人说布莱克有一点神经不正常，反正有点古怪。或许他并没有什么古怪的，就是有点与众不同吧。

布莱克一直都希望能成为一位画家。他学了很多年的版画，后来终于成了专业的版画家。接着，在开始自己创业时，他试着在版画上既刻上自己画的画，还刻上自己写的诗歌。这是他发明的一种新的方法。在此之前，只有书上的图画是刻在金属板上，书上的文字则是用印刷机打印出来的。布莱克把画和字都刻在同一块板子上，这样，就变成故事中有画、画中有故事了。

他不仅只是为自己的诗歌制作版画，他还为其他书制作版画。他最出名的版画就是《圣经·约伯书》的一组插画。所有人只要见过这组画，

● 幽灵跳蚤。布莱克作。

● 牧羊人。布莱克作。

就绝不会忘记图中的约伯和他经历苦难的故事。

布莱克为大部分书做的版画看起来都像素描画。这些画都是由线条构成的，因为版画只能由线条组成。但布莱克在刻版之前，通常都会把书上的图片画一遍，这时画出来的画不仅有线条，也有颜色。

布莱克提出了许多绘画的创新想法，后来也出现了其他一些英国画家，他们也提出了许多创新想法。但在介绍这些画家之前，我先问你们一个问题。

你有没有看过哪棵树在夏天时树叶全是褐色的？我说的是活着的树。我想，所有人都知道活树的叶子是绿色的。但是，如果你看到布莱克那个时代的画作，你就会惊讶地发现，画中的树都是褐色的树叶。我曾说过，托马斯·庚斯博罗以风景画著称。如果我告诉

●《约伯书》中的一页。布莱克作。

你他画的树叶都是黄色的，你可能就会觉得他没那么了不起了。事实上，这些风景画家们都知道树叶是绿色的，但他们还是要把它画成褐色。很奇怪吧？可能他们觉得把树叶画成褐色比画成绿色更漂亮吧。

在托马斯·庚斯博罗之后英国出现了另一个画家，名叫约翰·康斯太勃尔，从他开始英国的画家再没把树叶画成褐色。康斯太勃尔的风景画都是按照景物原本的颜色画出来的，这样做听起来好像更容易，事实可不是如此。比如，画家能画出来的最白的白色也比不上雨天阴沉天空的白色亮。如果画中的天空不能有真实的天空亮，那么画面的其他部分就要比它们真实的颜色更暗，这样才能把天空衬托得更亮。

　　画面颜色较暗自然不会影响到它的美观，不过会使画面看起来和真实风景不一样，没那么逼真。所以，如果能找到一种办法让画面的色彩更亮，画家就能够把户外风景画得更接近风景本身了。康斯太勃尔就做到了这一点。他想出了一种办法，可以让画面看起来更亮。他在给画上色时，不像通常那样均衡平滑地涂上颜料，而是把颜料涂成许多小小的厚厚的色块。所以，如果你用手指摸摸他的画，就会感觉到画面有点凹凸不平。

　　康斯太勃尔发现，如果他把颜料涂成色块，整幅画看起来会更亮。举个例子，如果用旧的方法画一片绿油油的田野，画家就会把整片田地都画成绿色。可是康斯太勃尔在画田野时，会画成许多单独的小色块，有绿色、

● 干草车。康斯太勃尔作。

黄色还有蓝色。奇怪的是，这样画出来的田野整个看起来也还是绿色。当然，要是你凑得很近，还是可以看出来画面有三种不同的颜色。但只要你稍微后退一点，就会发现整幅画都是亮绿色，而且比均衡上色的画面看起来更亮。

我的天哪！要是你一直坚持读下去，你真是个好读者。要是你全都理解了，不管你的老师是不是这么想，我都认为你肯定是个聪明的学生。

● 从主教花园眺望索尔兹伯里教堂。康斯太勃尔作。

所以，人们之所以记住康斯太勃尔，是因为他对风景画的画法进行了很了不起的两次改进。首先，他开始把树叶画成绿色，而不是以前的褐色。其次，他把原本颜色单一、平滑的画面，改成了粗糙的、多种颜色的色块，让画面看起来更亮。

很多人认为英国最好的画家当数风景画家特纳，他的全名是约瑟夫·马罗德·威廉·特纳。在捕捉颜色亮度和自然光线方面，没有哪个画家可以和他媲美。他尤其喜欢画大海和太阳。

我们都知道，太阳本身比任何一种颜料都要亮，所以没有哪个画家画出的太阳能像真的太阳一样鲜艳和耀眼。但画家可以画出一种东西，让人一看就知道是太阳。特纳的绘画手法通常和克劳德·莫奈差不多。他画出了太阳的真实特征。画的是阳光下的一个场景。他画的太阳，通常要么是

● 被拖去解体的鲁莽号战舰。特纳作。

● 特纳像

躲在云朵后，要么藏在迷雾中，要么就是快要下山了，这样，画出来的太阳光的亮度就不会和真的太阳的亮度差太多。

我们都很清楚，即使是画夕阳，也没有哪个画家能够找到一种与太阳光真实亮度接近的颜色。但是人们见过特纳画的夕阳后，都会说他画得太亮了，很不真实。其实这些夕阳之所以看起来不那么真实，并不是像人们说得那样太亮了，而是因为画得还不够亮。

特纳画的大海也比他之前所有画家都更好。所以，他既是一个好的风景画家，也是个好的海景画家。在画海景画之前，他认真地观察过大海，看它在风平浪静时、暴风雨时、下小雨时以及晴天时分别是什么样。他曾经让人把自己紧紧地绑在一艘船的桅杆上，在暴风雨时到海上观察海景，这样，他就不会被海浪卷下船了。

特纳最著名的画作中有一幅名叫《被拖去解体的鲁莽号战舰》，画中的那个古老的战舰就叫鲁莽号。这艘战舰太古老了，已经不能再继续用来作战了。这幅画画的是这艘战舰被一艘冒着尾气的拖船拉去码头，准备解体。
这时太阳才刚刚下山，海港的水映衬出天空中绚丽的橙黄色。这幅画既代
表着一天的结束，也标志着这艘老战舰在服务祖国那么多年后，寿终正寝，
再不能发挥作用了。

第25章 穷画家们

这一章我要跟你们介绍的画家都非常穷，但又都非常优秀。其中就包括一个叫科洛的法国画家。科洛很穷，因为没人愿意买他的画。直到50岁他才卖出第一幅画。不过他其实也没听起来那么穷，因为他爸爸每年都会给他一笔钱，尽管不多，但也足够他维持生计。

科洛毕业时想成为一名画家。但他爸爸是做亚麻生意的，想让他继承产业，所以他也只得跟着做生意。不过他一直都没放弃成为画家的梦想。后来他爸爸终于答应送他去学画画。科洛去意大利学习了几年，成为了一个风景画家。然后他回到法国，画了许多很好的风景画，

巴比松的清晨。科洛作。

跳舞的仙女们。科洛作。

但好像没人愿意买他的画。

那时还有其他许多画家也非常穷。他们发现，住在巴比松乡村要比在巴黎便宜的多。而且他们发现巴比松附近的乡村要更适合画风景画，因为那里有许多树林、小溪和田野，很适合写生。所以这些穷画家们就都搬去了巴比松，住在附近的小木屋里。

搬到巴比松居住的想法最开始是科洛想出来的。因为他喜欢清早起床，然后去观察晨曦中的树木田野，那时地面的露水还没干，所有东西都还湿漉漉的，非常漂亮。他通常会把看到的景色素描下来，回家后就按照素描图画油画。他也喜欢暮色和月光，画了许多暮色和月光下的风景画。他的风景画有一种神奇的、梦幻般的美，在全世界都很有名。

到他老年时，科洛的画开始卖出去了。他总算收获了金钱和名声。科洛一直都乐于助人，等他有钱后，他非常开心，总是资助那些缺钱的人们。

尽管他的风景画总是透着一股梦幻般的忧伤，科洛和朋友们在一起时总是非常快活开心。大家都很喜欢他，叫他"科洛爸爸"，所以后来他终于出名时，大家都为他高兴。

巴比松有一名画家比科洛还要穷。他也是第一批搬去巴比松的画家之一。他把妻儿都带去了，一家人住在一栋土地板的房子里，屋里一共只有三个小房间。他就是让·弗朗西斯·米勒，法国最著名的画家之一。

米勒一直很穷。他爸爸是个农夫，所以他小时候常常跟着爸爸在地里干活。他在一本旧《圣经》上看到一些图片，便开始照着画画。在地里干活休息时，其他人都会打个盹，小米勒却把时间都用来画画。后来，村子给了他一笔钱，让他去巴黎学美术。

米勒刚到巴黎时，生活十分艰难。他非常害羞，又不习惯城里的生活方式，所以很是不适应。他卖画挣的钱只够勉强糊口。米勒最喜欢画贫苦

播种者。米勒作。

的农民，因为他非常熟悉农民的生活。后来，就在他快要饿死时，有人买了他一幅画农民的画。因为有了这笔钱，他才能离开巴黎去了巴比松。之后他一直住在那里，直到去世。

米勒画那些劳作中的农民时，方法很独特。他常常会亲自走到田间，观察农民干活的样子。然后他再回家把自己看到的东西画下来。他的记忆力非常好，甚至不用模特就可以把人物的动作画得恰到好处。实在需要模特时，他就会让自己妻子帮忙摆一些姿势。

米勒有一幅画叫《播种者》，画的是一个正在播种的农民。你有没有看过农民播种？在美国，播种通常是由马或机器完成的，所以你可能对徒步播种完全不了解。徒步播种时，播种的农民要手脚配合：首先从胸前的口袋里抓一把种子，然后转过身把种子撒在地里，每撒一次种子，脚就跟着往前迈出一大步。米勒画中的播种者非常劳累，但他的步子和舞动的手臂仍然配合得很好，像机器一样灵活。

米勒画过许多幅《播种者》，看起来都差不多。最有名的那幅现在保存在美国波士顿。

米勒还有一幅画跟《播种者》一样有名，叫做《拾穗者》。拾穗者指的就是那些在收割过的地里捡剩下的稻穗的人。巴比松附近的农民都非常穷，所以这些拾穗者捡起的粮食虽然很少，对他们来说却很重要。从米勒的画中，我们可以看出拾穗应该是个非常辛苦的工作。而且这么辛苦的工作竟然是

⬤ 拾穗者。米勒作。

⬤ 晚祷。米勒作。

由女人来干！

　　米勒还有一幅画，直到今天还有很多它的印刷图片。有时你甚至可以在旧货店里买到这种图片。这幅名画叫做《晚祷》，画的是一个法国农夫和他妻子在地里干活时，听到附近教堂里晚祷的钟声，便停下手中的农活，低头祷告。

　　与科洛一样，米勒在晚年时也终于得到了人们的认可。不过他一直都很穷。米勒去世后，他的妻子不得不依靠科洛的资助过活。

　　那些巴比松画家中还有一些后来也很有名。他们过去常常在一个大仓库会面，把各自的画挂在仓库的墙上，然后一起讨论大家都喜欢的绘画作品。

　　我很想再介绍米勒和科洛其他的一些画家朋友，但这章已经满了，没地方写了。所以，就到此为止吧。

第26章　最重要的角色

现在，我要把你的眼睛蒙起来。当然，我不会让你蒙着眼睛看图片。让你蒙着眼睛听音乐还行，欣赏图片可就不行了。假设你的眼睛真的被蒙上了，什么都看不见了，那么今天早上我会领着你到田野去。我会让你面朝一个草堆站着，然后把你眼睛上的手帕拿下来，让你对着这个草堆看五分钟。接着，我会再次蒙上你的眼睛，把你领回原来的地方。你肯定会觉得这个游戏很古怪，对不对？就好像在玩捉迷藏游戏。

现在，我们再玩一次这个游戏。今天早上十点整你看过那个干草堆，然后，我让你在下午五点左右再看一次。你会发现，你这次看到的草堆和今天早上十点看到的那个大不相同。尽管它们的形状是一样的，它们的颜色、亮度和影子却完全不同了，所以，同一个草堆在上午十点和下午五点时呈现出的画面完全不相同。实际上，每隔一小会儿，草堆的颜色和亮度都会发生变化。这也是为什么我每次只让你看五分钟，因为超过五分钟草堆的亮度就会发生变化，你看的就会是另一幅画面了。

这样一来，你肯定就会明白，如果一个画家要画出一个干草堆一天中不同时间段的样子，他就可以给同一堆干草画出许多幅画，而且所有画看起来都各不相同。

近代的一些法国画家正是这么做的。他们在完成了自己的作品后举行了一次展览。他们把自己的绘画作品挂在墙上，供人们进来观赏。前去观赏的人们发现，这些画家们的画与以往的绘画作品很不一样。这些画就像是你对草堆快速一瞥后看到的样子。画家们画下的是他们快速观察所画对象时看到的颜色和光线。因为快速观察一个事物时看到的事物模样叫做印象，这些画家们很快也就被称为"印象派画家"。

　　早期的画家从来没有想过要用这种方式画画。他们总是把马都画成一种颜色，干草堆都画成另一种颜色，不管这匹马或这堆干草在某些光线下看起来是不是真是那种颜色。事实上，一匹黑色的马或一堆黄色的草堆并不总是黑色或黄色。它们看起来的颜色取决于周围环境的光线。一匹黑马在某些地方的光线照射下看起来可能是蓝色的。但因为我们都知道没有蓝色的马，所以，不管这匹马在光线照射下看起来有多蓝，我们也不会去注意。

　　画家以前总是用褐色、灰色或者黑色表示影子。但是如果你仔细观察

 莫奈自画像

 麦堆图（日落）。莫奈作。

真正的影子，会发现它可能根本就不是褐色、灰色或者黑色。影子有时会呈绿色、蓝色、紫色或其他什么颜色。

当然，我们总是很难把室外物体上明亮的颜色和亮度画出来，因为颜料的颜色总是没有自然光那么明亮。但是如果你们还记得我曾说过的康斯太勃尔，就会知道这些印象派画家是怎样让他们画面的颜色看起来非常明亮，就像真的阳光一样的。他们把颜料一点点地泼洒到画面上，从而形成许多不同颜色的色块，这样画面看起来就会更亮。但这种方法也会使画作看起来跟传统的绘画很不一样。

正因为这个原因，那些参观过法国印象派画家画展的人都不是很喜欢那些画。那些人已经习惯了传统的画法，而印象派画太过创新，他们一开

◯ 麦堆图（共四幅）。莫奈作。

白杨树。莫奈作。　　　　　　　　　　　　　　白杨树：阴天。莫奈作。

始不能适应，所以很不喜欢。

不过，一段时间后，人们开始对印象派画家有了更多的了解。

人们发现，这些印象派画家正在尝试一种新画法，而且他们的尝试也是很有价值的。有一个印象派画家叫克劳德·莫奈。他经常坐着装满帆布的马车出去，花上一整天画同一个场景。每当周围的光线让物体的颜色和形状发生变化时，他就会另换一块帆布来画。

比如，莫奈为同一个草堆画过十五幅画，每一幅画都呈现出不同的色彩和光效。他为法国大教堂的正面一共画过二十幅画，表现了它在不同时段呈现出的样子，每幅画也各不相同。这些画连在一起看非常有趣，但如果单独看其中一张，可能会让你有点失望，因为画中物体的形式（或形状）看起来好像没你想象的那么重要。事实上，莫奈对光线和颜色尤其感兴趣，

对形式或形状则不是很在意了。

另外还有一个印象派画家，他的名字和莫奈差不多，叫马奈。事实上，马奈才是印象主义画派真正的创始人。和莫奈不一样，马奈一开始并没有把画面分割成许多闪亮的小点。事实上，他在生命的最后十年才开始大量使用莫奈那种画法。有人曾经问马奈，他的印象派画作中，主角到底是谁。

马奈回答说："任何一幅画中最重要的角色都是光线。"印象派画家希望在画中展现的也正是光线。

左图是一幅马奈的画作，名叫《吹短笛的男孩》。相比莫奈的《白杨树》，你很

🔵 吹短笛的男孩。马奈作。

可能更喜欢这幅画。因为尽管光线是画作中"最重要的角色"，人们通常还是对画中的人比事物更感兴趣。

第27章　后印象派

"后印象派"指的是印象画派之后出现的一种新绘画流派。还记得吧，莫奈的作品就是印象画派，印象派作品中，光线最重要。

后印象派的创始人是保罗·塞尚。与马奈和莫奈一样，他也是法国人。塞尚最初也是印象派画家，但他想把印象派作品画得更具立体感，能够像古代大师的绘画作品一样长存不朽。后来，他的作品果然更具立体感，不过他没有哪一幅画可以像那些经典作品一样有名。塞尚一生都在辛勤地画画，但一直都不出名，直到去世后才开始受到大家的喜欢。他在世时，一幅画都卖不出去，因为没人愿意买。不过幸运的是，即使画卖不出去，他也还是有足够的钱生活下去。

另一个后印象派画家要

● 风景与高架桥。保罗·塞尚作。

● 圣维克图瓦山。保罗·塞尚作。

● 果篮。保罗·塞尚作。

● 凡·高自画像

● 阿尔勒的公共花园。凡·高作。

比塞尚年轻，而且生活经历也完全不同，不像塞尚那样在法国南部农场过着平静的生活。他的名字叫文森特·凡·高，是一个荷兰人。他曾在一个画店工作，但每次当他觉得顾客想买的画其实不好时，他都会忍不住，说服他们别买，所以他完全适应不了这个工作。后来他又做了几个月的老师，但是我想他也不可能是个好老师，因为他脾气非常暴躁。再后来，他决定成为一个牧师，但这个想法也没维持多久，因为他很快就厌倦了他就读的牧师学校。所以他就去给比利时的矿工们传教。他非常同情那些可怜的矿工，把所有的钱都给了他们，自己差点饿死。而且从那时起，他就开始为这些矿工画画。

　　他弟弟寄钱给他维持生活，并资助他回巴黎学习绘画。之后，凡·高住在法国南部的一个小镇，在那里他画了许多画。

　　凡·高接下来的经历非常悲惨。他渐渐丧失了理智，经常发疯。他时常去的一家咖啡馆有一个女服务员跟他是朋友，有一天，这个女服务员问他要一个礼物，她开玩笑地说："如果你实在没什么可给，就把你的一只耳朵给我吧。"

　　圣诞节快到时，这个服务员收到了一个包裹。她以为是一个圣诞节礼物，但一打开包裹，发现里面居然是只耳朵！这个服务员吓了一大跳。后来有人发现可怜的凡·高一个人躺在床上，神志不清，右耳朵被自己剪掉了。

　　凡·高被送进了疯人院。在疯人院待了一段时间后，他的病情有所好转，又画了许多画。但他的精神病总是不断复发。后来，又一次病情复发时，他开枪自杀了。

● 星夜。凡·高作。

● 神之日。高更作。

第三个后印象派画家叫保罗·高更，也是法国人。他的生活也和塞尚不一样，差不多与凡·高一样离奇。

高更离奇的生活很早就开始了。他很小就离家出走，搭上了一艘船去航海，到过世界许多地方。后来，他回到了巴黎，开始经商。

据说，有一天高更在街上走时，突然看到一个商店橱窗里摆了许多画，画的颜色都非常明亮，跟他在遥远的太平洋岛屿上看到的颜色一样鲜艳。这些画深深唤起了高更航海的记忆，所以他立马打听到这些画的作者是谁。就这样，高更结识了画这些画的印象派画家们，接着他自己也开始画画。所以，如果高更当初没有离家出走去航海，他可能也就不会成为画家了。高更后来和凡·高成了好朋友，在凡·高还没发疯之前，他们俩甚至一起住过一段时间。不过后来高更搬到了法国另一个地区。

● 我们从哪里来？我们是谁？我们到哪里去？高更作。

● 塔希提岛女人。高更作。

高更一直都无法忘记他在航海时去过的那些漂亮的太平洋热带岛屿。所以有一天，他再次收拾行李，航行到了塔希提岛，在那里他找到了自己最喜欢过的生活。他像岛上的原住民一样生活，完全不像受过文明教育的白人。他最好的几幅绘画作品也是在塔希提岛完成的。

这些作品的颜色都非常鲜艳，极具热带风情，画的是岛上的居民玩乐、休息和工作的场景。正是因为这些画高更才成为名画家。

第28章　非物象画派和超现实画派

对夫妇来到一个艺术馆，看到墙上挂了一幅很奇怪的画。

男的说："这也算是名画？6岁小孩画的画都比这个好！"

女的说："至少有很多鲜艳的颜色啊。你看这一大团橙黄色，我很喜欢。这应该画的是日落。"

男的又说："我看啊，这倒更像煎鸡蛋。"

事实上，这幅画看起来既不像日落也不像煎鸡蛋。除了一角有一个深蓝色小方块外，整幅画全是橙黄色。

这对夫妇继续往前走，走到另一幅画前时，男的摇摇头说："现代艺术实在太深奥了，我根本看不懂。"

其实，许多人都跟这个男士一样，看不懂那些没有实物的绘画。这种绘画叫做"非物象画"，它们本身就没画任何东西，所以看起来也就什么都不像了。

你有没有试过把每朵云都想象成某个物体的形状？你有没有见过形状像狮子的云？我们经常可以看到形状像风景画的云，里面看起来像有小山、山谷、港口还有岛屿。不过，一朵云看起来像某个物体，并不代表它就更漂亮。不管我们能不能发挥我们的想象力，把每朵云都想象成某个物体的形状，云朵都很漂亮。

　　同样的，非物象画也可以很漂亮，而且也不一定非要看起来像我们认识的物体。事实上，如果你不花费心思去猜它们到底像什么，反而能更好地欣赏它们。只要记住一点：它们是非物象画，本来就什么都不像。

　　非物象画画家常说："既然有照相机可以拍照，拍出来的相片十分逼真，画家又干吗老是把画画得那么真呢？画家干吗费力去画摄像师按一下相机快门就能得到的东西呢？"

　　那么，怎样才能看出，一幅非物象画画得好还是不好呢？就如同我们怎么才能看出一栋建筑漂不漂亮呢？我们怎么样才能得出结论，说老鼠看起来很傻，麋鹿看起来很优雅呢？

　　你可以自己试着画一幅非物象画，你就会发现这种画其实很好玩，而且用蜡笔要比用颜料画起来更容易。要注意的是，画非物象画时，颜色要涂得很重很浓；不能用铅笔，就只用蜡笔；不能在纸上乱涂乱画，而要涂不同的形状出来。

　　如果你把自己画好的非物象画给别人看，他们肯定会问："这画的是什么呀？"

　　你就可以回答："什么都不是。这是非物象画。"

　　当然，大部分画家的画都是有物象的，并不是所有现代派画作都是非物象画。不过对有些人来说，某些有物象的画也跟非物象画一样让人看不懂。这是因为，这些人认为，画出来的物象就应当跟相机拍出来的一样，看起来非常逼真才行。

　　但画家画画时通常都不喜欢画得太逼真。他们想加入一些他们自己对所画物体的感受，以及自己对物体的想象。

　　通常，我们只能同时看到一个东西的两个面。比如，尽管我们知道一个桌子有四条腿，但通常我们只能同时看到它们的两条腿。不过，画家在画一个物体时，有时就会想同时画出它的四个面。

　　有一位世界闻名的现代派画家最初画的也是写实画，人物和物品都画

●贪吃的小女孩。毕加索作。

●三个音乐家。毕加索作。

得非常逼真。

但后来，他厌倦了写实画，开始尝试新的画法。比如，在有些画中，他同时画出了同一个人的正面像和侧面像。

这位画家名叫巴勃罗·毕加索。他出生在西班牙，但大部分的画作都是在法国完成的。

上面两张图片是毕加索的画作。第一张是一幅写实画。第二张跟第一张完全不同，完全不写实。虽然一眼就能看出第二幅画画的是三位音乐家，但同样看得出来的是，这三位音乐家画得一点都不逼真。

这两张图你更喜欢哪张呢？你有没有觉得，后面那张非物象画比前面那张写实画更有趣呢？

你肯定会问，为什么有"三个音乐家"的那幅画是非物象画呢？里面明明画了人呀。你说的没错，既然如此，我们就简单地称这幅画为非写实画吧。

还有一种绘画方式叫做"超现实主义"。做梦时什么事都可能发生；同样，在超现实派画中，也是什么事都有可能发生。就像在梦境里一样，在

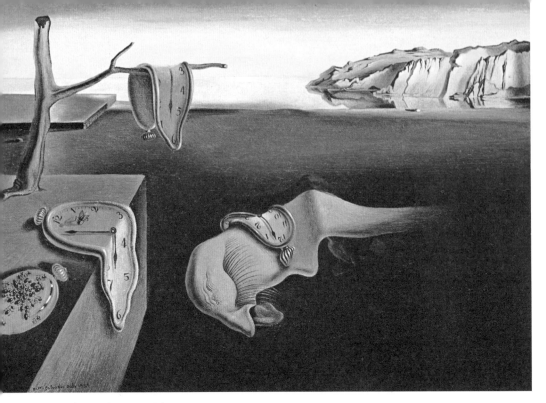

● 记忆永恒。达利作。

超现实派画中，人的脑袋可能是用鸟笼做的，身体可能是五斗橱抽屉做的，耳朵里也可能会长出树来。

有一幅著名的超现实派画画的是几只钟。画里的钟看起来跟真正的钟完全一样，只不过，所有的钟都像薄煎饼一样松垮垮地弯曲着。

仔细观察一下这幅图。看到有个钟里面有许多只蚂蚁了吗？为什么钟里面会有蚂蚁呢？事实上，没有任何理由，就因为这是一幅超现实派画。

这幅画的画家是萨尔瓦多·达利。他出生于西班牙,但后来在美国定居。达利是最著名的超现实派画家。大部分超现实派画的线条都非常清晰流畅，显示出画家高超的技巧。超现实派画跟现实派画相比，唯一不同的是，画中的物体不是真实存在的。假如世界上真的存在松垮垮的钟，那肯定就是图中所画的样子了。

超现实派画跟梦一样,都很难理解。除非是噩梦,否则梦都很好玩,同样,超现实派画也都很有趣。超现实派画的名字通常都很奇怪，使原本就难懂的画更加让人费解了。比如，这幅钟表的画就叫做《记忆永恒》。它是什么意思呢？随便你怎么理解都可以。

第29章 其他现代派画家

人人都爱马戏团。

马戏团里有小丑、大象、驯马、孔雀！

还有杂技演员、走钢丝的、骆驼和乐队！

假如让你选择，是去看马戏团表演，还是画画，你会选择哪个？我想你肯定会选择去看表演。因为谁不喜欢马戏团呀！

不过如果你是一个画家，你可能就会觉得画画更有趣。画家当然也喜欢马戏团，但他们同样喜欢画画，正因为如此，他们才成了画家。

一位名叫约翰·斯图尔特·柯里的画家非常喜欢画画，画画是他的职业。但他也喜欢马戏团表演，这是他的爱好。所以，很长一段时间，他就将这两者结合了起来。他加入了一个马戏团，跟着它去世界各地演出，同时给马戏团里的成员画画，包括杂技演员、空中飞人表演者、大象、女马术师，等等。

柯里出生在美国堪萨斯州。除了给马戏团画画外，他还画了许多以堪萨斯州为主题的画，尤其是那里的农场生活。下页图画的便是发生在堪萨斯州的一次龙卷风。

许多人从未见过龙卷风，但在堪萨斯州，龙卷风经常发生，所以那里的人们建了专门的防风洞，龙卷风一来，就可以躲进去。这幅画前部画的

是一个农民领着家人急匆匆地冲进他们家的防风洞。整幅画的气氛很紧张。让人不禁担忧：龙卷风会不会把农舍吹倒？这一家人会不会出什么意外？龙卷风会不会毁坏他们的牲口棚和庄稼？

柯里的画都是现代派画，但跟上一章介绍的现代派画很不一样。事实上，现代派画也分许多种。画家总是不断尝试新的绘画方法，这是一件好事。如果他们总是重复过去的画法，画出来的画就会索然无味。非物象画和超现实画在刚兴起时，是新的画派，但却不是唯一的现代画派。比如，本章介绍的所有画都是现代派画，但很显然，它们既不是非物象画，也不是非写实画或超现实画。

《龙卷风》是现代派画，画的是现代的场景。格兰特·伍德的名画《保罗·里维尔午夜快骑》同样是现代派，画的却是古代的场景。这幅画与费郎罗的一首名诗同名，画中保罗·里维尔正快马穿过新英格兰一座乡村，通知人们英国军队快到了。乡村教堂、农舍、树木、道路以及快马和骑士，都在

● 龙卷风。约翰·斯图尔特·柯里作。

● 保罗·里维尔午夜快骑。伍德作。（左）

● 美国哥特式。伍德作。

皎洁的月光下清晰可见；里维尔骑马穿过的农舍都亮起了灯，依稀可见屋里的村民，他们会很快从村里出发去参加一场战役，从而打响美国独立战争。

　　不过并不是所有伍德的画画的都是激动人心的事件。他有一幅名画叫做《美国哥特式》。画中一对来自爱荷华州的老夫妇眼睛直直地向前平视，他们身后是一座木屋，上面有一些哥特式装饰，这些装饰在当今美国的许

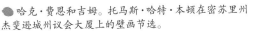

● 哈克·费恩和吉姆。托马斯·哈特·本顿在密苏里州杰斐逊城州议会大厦上的壁画节选。

● 纽约电影院。霍珀作。

多房屋上仍然可以看到。这对夫妇看起来非常严肃、老实、友善而又勤劳。我是怎么知道他们是来自爱荷华州的呢？因为，格兰特·伍德的家乡就在爱荷华州，而且他也非常喜欢给自己的家乡画画。

柯里和伍德都来自美国辽阔的中西部。第三位著名的现代派画家则来自美国中部，叫做托马斯·哈特·本顿。他主要画他出生地所在州——密西西比州的景色。本顿的画大多是公共建筑墙上的壁画，其中包括他的名画《哈克·费恩和吉姆》。在《哈克贝利·费恩历险记》中，马克·吐温讲述了哈克和他的好朋友吉姆——一个出逃的黑人奴隶——划着木筏漂游密西西比河的故事。这幅画画的便是哈克和吉姆站在木筏上的样子。如果你看过这本书，一定很快就记住这幅画了。

另一位现代派画家叫爱德华·霍珀。他的画主要以美国东部为背景。不过他的名画《纽约电影院》却与任何大城市里的电影院都对得上号。这幅画画的是电影院室内的场景。画中有一名女引座员站在露台阶梯口。很少有画家会选择画这样一个主题。一方面是因为电影院内通常都很暗。另一方面是因为，电影院通常都没什么可以吸引画家的漂亮之处。不过，尽管有这么多不利因素，由于画家技巧高超，这幅画最后还是被公认为非常优秀的作品。

许多现代派画家与传统画家的一个区别就在于，现在的画家画的通常都是日常生活中非常普通的物品，或是大家都熟悉的人物和地方。在文艺复兴时期以及此后很长一段时期内，画家画画的对象主要是皇亲贵族、神话中的人物、宗教主题或漂亮的风景，很少有人画平民和他们的生活场景。少数画家，像佛兰德斯画家布勒哲尔、英国画家贺拉斯、法国画家米勒，的确画过许多普通人民的画，但他们画的平民是大部分画家不感兴趣的群体。相反，现代画家画的许多人物和场景都来自于大家熟悉的生活。

爱德华·霍珀还有一幅名画叫《涌浪》，与《纽约电影院》的风格截然相反。这幅画描述的不是大城市里昏暗的室内场景，而是阳光、海浪和室外航海的乐趣。

你认识哪位画家吗？我是指现在在世的画家。今天美国有几百位画家，你结识到一位画家的机遇比以往任何时候都要大。今天画画的人当然也比以往任何时候都要多。可供本章选用的绘画作品也有好几百幅，这里选出来的柯里、伍德、本顿和霍珀的画作只是少数一些例子罢了。许多人画画只是出于好玩，绘画只是他们的爱好而已，不是主要的工作。比如，温斯顿·丘吉尔——二次世界大战期间英

● 涌浪。霍珀作。

151

● 工人和机器。里维拉作。

国最伟大的首相，他的业余爱好就是画画，而且画得非常不错。

这本书一直没有提到墨西哥。不过两次世界大战期间，墨西哥画家的画却闻名于世。其中最著名的墨西哥画家是迭戈·里维拉。他画了许多壁画，大部分是在墨西哥国内的建筑上，但也有一些是在美国的建筑上。他很喜欢画劳动人民，尤其是墨西哥印第安工人。

总结一下，最后这两章的大意是：

现代派画分许多种。有的叫非物象画、非写实画或超现实画，有的叫写实画，同时还有许多新的画派正在尝试中。现在的画家比过去多。美国和墨西哥都有许多优秀的画家。

还有一句话，这两章没有提到，但也是一个事实，那就是：差不多世界上所有国家如今都有优秀的画家。所以，不管你走到哪里，都可以找到值得欣赏的绘画作品。

PART 2
SCULPTURE
第二部分 雕塑

第1章　第一座雕像

当我还是个上幼儿园的孩子时，就用黏土捏过一个鸟窝，里面有圆圆的蛋，一只鸟蹲在上面。这类小东西可能你也做过。其实那就是雕塑，只不过我当时并不知道。

等我长成一个大点的男孩，到了冬天我会堆个雪人，用笤帚把当他的枪，用煤块作他的眼睛。那也是雕塑，只不过我当时并不知道。

再大些的时候，我常常把夹生的面包片上软软的部分揪下来，把它揉成一条狗的形状，这条狗有脑袋有尾巴还有腿呢。那也是雕塑，只不过我当时并不知道。当然，我的母亲也不知道这一点，而且我还因为把吃的食物拿来玩，被她关在厨房里。

所以我从小就是个雕塑家，不过仅限于12岁之前，自那以后再不是了。

但有些男孩不一样，他们一直是雕塑家，长大成人之后仍然是。曾经有一个男孩窝在厨房里，用一块黄油雕出了一头狮子，然后摆到餐桌上。他长大以后成了一名伟大的雕刻家。他的名字叫卡诺瓦。关于他的故事，待会儿我再跟你细说。

早在鸿蒙初开之时，人类就开始雕刻活动了，但是一开始人们的雕刻作品与绘画相似。艺术家们首先会在某种东西的平面上作画，然后加深线条刻划，这样一来，即使作品置于室外，也不惧风吹日晒雨淋。这类绘画

或者雕塑就叫"陷浮雕"。

接着雕刻家开始打磨作品的边缘，削掉多余的背景，这样雕刻的作品就会稍具立体感。这类雕塑叫做"浅浮雕"或"低浮雕"。或许你口袋里就有浅浮雕，只不过你不知道罢了。比如一个便士、一个五分硬币或者任何刻有图像的钱币都属于浅浮雕。

紧接着雕刻家进一步打磨作品边缘，削掉更多的背景，这样一来作品就更具立体感了。这类浮雕叫做"深浮雕"，因为只有一半依附在背景上，所以也叫"半圆雕"。

最后雕刻家把整个背景都削掉，这样整个作品就完全成为立体了。这类浮雕叫做"圆雕"或"立体雕"，你可以绕着雕塑从各个角度欣赏它。公园、广场或博物馆里到处都可以看到这类人物或动物雕塑。

早在耶稣诞生之前很久，就有一些埃及艺术家们开始在宏伟的建筑物上创作陷浮雕。下图为埃及一座神庙大门，你可以看到上面刻满了这类浮雕图案。

画中人物有坐着的，也有站着的。可能在你看来，所有图像都很奇怪。你能说出为什么吗？

事实上，除了几处特别奇怪的地方外，所有埃及的刻画或陷浮雕都有两处明显的错误。不知你看出来了没有。

首先，他们的脚和脸都直接朝向侧边，肩膀却正对前方。当然，没有人走路时会真的肩膀朝前，头脚却朝着侧面。所以第一处错误就

● 大神庙的前门

是这些人物的身体都是扭曲的。

第二处错误就是眼睛。画中人物都是侧脸，眼睛却是正面的形状。所有古埃及浮雕上的人物都有着同样形状奇怪的眼睛和扭曲的躯体。也就是说，他们的肩膀和眼睛都是正面图形，其他部位，包括臀部和腿脚，却是侧面图形。

除了上述两处错误外，这些人物还有一些奇怪之处。比如，尽管这些人物刻画的都是国王或王后，他们穿得却非常少，还光着脚丫子。这是因为埃及气候炎热。在许多气候炎热的国家，人们不论贫富贵贱都不穿鞋袜，即便到今天也是如此。我曾经就参加过这样一个国家的宴会，发现宴会上所有客人都没穿鞋袜。当时看着那些客人们打扮得十分体面，却光着脚丫走来走去取食物，我觉得特别奇怪。

为了弥补穿得过少的不足，这些人物都戴了王冠，而不是普普通通的帽子。这些王冠都是有一定意义的。王后戴的王冠形状像只鸟——就是专食死尸的秃鹰，王冠顶上还有两个兽角，中间夹着一枚月亮。国王戴的则是双层王冠。

这些图像都是陷浮雕。现在我要介绍另一种浮雕，叫做"浅浮雕"或者"低浮雕"。

右图雕像刻的是坐着的伊西斯女神，古埃及一个著名的女神。她佩戴了一个头饰，从图中可以清楚地看到她眼睛的形状以及头饰上的花纹。就像扑克牌上画的那样，女神右手握着一个象征王后身份的权杖，左手拿着一个叫做"尼罗河栓"的奇怪物品。

● 伊西斯女神

● 阿布辛贝神殿

图片周围那些奇怪的图案是一种图示法，叫象形文字，这本书第一部分已经讲过，你还记得吧？至于高浮雕，我给你们展示的是埃及另一座神殿——阿布辛贝神殿正面的四座大雕像。这些雕像差不多完全立体，但还是有部分依附在背景上。每座雕像都非常巨大，简直就是庞然大物。一个真人站到旁边，抬起手也只能触到它小腿一半高的地方。埃及人就喜欢雕刻这种庞大的雕像。你可能还注意到了，这些巨大雕像的坐姿都非常僵硬，上身笔直，两脚平放在地上，双手平摊在膝上。事实上，所有这些雕像雕刻的是同一个人——拉姆西斯二世，也叫拉姆西斯大帝。他是古埃及最伟大的国王，也是最残酷的国王之一。

拉姆西斯二世也就是下令杀害所有以色列婴儿的那位法老。正是他的女儿发现并拯救了躺在芦苇中的婴儿摩西。拉姆西斯酷爱建造神殿和自己的雕像。他让人将阿布辛贝神殿建在岩壁上，并在正面刻了自己的几座雕像。其中最左边的那座保存得最为完整，它旁边的那座则已所剩无几。雕像下巴上的那个有趣的东西是胡须。

第2章 巨人像和矮人像

古埃及的雕塑要么就非常巨大，有房屋那么高，要么就很小，只有一英寸高。如果是为国王或其他重要人物做的雕像，埃及的雕塑家会做得特别大、特别圆。因为他们认为，如果把国王或者王后的雕像做得和普通人一样大，就体现不出国王和王后的重要性。

世界上最大的雕像是斯芬克斯狮身人面像，就位于三大金字塔旁。这座雕像有着国王的头和狮子的身体。埃及人总喜欢把人和动物这样结合起来，但他们更常做的是人身兽头像。如果在人的身子上安一个猫脑袋或鸟脑袋，就会很难看，像是一个怪物，让人毛骨悚然。但如果在动物身上放一个人的脑袋，就只会增加神秘感，不会觉得吓人。

斯芬克斯狮身人面像在古埃及人心目中就是清晨之神。他始终面朝东方，几千年如一日地在每天清晨迎接太阳冉冉升起，眼睛一眨也不眨。他的鼻子足有一个真人那么高。他脑袋两侧各有一个三角形的东西，不是头发，而是一种奇怪的头巾。

埃及还有很多类似的狮身人面像，不过都比斯芬克斯狮身人面像小。那些小一点的狮身人面像通常都安放在庙宇前，立成两排，中间形成一条长长的通道通向庙宇里面。

在尼罗河上游还有两座大型雕像。这两座雕像肩并肩坐在王座上，眺

● 斯芬克斯狮身人面像和金字塔

望远方的平原。每一座都由一块单独的石头做成，因为尺寸比较大，所以被称作巨像。经过了多年的风吹雨打后，这两座雕像现在已经有些破裂，但你仍然能很容易就想象出它们曾经的壮观。它们刻的当然都是古埃及的国王，更确切地说是同一国王的两座雕像。这两座雕像也是面朝东方——太阳升起的方向。其中一座叫做发声门农石像，意为会唱歌的门农石像。不过"门农"本身并不是这位国王的名字。国王名叫阿蒙霍特普。那些古代的雕刻家们，没有几个我们叫得上名字的。但这两件雕像作品的创作者的名字我们却知道，因为他就和国王同名。他可能是国王的奴隶，就像美国还没废除奴隶制时，奴隶通常都跟着主人姓一样。

在清晨太阳升起时，发声门农石像有时会发出声音，像在唱歌迎接新的一天，至于为什么会发出声音，一直没人能解释清楚，而且它也不是每天或每年都唱。当它唱歌的时候，据说是有深意的，人们认为这是某种预兆，但具体预示着什么，又没人说得上来。据说，门农石像在耶稣时代曾被地震震倒，重新安放后便不再唱歌了。现在它已经有两千多年没唱歌了，许多人甚至怀疑它是不是真的会出声。事实上，在耶稣时代，有很多人长途跋涉专门去听它唱歌，如果正好碰上它不发声，他们就会非常失望。所以，毫无疑问，门农石像以前的确会唱歌。一些科学家认为，门农石像之所以能发声，是因为清晨的阳光照射在冰冷的石块上时，会发生奇妙的变化，从而发出声音。不过其实古埃及神秘的事物还有很多，这只不过是其中一个罢了。

世界上最古老的雕塑中有一座是由木头做的，这还真是奇怪，因为我们都知道，木头肯定是不能像石头那样保存很久的啦。更奇怪的是，这座雕像刻的并不是埃及人最常刻的国王、女王或神。你能猜出它刻的到底是什么吗？居然是位老师！

雕像中的人物是一个矮小肥胖的光头男子，手里拄着一根拐杖。雕像尺寸很小，还不及真人大，可能是为了表示他不是国王或其他什么重要人物吧。一些人将他称为布拉克校长，所以我们可以由他推测出几千年前的老师是什么样子了。但另一些人说那时候根本没有正规的学校或正式的老师，他应该是个部落的酋长。还有一些人对这两种说法都不赞同，说他看起来更像工头，还推定他肯定就是修建埃及大金字塔的那些工人的头儿。

这些说法，随便你相信哪个都行，因为没人知道他到底是谁、叫什么名字以及由谁雕刻出来的。这座雕像现在放在埃及首都开罗的大博物馆里。虽然它制作的年代非常久远了，但看

● 布拉克校长

● 盘腿而坐的埃及书吏

● 埃及羊头圣甲虫雕像。甲虫在古埃及是太阳周而复始的象征，其原因可能是甲虫经常在地上不断地滚动含有其虫卵在内的粪球，该行为象征着太阳的永恒循环。

起来还是比后来的埃及雕像更自然、更逼真，就好像真人一样。据说，就因为太逼真了，古埃及人甚至把他的脚给绑起来，怕他溜走呢。

　　另外还有一座雕像，差不多与《布拉克校长》同时完成，刻的是一个坐着的人，膝盖上放着一张书写纸。这座雕像用石头刻成，颜色和真人的肤色完全不一样，你猜是什么颜色？红色！它刻画的人物是一名书吏。书吏就是当时为数不多会写字的人，专门靠为别人写字为生。一个人自己不会写字，还要请陌生人来给他写信，在你看来肯定难以想象吧！但是在那时候，甚至连国王和王后也不会写字，只能让书吏代写。这座雕像现在放在巴黎的卢浮宫。当然，它是从埃及搬过去的。

通常，埃及雕刻家在做小型雕像时会走另一个极端，一些国王、王后、神和圣物的雕像只有几英寸高。这些小型雕像绝大部分都是用最坚硬的石块做的。这种石头用现代锋利的工具也切割不开。我们猜测，这些雕像肯定是用燧石而不是钢质工具雕刻出来的。就像在今天，由于钻石是所有石头中最坚硬的，就只能用钻石切割钻石，用钻石粉尘打磨钻石了。

在埃及，甲虫是一种很神圣的动物，叫圣甲虫。古埃及用石头和黏土做了无数圣甲虫，挂在脖子上作为幸运符。这种幸运符在埃及非常流行，所以现在的人们大量生产，把它们作为古董卖给游客。

第3章　基路伯和国王

你会说亚述语吗？你肯定会问，这是什么语言呢，当然不会，听都没有听说过。也许你已经忘记这个国家的名字了，但我敢保证，你肯定知道亚述语的一个单词。亚述与埃及一样古老，位于埃及以东一千多英里。我确信你知道的那个亚述语单词就是cherub，音译过来就是基路伯。

在今天的美国，我们把长着翅膀的领头的天使叫做Cherub，意为智天使。有时候我们也把可爱的婴儿叫做Cherub，意为小天使。但是亚述语里的Cherub（基路伯）可不是这个意思，它指的是一种童话里的动物。这种动物很特别，有着狮子或公牛的身子、人的脑袋和老鹰的翅膀。亚述人通常用雪花石膏雕刻基路伯，我想你们肯定还记得我说过，雪花石膏是一种石头，通常是白色，比亚述大部分的石头都要软。

埃及的斯芬克斯是躺着的人面狮身像。亚述的基路伯则是站立的人面牛身像。这里就有一幅基路伯雕像的图画。注意，他的头发和胡须都密密麻麻地卷曲在一起，甚至连尾巴末端都是卷的。

现在，我问你一个简单的问题。你们有没有发现这座雕像有什么地方不对劲？他有五条腿！那时的雕刻家们当然知道一头公牛只有四条腿，他们之所以把基路伯做成五条腿，是因为这样一来，它从正面看起来就只有两条腿，像是站立不动，可从侧面看又像是在行走。

● 亚述的基路伯

● 亚述的国王和奴仆

　　接下来这件亚述雕塑作品是浅浮雕。作品中的国王正在用碗喝水，奴仆站在他的身后，用蒲扇帮他扇风赶蚊子。

　　注意，这些人肌肉发达，和埃及人很不一样，埃及人更瘦，看不出有肌肉。亚述人认为力量就是美，只有强壮的人才能称得上漂亮，所以他们雕刻出的国王都非常结实、肌肉隆起。

　　亚述人还认为他们的头发和肌肉一样，也是力和美的象征，所以真正的男人应当留着长胡须，脸庞决不能像女人的一样光滑。还记得《圣经》里的大力士参孙吗？据说，他的力量就都来自他长长的头发，一旦头发被剪掉，他立刻就变得软弱无力。所以你可以看到，这件作品中的国王留着

● 小型圆轴体印刻章上的浅浮雕

● 猎狮图

长发，蓄着像绳子一样缠绕在一起的长胡须。不过他的奴仆们却没有，这是因为奴仆本来就不应该看起来与国王一样强壮，而且国王也不希望奴仆看起来和自己一样强壮。就像现在一些人如果有男管家的话，也会让他把胡须剃得干干净净。

另外，雕像中人物的眼睛跟埃及绘画中的人物眼睛一样，也是侧脸上刻着正面的眼睛。

不过亚述人的雕像穿得比古埃及人多，他们身上披着齐脚踝的有穗披肩或裙子，底下穿着露趾拖鞋，所以脚并不是全部露在外面。

亚述国王最喜欢做的两件事情或者说两种运动就是狩猎和打仗，所以他们绝大部分浮雕刻画的都是这两项运动。

但亚述艺术家们最擅长的还是动物雕像。亚述的动物雕像比古埃及的更形象逼真。许多浮雕作品中都刻有斗志高昂的战马，马的鬃毛和尾巴也都紧紧蜷曲在一起。

亚述人还喜欢在用石头或黏土制的圆轴体表面雕刻小小的浅浮雕。然后他们在圆轴体中央的孔洞里插一根细小的轴木，这样一来，整个圆轴体就能像擀面杖那样在任何柔软物体的表面来回滚动，比如泥面或蜡面上。圆轴体滚过的地方会留下柱体上雕刻图案的印痕。

● 亚述国王打猎像

通过这种方法，亚述人便可以想做多少小浮雕便做多少了。不过，我们认为他们主要是用这种方法制作印章，用来盖章。因为那时没有纸，亚述人便在还没晒干的泥砖上写字，写完后不是签名，而是在上面盖上印章。就像你妈妈写完信后可能会用印章戒指把她的名字印上去一样。

亚述的雕塑作品都是从那些古老城市的遗迹中挖掘出来，然后搬运到博物馆里的。所以，如果你想亲自看看这些雕塑的话，千万不要去亚述，应当去伦敦的大英博物馆、巴黎的卢浮宫或其他大型博物馆。

基于我在上文中的介绍，你能够用简短的话来总结一下亚述雕塑的特征吗？

可以简单总结如下：

名叫基路伯的五腿巨兽；

强壮有力的男子和动物；

像绳子一样卷曲的发须；

刻画狩猎和战斗场景的浅浮雕；

栩栩如生的动物；

以及小型圆轴体印刻章。

以上就是我们对亚述雕塑的全部说明，它们是从一些曾经辉煌的城市废墟中挖掘出来，然后搬到了欧洲和美国的博物馆里。至于亚述时期那些自负、强壮而残暴的暴君统治上亿人口的具体故事，我们无从得知。因为这些君主和臣民早在几千年前就已经去世了。

第4章　大理石雕像

当我还是一个孩子时，一次无意间听到爸爸和他的朋友在讨论大理石。爸爸说："知道吗？希腊人做的大理石是世界上最好的。"他的朋友回答道："没错。希腊人做的大理石绝对是全世界最漂亮的。"

我当时非常疑惑不解，为什么大人们会讨论大理石呢？因为我自己有一些很漂亮的大理石、月光石和玛瑙，我就想，希腊人都是些什么人呢，为什么他们能够做出精美的大理石呢，我从哪儿能得到一些那样漂亮的石头呢？后来我才知道原来他们谈论的并不是用来玩耍的大理石，而是公元前希腊人用大理石做的雕像。人们通常不把这些雕像称为大理石雕像，而是简称为大理石。

希腊是位于地中海地带的一个小国，直到现在还很小。但是古希腊人和现在的希腊人很不一样。

古希腊人信奉神和英雄，并为他们编了许多故事，我们把这些故事叫做神话。后来，希腊人按照自己想象中神的模样和活动，雕刻了许多非常漂亮的神像。这些神像实在是刻得太精美了，后来的雕像都无法超越。今天的人类在许多方面都比古希腊人强，唯独雕塑很难超越他们。

古埃及人用花岗石做雕像，可花岗石太坚硬了。亚述人用雪花石膏做雕像，可雪花石膏又太软了。希腊人选择用大理石，因为大理石的硬度刚

刚好。希腊人能做出这么漂亮的雕像，其中一个原因就是他们的大理石非常好，是做雕像的最佳材料。

希腊有几处采石场，我们把它们称为世界上最美的大理石的开采地。其中一处采石场位于彭忒利科斯山，还有一处位于帕罗斯岛。现在彭忒利科斯山和帕罗斯岛上还有很多大理石，但是已经没有在世的希腊人或其他人能够像两千年前的古希腊人一样，用大理石雕刻出优秀的雕塑作品了。所以，要想做出精美的雕像，仅有漂亮的大理石是不够的。

但是古希腊人也不是一开始就能做出很漂亮的雕像。保存下来的古希腊第一件也是最古老的雕刻作品是两座狮像。这两座狮像曾经是古希腊城镇迈锡尼一个门道上的饰物，头部早已丢失。不过即使头部保存完好，它们也不见得比亚述人用雪花石膏刻出的狮像好看多少。

● 珀尔修斯和美杜莎

希腊第二古老的雕刻作品中有一件看起来也很一般，就像是一个小朋友雕刻出来的作品。但这也是意料之中的，因为这个雕像完成时希腊才成立不久，本身就还是个小朋友。不过这件作品很好地讲述了希腊神话中珀尔修斯和美杜莎的故事。

美杜莎原本是个十分美丽的少女，长着一头披肩的秀发。她自视长得漂亮，竟然不自量力地和智慧女神雅典娜比起美来。雅典娜被激怒了，她施展法术，把美杜莎一头秀发变成了无数毒蛇。美少女因此变成了可怕的女妖，任何人只要看她一眼，就会立刻变成毫无生气的大石头。有一个年轻的英雄叫珀尔修斯，他的一个敌人和他打赌，问他敢不敢把美杜莎吓人的脑袋砍下来。雅典娜女神和珀尔修斯是朋友，于是她带着珀尔修斯去找美杜莎。当珀尔修斯到美杜莎住的地方时，美杜莎还在睡觉，他就把头转向一边，一刀砍下了美杜莎的脑袋，顿时血流成河，接着从血泊中跳出来一匹长有翅膀的马（也叫神马或者飞马）。

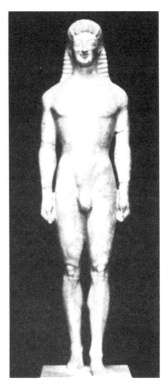

● 特内亚的阿波罗

上页那幅图里，珀尔修斯脸侧向一边，刚砍下美杜莎的头。美杜莎两手抱着神马。图画的另一边是雅典娜女神，她看上去不像个女人，反倒像个男人。尽管她面向前方，双脚却是扭向侧边，这样处理是为了把她双脚全都刻出来。美杜莎左腿膝盖以上的部分很短，所以右腿比左腿长。你可以想象一下她站起来的样子，那样你就可以更清楚地看到她一条腿长、一条腿短了。神马是一匹很小的玩具马，后腿比前腿长很多，就像袋鼠一样。

前面提到的狮像和珀尔修斯像都是深浮雕。但下面要说的是一件后来完成的圆雕作品，叫《特内亚的阿波罗》。阿波罗是希腊太阳神，被认为是所有神中最美的，但是他的这座雕像可能会让你觉得他并不美。

那时的希腊人认为人体是世界上最美的事物。他们总希望通过体能训练、体育锻炼和健康的生活方式把自己的体形塑造得更美。他们还为当时最著名的运动员做雕像。

现代的人们看到健美的运动员，通常会说："他真是个完美的阿波罗。"因为阿波罗已经成了健美的代名词了。这座雕像很可能刻的并不是阿波罗

本人，而只是一名普通的运动员——跑步运动员或跳高运动员。事实上，他既不像亚述人那样健壮，也不像埃及人那样干瘦。但是他的脸部表情特别奇怪，头发卷曲得很不自然，眼睛也凸鼓出来。不过这可是第一批会微笑的雕像。很可能这个人刚刚赢了一场比赛，所以特别开心。

这座早期或者"古老的"希腊雕像可能只能算得上有趣。但是从那时开始，希腊人的雕像不仅很有趣，而且真的很漂亮。

第 5 章　自然的站姿

记得小时候，每次在学校大会上背诵诗歌的时候，我都会像埃及的拉姆西斯雕像一样立在那儿，两手垂放在裤子两边，两脚紧靠在一起，平放在地板上。

"像拨火棍一样僵硬，"我的老师总这么说我，"你能不能站得更自然，更放松些呢？把一只脚放到另一只脚的后面去！"

所以，我就换了个站姿，像那座布拉克校长木头雕像一样立在那里，双脚仍然平放在地板上。这可是我能保持的最自然的姿势了。事实上，这也是雕刻家们制作立体雕像时最喜欢的姿势，不过仅限于希腊雕塑家波利克里托斯出现之前。波利克里托斯有一件雕像作品刻画了一位扛着矛的运动员。这是有史以来第一座站姿自然且放松的雕像，运动员的重心放在一条腿上，双脚不是平放在地面上，而是一前一后稍有倾斜。

希腊人认为《持矛者》比例完美，体形也很理想。

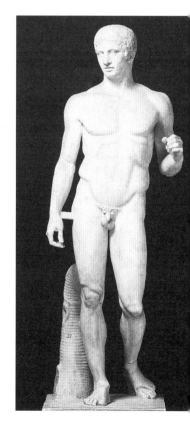

● 持矛者。波利克里托斯作品的复制品。

173

所以其他雕塑家经常把这座雕像作为典范，参照它的比例制作雕像。

事实上，现实生活中有好多运动员也希望通过体育锻炼，自己的腹部、腿和手臂能够和《持矛者》的一样结实。

波利克里托斯还雕刻过一座女运动员的雕像，叫做《亚马逊女战士》。亚马逊族是一个好战的女性部落，除了和男性进行战斗甚至决斗之外，她们和男性毫无牵连。

现在的女孩可能不会认为亚马逊女战士的形体很美。她们可能觉得作为女性，亚马逊女战士的肌肉太发达。但是潮流是变化的。我记得以前小蛮腰很流行，女孩们都穿紧身胸衣。可是后来古希腊风格又重新兴起，现在大部分女孩都明智地放弃了紧身胸衣。

其他雕塑家很欣赏波利克里托斯这两座雕像，并且用大理石仿制了很多座。幸亏他们这么做了，因为波利克里托斯自己做的那两座雕像早已消失不见，一丁点儿痕迹都没留下，也没有人知道它们后来究竟怎样了。所以今天我们能看到的就只有它们的复制品了。

波利克里托斯这两座雕像由一种叫做青铜的金属制成。人们最早发现的金属不是黄金，也不是白银或铁，而是铜。接着人们发现了锡。铜和锡结合在一起就变成了青铜。所以实际上，青铜不是纯金属，而是铜锡合金。如果是放在干燥的环境里，青铜能保存很久。但是如果总是经受风吹雨打或者是放在潮湿的地方，青铜会慢慢腐蚀掉。青铜很容易加工，所以希腊人很喜欢用它来做雕像或其他东西。青铜不像铁那样会生锈，也没有黄金或白银昂贵。而且随

亚马逊女战士。波利克里托斯作品的复制品。

青铜雕像宙斯

掷铁饼的人。米隆作品的复制品。

着时间的推移，它会渐渐变成棕褐色或深绿色，长时间下来表面还会形成一层氧化物，叫做铜绿。

我有一个很古老的灯就是青铜做的，现在外面有一层很漂亮的铜绿，这层铜绿可能经历了两千年才形成。有些人把青铜浸泡在酸性物质中，其表面也会形成一层铜绿，但是真正的铜绿只有靠自然和时间才能形成。

古希腊还有一位名叫米隆的雕刻家，他和波利克里托斯是好朋友。米隆在赋予雕像自然和动感方面比波利克里托斯做得更好。他有一件雕像作品叫《掷铁饼的人》。铁饼是一块很重的圆盘，扔铁饼是一项体育运动，不过不是像投球那样举手过肩往外掷，而是像打保龄球一样，低手往外扔，比赛谁扔得更远。不过与保龄球不一样的是，铁饼不是在地上滚出去，而是从空中飞出去。

《掷铁饼的人》表现的正是铁饼快要被扔出去的那一刻。我们可以看到，人物前面那只脚的脚趾头紧紧吸着地面，后脚为了平衡身体则拖曳在地。当时的铁饼大约 2.5 磅（英美制重量单位，1 磅约合 0.45 千克——译者注）重，扔铁饼这个项目的历史记录也不到 100 英尺（英美制长度单位，1 英尺约合 0.3 米——译者注）。如果你亲自扔一次铁饼，就知道这个距离其实不算很远。现在，人们最远可把铁饼扔至 155 英尺远，不过运动员在扔出铁饼前都会旋转很多圈，这样就可以扔得更远。

这座雕像最初是青铜做的，但是后来青铜被慢慢腐蚀掉了，所以这张图片中的雕像实际上是后来人们用花岗石仿制的。这座雕像是目前欧洲博物馆内几件仿制品之一。

米隆还刻过一座青铜牛雕像。这座雕像非常自然逼真，据说骗过了所有人，大家都以为是一头真牛。但是，这座青铜牛像现在也不复存在了，我们甚至连仿制品都没有。

青铜雕像随着时间的推移会完全被"吞噬"掉。而大理石雕像除非被打碎，否则通常都能保存下来。

第 6 章　最伟大的希腊雕塑家

我们通常把普通人称作"先生"，比如史密斯先生或者琼斯先生。如果一个人很伟大，我们就不用"先生"这个称号，而是直接叫他的全名，比如乔治·华盛顿（美国第一届总统）。但是如果这个人是世界上最伟大的，那么我们就只说他的姓就行了。人们早排出了有史以来世界前100位最了不起的人，包括最优秀的统治者、作家、画家和雕塑家。不过你可能从来没听过世界上最了不起的雕塑家的故事。他是希腊人，没有名，就只有姓，就是菲狄亚斯。

波利克里托斯和米隆主要雕刻普通人的雕像，而菲狄亚斯雕刻的是神和类似神的人。在希腊，有一座高大的岩石，叫做雅典卫城，希腊语叫"阿克罗波利斯"，意思就是"高处的城市"或"高丘上的城邦"。古希腊人在这个岩石上建了一座很漂亮的神殿，叫帕台农神庙，用来供奉一尊高达12米的雅典娜女神像。之前说过，雅典娜就是智慧女神，雅典人认为雅典娜女神是他们的保护神，像母亲关爱孩子一样关爱他们和雅典市，并赐予了他们很多有用的东西。

人们推选菲狄亚斯雕制这座雅典娜女神像。考虑到坚硬的大理石不够好，菲狄亚斯便选择用黄金和象牙做雕刻材料。这座雕像是普通人身高的七倍，雅典娜女神穿了一件拖地的无袖长袍，戴着一个胸甲，胸甲上饰有

蛇形饰边，因为希腊人认为蛇是最聪明的动物。胸甲的中心是美杜莎的头像（还记得吗？我在上一章里说过雅典娜曾帮助珀尔修斯砍下美杜莎的脑袋）。美杜莎头像周围，也就是蛇饰边与头像之间的地方刻的是亚马逊女战士和希腊人战争的场景。雅典娜女神还戴了一个头盔，盔顶是斯芬克斯狮身人面像，斯芬克斯两旁各有一匹长着翅膀的马。雅典娜左手拿着一支矛，搁在盾上，矛上面还缠着一条蛇。她右手握着一座维多利亚的雕像，这座雕像面对着她，正在给她献一个金花环。仅维多利亚的雕像就有大约6英尺高，所以你可以想象一下，雅典娜雕像本身该有多大了。

雅典娜雕像早已消失得无影无踪了，很可能是被人们一块一块地偷走了，因为它是黄金和象牙做的。现在，我们只能通过一件小小的复制品来知道这座雕像的样子，但是只从这件复制品来看，我们可能并不像希腊人一样认为它有那么美。

我说过，这座雕像安放在帕台农神庙里。帕台农神庙内部靠天花板处有一条环绕四面墙的饰带，叫做"中楣"，上面刻满了各种图案的浅浮雕。这条中楣总长几乎有0.1英里，用大理石制成，上面刻有雅典每四年举行一次的大游行。举行大游行的目的是为了搬运雅典的处女们为雅典娜女神制作的礼物——一个黄金面纱。在将礼物搬运到神庙的过程中人们会举行场面壮观的盛大游行。雅典的男女老少都会参加游行。有骑着马的骑士、用来祭祀的动物、捧着礼物的小孩，甚至还有奏乐唱歌的人。

● 雅典娜女神像。菲狄亚斯作。

雕刻图上的游行队伍从帕台农神庙一

🐚 帕台农神庙西侧内殿中楣细部

端开始，然后沿着神庙两侧一直延续到另一端，也就是神庙的入口。这件雕刻作品是我们所知的最完美的一件浮雕作品，里面包括上千人物和动物。整件作品由菲狄亚斯设计，然后他带着学生们一块儿完成。这幅浮雕图总长 160 米，但是整幅图非常统一，没有任何粗糙或不完整之处。

不过这幅浮雕挂在帕台农神庙墙壁上方很难看得清楚，因为它离地面实在太远了，而且整个都被四周的柱廊给挡住了。浮雕的背景和人物都涂有颜色，所以相对来说更显眼。不过事实上，不管能不能被看得清楚，它都堪称完美的作品。也只有完美的作品才配用在雅典娜女神的神庙里，哪怕是放在人们看不到的地方。

墙壁四周的柱子上方和柱子之间分别有许多独立的浮雕图，刻画的都是战争场面。大部分是神和一种叫做"半人半马"的神话动物之间的战争。半人半马，顾名思义，下半身是马，上半身和头是人。这种独立的浮雕图，也叫"排档间饰"，一共有 92 组。现在所有这些排挡间饰都不完整了。要么缺胳膊缺腿，要么没了鼻子，或者少了一只眼睛或耳朵。所以，你必须运用想象。如果你有想象力，就可以想象这些人物要是完整该是怎么样。如果没有想象力，你也许会惊叫："什么？这也叫漂亮？"

因为帕台农神庙屋顶有坡度，所以神庙两端分别有一个大三角形区域，这两个区域里放了很多超大型的神像，比普通人要大得多。这些雕像都是圆雕，也就是说它们完全立体，没有依附任何背景。但是很不幸，这些雕像也所剩无几了。其中一个三角形区域里的雕像刻画的是雅典娜的诞生。

雅典娜刚出生时便是个长大的成人，而不是幼小婴儿。她生自她父亲主神宙斯的大脑，所以非常聪明。雕像中的宙斯位于中心，另外有许多神在他两旁观看。这些神有站着的、有坐着的，还有躺着的。整组雕像设计十分合理，刚好填满三角形区域。余下的雕像中，位于左边角落的名为《特修斯》。位于右边角落的便是所谓《命运三女神》。《命运三女神》中女神们的头、手、脚都没了，所以可以很好地检验一下你的

● 搏斗的半人半马

◉ 命运三女神

想象力。你能想象出她们的样子吗？

　　许多年前，一位英国贵族埃尔金勋爵看到了这些雕像作品，觉得它们很漂亮，希望它们能为自己的国家所有。因为这些雕像位于帕台农神庙的中楣，不太好观赏，所以当时几乎没人对它们感兴趣、愿意去保护它们，这些雕像也就慢慢被毁掉了。所以，埃尔金勋爵只用了 30 多万美金便买走了大部分雕像，将它们带回英国，放进大英博物馆。如今这些雕像被称作"埃尔金大理石雕像"。

　　不过菲狄亚斯最著名的雕塑作品并不在雅典，而是在奥林匹亚的一个庙宇里。菲狄亚斯为这个庙宇制作了一座宙斯雕像。这座雕像同样是由黄

◉ 雅典娜的诞生。帕台农神庙东侧山墙复原图。

金和象牙刻成，后来也消失不见了。据说，这座雕像的一束头发就值1000美元。这座宙斯像非常有名，每个希腊人都希望自己在有生之年能够看它一眼。它被称为世界七大奇迹之一。菲狄亚斯完成宙斯像之后，便祈祷宙斯能够以某种方式告诉他是不是喜欢这座雕像。正在那时，天上突然响起一声晴天霹雳，直指菲狄亚斯的脚。

菲狄亚斯雕刻了这么多出色的雕像作品，最终却被关进大牢了。原因是你想不到的。只是因为他在帕台农神庙中雅典娜雕像的盾上刻了自己的画像！不过在雅典人看来，这种做法是不可饶恕的罪行。他们认为，一个凡人竟敢把自己的画像刻在雅典娜女神的盾上，简直罪不可赦！所以菲狄亚斯最终死在狱中。世界上最伟大的雕塑家竟是这样的下场，真是让人唏嘘啊！

第**7**章 菲狄亚斯之后

你的鼻子是不是希腊鼻呢？你知道什么叫希腊鼻吗？希腊鼻就是鼻梁很直的鼻子，从侧面看像条直线。看看你周围有没有人长着希腊鼻。现在很少有人有希腊鼻了，而且当然并不是所有的古希腊人都长着希腊鼻。但是希腊的雕塑家认为这种鼻子是最漂亮的，所以他们会把自己雕像的鼻子都刻成希腊鼻。下一页图片中的雕像便有着一个完美的希腊鼻。这座雕像刻的是赫尔墨斯，他是神的信使。

雕像中的赫尔墨斯是一位强壮有力的年轻人，手里抱着一个宙斯让他照看的小男孩。赫尔墨斯小心翼翼抱着这个小孩，看起来好像若有所思。小男孩伸着手，看起来像要去玩弄赫尔墨斯的卷发。但事实上，他是想去抓赫尔墨斯手里的葡萄，就像现在的小孩被爸爸抱在怀里时，总想去抓爸爸手上戴着的手表一样。这座雕像已经不完整了，缺失了胳膊和腿，但头和身体还是完好无缺。很可能世界上再找不到比这座残缺的雕像更迷人的雕像作品了。这座雕像的作者是一位希腊雕塑家，名叫普拉克西特列斯。事实上，即使他一生其他什么也没干，这座雕像便足够让他流芳百世了。

据说，普拉克西特列斯还有其他一些雕像作品，其中有一座是半人半羊的农牧神像，后来纳撒尼尔·霍桑的《大理石雕像》中便提过这座农牧神像。不过他这些雕像作品中是否还有保存下来的，我们就无从得知了。

世界上最著名的一座雕像可能要算是《维纳斯女神像》。维纳斯是美貌与智慧女神。人们在希腊的米洛斯岛上发现这座雕像，所以也把它叫做《米洛斯的维纳斯》。维纳斯女神像也有很完美的希腊鼻，尽管我们看到的只是侧面。没有人知道这座雕塑的作者到底是谁，但很多人认为是普拉克西特列斯的一个学生。这座维纳斯像没有手臂，不过有许多人做过猜想，猜测如果维纳斯有手臂，她的手会在做什么。一些人猜她手里拿着一个铜盾，

放在膝盖上，从反光的铜面里看自己的照影。因为那时的人们还没有玻璃镜子，他们就用一些亮闪闪的金属当镜子用。还有一些人猜她手里拿着一个花环，或者其他东西，或者什么也没有。但所有这些都只是猜测而已。

这座维纳斯雕像是偶然被发现的。它当时是在一座石灰窑附近的地面上。石灰窑是一种炉子，通常是用来把石头烧成石灰。这个石灰窑的主人和现在很多人一样，并不觉得这座破旧的雕像有什么美感，所以准备打碎雕像，放到炉子里烧成石灰。就在这个时候，一个路人碰巧经过，他看出来这座雕像非常珍贵，就按一块破损大理石的价格把这座雕像买了下来。不久之后，法国买下了这座雕像，把它放进了巴黎卢浮宫。现在维纳斯女神像是卢浮宫最珍贵的宝贝，价值连城，无论花多少钱也买不到。

● 赫尔墨斯。普拉克西特列斯作。

普拉克西特列斯有一个朋友叫斯科

帕斯，也是个雕塑家，不过他最喜欢雕刻人们受苦时的样子。有几座尼俄伯和她孩子们的雕像很可能是斯科帕斯的作品，因为这些雕像表现的正是他最喜欢刻画的那种受苦的样子。不过只有一部分人持这种意见。还有一些人则认为这些雕像是他学生的作品。

希腊有一个关于尼俄伯的故事，内容是这样的：

尼俄伯有十四个孩子，其中七个男孩、七个女孩。她非常为自己的孩子们自豪。但是她犯了一个严重的错误，那就是她竟然向只有两个孩子的女神夸耀自己的孩子。这在当时是违背天理的。女神非常嫉妒，作为惩罚，她就当着尼俄伯的面杀死了她所有的孩子。这座雕像中的尼俄伯正抱着她最小的孩子，努力阻挡女神的箭。最后她最小的孩子也被杀死了。女神出于好心，把尼俄伯变成了一块石头，这样她也就再不会痛苦了。

另外有一座非常著名的雕像，据说由斯科伯斯的一名学生完成。这座雕像叫做《双翼胜利女神》，因为是在希腊萨莫色雷斯岛被发现的，所以也叫《萨莫色雷斯岛胜利女神》。

● 米洛斯的维纳斯

这座雕像是用来庆祝希腊人一次海上战争的胜利，表现的是胜利女神站在船头，风吹动着她的长袍。尽管现在这座雕像已经没有头和手臂，但你还是可以想象出胜利女神昂首挺胸站着，脸上洋溢着胜利的喜悦，面朝大海，吹着喇叭。

⬤ 双翼胜利女神

你可能会问，为什么没有人修补一下那些残缺的希腊雕像。比如，给它们补上胳膊和腿。实际上，许多雕塑家试过这么做。不过人们当然不允许他们拿原作做实验，所以他们就制作了一些仿制品，然后按照自己的想法把缺失的部分补上去。但是奇怪的是，不管做出什么样的修补，结果都非常不令人满意，甚至使原作更丑了。所以人们还是宁愿保留残缺的雕像，也不要对它们进行修补。

我认识一个小女孩，她读到自己喜欢的书时，总是用手遮住书上的插画。她告诉我："我脑海里想象出的画面要比书上的图画美得多，我可不希望书上的图画破坏了我的想象！"那么，你能在脑海里勾画出胜利女神或者维纳斯女神的样子吗？

第 8 章　石膏模型

我小时候经常去博物馆，那里有所有古希腊伟大雕像的复制模型，都是用石膏做的，所以被称为石膏模型。我当时最喜欢其中一座雕像，但是我到后来才发现，原来那座雕像远不如我在上一章给你们介绍的那些雕塑作品漂亮。或许男孩子们就是这样吧，小时候喜欢某些东西，长大后可能就变了，换成了别的。不过那时我就是特别偏爱那座贴有"垂

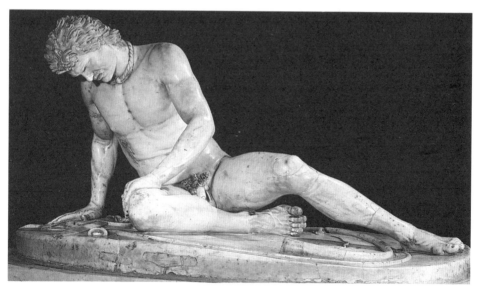

● 垂死的高卢人

死的角斗士"标签的雕像。

我还问大人们："角斗士是什么呀？"

他们告诉我，角斗士就是进行搏斗的人，通常都是囚犯或者奴隶。他们通常在一个类似足球馆的场地搏斗，直至其中一方死去，四周的观众以观看他们搏斗为乐。

后来我才知道那座雕像上的标签写错了，它应该叫做《垂死的高卢人》，而不是《垂死的角斗士》。高卢是一个野蛮部落，生活在现在的法国地区，他们经常和希腊人决斗。这座雕像刻画的是一名在决斗中被杀死了的高卢人。他脖子上戴着一个扭曲领圈，也叫做捻扭的金属领圈。正因为这个领圈我们才肯定他是高卢人，因为只有高卢人才戴这种特殊的领圈。

雕像清楚地显示出这名高卢人身上的伤口是用剑刺伤的，上面还刻有流血呢。雕像上有一张卡片，写着："请不要摸我。"可是，我小时候就是忍不住想要摸摸这把淌着血的剑，因为它看起来实在太逼真了。

不过我妈妈说："走吧，要死的人有什么好看的，太可怕了！我们还是看看《贝尔维德尔的阿波罗》吧。它可是世界上最美丽的雕像之一了。"

我看了一下她说的那座雕像，惊叫道："这是个男的吗？怎么看起来像个女的！"

妈妈回答说："当然是个男的啦。只不过他留着长发，而且把头发盘在头顶。古希

● 贝尔维德尔的阿波罗

腊的男子都是这样扎头发的。"

　　我以前说过，阿波罗是太阳神，也是最美丽的希腊神。我们并不知道这座雕像中的他到底在做什么。有人说他左手拿着一把弓，右手正准备拉弓射一条可怕的蟒蛇。蟒蛇是一种长得像龙的蛇，任何人接近它都会被咬死。也有人说阿波罗左手拿的是美杜莎的头颅，目的是让他的敌人看到美杜莎的头后变成石头。阿波罗、弥涅耳瓦和珀耳修斯都曾利用美杜莎的头颅模型来杀敌。

　　贝尔维德尔在希腊语里意为"看起来很美"、"很好看"。但是这座阿波罗像被叫做贝尔维德尔并不是因为他很好看，而是因为这座雕像现在放在罗马梵蒂冈博物馆的一个叫贝尔维德尔的房间里。

　　尽管这座阿波罗像的确很漂亮，但我更感兴趣是那些"有故事"的雕像，尤其是听起来非常可怕的故事。我小时候常去的那个博物馆里还有一座很大的雕像，刻画的是三个人被两条蛇缠起来的样子。雕像的标签上写着:《拉奥孔和他的儿子们》。

　　这座雕塑取材于希腊和特洛伊战争的神话传说:拉奥孔是特洛伊城的祭司。由雅典娜诸神庇护的希腊军与特洛伊人进行了十年的战争，但希腊人仍然攻不下特洛伊城。最后希腊人想出了一个木马计:他们将一匹巨大的木马放在城外，让奥德赛率领英雄们藏入马肚子，然后叫全体希腊将士假装撤退，乘船隐蔽到附近的海湾里。特洛伊人以为希腊人撤走了，就打开城门，见到一只巨大的木马，他们就想把它拖进城去。祭司拉奥孔出来警告特洛伊人，不要把木马拉进城，以免中计。这触怒了雅典娜和众神，因为拉奥孔破坏了众神要毁灭特洛伊城的计划。于是雅典娜从海中调来两条巨蟒把拉奥孔和他两个儿子活活缠死。特洛伊人见拉奥孔死了，认为是一种暗示，表明他在撒谎，他所说的关于希腊人的话都不是真的，他们便把木马抬进了城内。等到后来他们发现原来拉奥孔讲的都是真话时，为时已晚，希腊人已经把特洛伊城攻下了。这座雕像据说是由三名雕刻家共同

● 拉奥孔和他的儿子们

完成。

　　为什么有些人，尤其是男孩子，喜欢看刻画人们受苦或者垂死时的图画和雕像呢？我以前也喜欢看，可是现在我可不愿意在房间挂一幅那样的画，或者摆放一座那样的雕像了。周围摆放那种东西会让人感觉很不舒服。但是在古时候，很多人都很残忍，喜欢看杀戮的场面以及刻画杀戮和受苦的雕像。他们经常观看打斗场面，还带上午餐边吃边看，尤其是看到最后有人被打死时他们最兴奋最满足。今天也还有一些人喜欢观看斗牛比赛或者参观屠宰场。

尽管我小时候喜欢的雕像大部分后来都不喜欢了，但有一座小小的雕像我却一直都很喜欢。这座雕像刻的不是神或什么神话人物，甚至都不是成年人，而是一个正从赤着的脚上拔刺的小男孩。从这座雕像我们可以看出，今天小男孩赤脚的样子和两千年前小男孩赤脚的样子看起来没什么差别。

另外我要介绍的一座雕像是在公元前不久完成的。这座雕像实在太巨大，所以没有任何石膏模型。它是一座巨大的

● 拔刺的小男孩

太阳神铜像，约 100 英尺高。这座雕像放置的位置很特别，双腿分开的太阳神刚好跨坐在罗德斯岛海港的入口处，所有进出港口的船只都刚好从它的两条腿中间穿过。这座雕像叫做《罗德斯岛巨像》，是世界七大奇迹之一。不过出于某种原因，可能是由于地震，太阳巨像倒塌了，它的碎片被人们当废品卖掉了。

第9章 小珍品

有句俗语叫做"你的宝贝在哪，心就在哪"。我曾经读过一篇报道，专门介绍一组用于公共建筑的雕像。报道的重心就是这组雕像有十吨重。除此之外，关于雕像是不是很好看什么也没有说。我当时想，十吨重又怎么啦？煤炭堆也可以有十吨重呀。又不是说只有尺寸大才好看。希腊人喜欢制作巨大的雕像，而且都雕刻得很美。不过他们也做一些尺寸很小的雕像，小到必须要拿放大镜才能看清楚，这些雕像虽然小，却也同样漂亮。

不久前我在博物馆看到一座雕像，重约一盎司，大小和多米诺骨牌差不多。它是用彩色石头做的，灯光能够透过石头照射过去，石头上面刻了很多希腊神的图像，都是浅浮雕。这些图像要用很细且很锋利的工具才能刻。据说，这座雕像是一位希腊雕塑家在公元前完成的，只不过没人知道这个雕塑家的名字。人们把这座雕像叫做《宝石》。通常"宝石"是用来形容那些小却珍贵的东西。

伦敦大英博物馆里有一个房间，里面摆满了这种公元前加工的"浮雕宝石"。这些"浮雕宝石"的雕刻家和那些真人大小以及巨型雕像的雕塑家一样伟大。通常，这些"宝石"是为国王和富人做的，因为其他人根本买不起这么昂贵的东西。以前的富人们喜欢收集这种宝石，就像今天有些人喜欢集邮，博物馆和一些有财力的人喜欢收藏珍品一样。

通常，用来刻小浮雕的石头都有两到三层颜色，这样一来，图像是一种颜色，背景又是另一种颜色。如果石头岩层是黑色和白色，我们就把这种石头叫"黑玛瑙"。如果石头最上面的岩层是红色，下面的是黑色和白色，那么这

● 这件红条纹玛瑙浮雕被称为"法兰西的伟大浮雕"。描绘的是提比略皇帝与他的母亲利维娅被其他朱丽安克劳狄家族成员所簇拥的情形。

种石头就叫"红条纹玛瑙"。有些石子是用彩色石头或人工红条纹玛瑙的两或三层岩层粘在一起制成的。

过去，女士们用贝壳珠宝作胸针是一种时尚，很可能你的奶奶就有过这样的上面刻有人物头像的贝壳胸针呢！有一种瓷器背景是蓝色，上面有白色的贝壳样式图案。有一些贝壳珠宝是用两种不同颜色的玻璃做成。大英博物馆有一个非常著名的花瓶，叫做"波兰花瓶"。这个花瓶的瓶身是蓝色玻璃做的，上面的浅浮雕图案则是白色玻璃做的。很多年以前，有一个人很疯狂，为了向别人炫耀，把花瓶砸到地上摔成了碎片。后来，人们把这些碎片拾起来，重新粘到了一起。因为粘合得特别好，所以我们根本看

不出来它曾经破碎过。

还有一种"宝石"在公元前很流行，它们上面刻有的图案都是凹下去的，而不是凸出来的。这种"宝石"叫做"印章"，或者"凹雕"，也就是"陷下去的雕刻物"的意思。这种印章可以用来在蜡上压印图案。印出来的图案当然就是凸出来的。印章上的图案可以千变万化，想刻成什么样就可以刻成这么样。当时任何买得起印章的人都有一个自己专门的印章，上面刻有独一无二的图案，这样他们就可以将任何属于自己的东西盖上章，让人一看盖印就知道东西是谁的。

这些印章压出来的印记主要用来代替签名，因为那时几乎没人知道怎么写字或者签名。有些印章和戒指差不多大，主人可以把它随时戴在手上，其他人便不能使用。这种戒指也叫做图章戒指，意思就是"签名的戒指"。有些时候人们不把印章戴在手上，而是放在一个安全的地方，这样除了主人之外其他任何人都别想使用。

你有没有收集过一些旧硬币、铜币或银币呢？大部分男孩应该都有过。可能你从来没把你收集到的旧钱币看作雕像，但事实上，旧硬币便是浅浮雕的一种。希腊人做的钱币通常都很漂亮，上面刻有许多名人或神的浅浮雕头像。他们首先会做一个刻有浅浮雕的金属模子或者印模，然后，用印模压印出许多金属硬币，比如金币、银币或者铜币。

● 极为精致的宝石浮雕。左为罗马皇帝克劳迪乌斯和皇后小阿格丽品娜，右边是德曼尼库斯和他的妻子大阿格丽品娜。

作为垂饰或指环底座的浮雕

所以硬币和宝石的一个最大区别就是，硬币是用印模印出来的，同一个印模可以印一大批一模一样的硬币，每颗宝石却都是独一无二的。今天许多国家的硬币都很漂亮，但都比不上古希腊人做的硬币。原因之一就是，出于现代银行对硬币进行存放和分类的要求，现在的硬币必须做得很平坦，上面的图案必须是浅浮雕，这样才能够叠放在一起。但是古希腊人没有这种要求，所以他们可以把硬币上的图案做成高浮雕。

硬币当然是用来买东西的。不过有一种古老的雕像，样子和硬币差不多，只稍稍大一点，却不能当作钱用。这种雕像叫做勋章。勋章上面的图案通常是高浮雕，但它不是用印模印出来的，而是把金属放到一个模子里做出来的。这种勋章通常是用来奖励田径比赛中的获奖者，或是战争中的立功者，也有些是为了庆祝某种大型活动、周年纪念或者庆典而特别制作的。这类勋章在今天非常常见，说不定你父亲手里就有几枚，你可以让他给你展示一下。

第10章 陶土塑像

陶土就是烘烤过的泥土。用泥土或者黏土烧成的红色或者赤红色的土就叫做陶土，用陶土做成的花瓶或者砖块都属于陶制品。你肯定用泥巴做过橘子、苹果、杯子或碟子。希腊人也用同样的东西——泥巴或者黏土，用同样的方法制作人物雕像。他们做的女性雕像通常很小，比玩具娃娃还小。他们先用黏土把小雕像刻好，然后用火焙烧，这样一来雕像就不会碎裂了。焙烧后的雕像便成了陶俑。

古希腊人按照当时的习俗把这些小雕像放在墓穴中。后来上万个这类小雕像被挖掘出来，现在都保存在博物馆。因为这类雕像最初是在希腊一个叫做塔纳格拉的小镇上挖掘出来的，所以叫做"塔纳格拉小雕像"。这些雕像中的女性通常拿着一把扇子或者撑着小阳伞。从这些雕像来看，希腊女性用的扇子与阳伞和现在的差不多。不过与其他古希腊雕像相比，这些雕像有一点比较特殊，那就是所有人物都穿得严严实实。

这些小雕像绝大部分都是原创的，但也有一些是大型雕像的复制品。由于许多大型雕像都没能保存下来，这些复制品便为我们了解原作的模样发挥了重要作用。不过它们的作用还远远不止这一点。比如，如果你想知道古希腊人真正的样子，你就可以去博物馆看看这些小雕像。著名的大理石雕像刻画的通常都是神、运动员和勇士。这些人都太过完美，不是真正古希腊人的样子。但是小雕像刻画的却是日常生活中的普通人，代表的是最真实的希腊人。比如，有座小雕像刻画了一个挤牛奶的小女孩。还有一座则是两个正在玩游戏的女孩，一个女孩骑在另一女孩的身上。它们表现的都是日常生活中的普通场景。

许多小雕像都涂有鲜艳的颜色。还有些佩戴着真的黄金小项链，或是手上拿着铜质的装饰品。但是大部分小雕像浑身上下就只剩一种颜色了，就是用来制作它们的黏土的赤红色。

这类小雕像头部是用坚硬的黏土制成，所以是实心，其他部位都为空心。我敢保证，不管你在没吃饭时觉得肚子有多空，你的脑袋里肯定装了不少东西，绝对不只是固体黏土。

这些小雕像用来放在坟墓里，是为死去的人做的，灯却是为活着的人做的。每个房子里都有灯，灯上通常有一些浅浮雕装饰图案。当然，现在的灯都是电灯，与古希腊时期人们用的灯不一样。古希腊时期的灯都是用陶土或铜做的，体积很小，可能还不到你的手掌大。这种灯中央有一个孔，里面塞有一根拧在一起的布条做灯芯。灯里装有橄榄油或者油脂，灯芯浸泡在这些溶液里，一点即燃。这类灯发出的光非常微弱，还不及划燃的火柴亮，但那时的人们整晚就只能靠这种微弱的光源照明。所以，古代的人们或许都比我们睡得早吧。这些灯的顶部或侧面通常有一些图像，画的是广为人知的希腊神或其他古希腊神话人物。

灯是用模子制作出来的，一个模子可以做出好几千个甚至几万个一模一样的灯。后来人们从地底挖掘出了许多古老的模子，用它们复制出许多古式灯作为纪念品卖给游客，有些还被当成了古董。如果挖掘出来的灯是铜做的，而且真的很古老，灯表面便会覆有一层青绿色的氧化膜，那叫做铜绿。有些灯年代并没有多久远，但放在酸性溶液中浸泡后表面也会形成一层铜绿。不过这种灯比真正古老的灯边缘更锋利，而且用酸泡出来的铜绿和经过长时间侵蚀而形成的铜绿看起来也完全不一样。再者，如果是用

黏土做的灯，那么新灯上的刻痕要比旧灯上的更清晰明显。所以，如果哪
天你突发奇想想买一盏古老的灯（奇怪的事情总会发生），那么千万记住要
观察一下铜绿以及黏土的新旧。

第 11 章 半身像和浮雕

你的爸爸妈妈或者老师有没有告诉你不要说 bust 这个词呢？比如，你说某人长胖了，可能就会讲他 bust 了。但这样用是不对的。我同意你爸妈和老师的看法，应该说 burst，而不是 bust。因为 bust 是半身像、胸像的意思，而 burst 才是发胖的意思。

现在我要告诉你们怎么正确地使用 bust 这个词，这样你爸爸妈妈和老师不但不会批评你，而且会很开心。在不标准的英语里，bust 和 burst 经常混用，表示"膨胀、炸开"之意。但是在标准的英语中，bust 指的是一种雕像，这种雕像只有上半身没有下半身，有的只有头和脖子，还有的除了头和脖子外还有肩膀和胸部。如果某座半身像和某个人长得非常像，让人一看就忍不住说"为什么这个雕像和布朗先生那么像呢"，或者"它简直和爱丽丝·琼斯长得一模一样嘛"，再或者"这不就是托米·史密斯吗"，那么这类半身像就叫半身雕像。

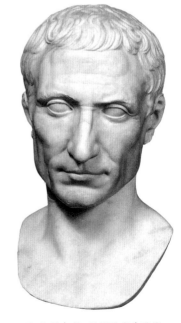

尤利乌斯·恺撒的半身雕像

199

自古埃及人便做过许多漂亮的肖像半身像，但做得最好的当数古罗马人。古罗马人的肖像半身像都特别逼真，跟大街上行走的真人差不多。尽管实际上真正有希腊鼻的希腊人并不多，古希腊人还是喜欢给大部分雕像都安上希腊鼻。与此相反，古罗马人喜欢把半身像做得跟真人一模一样。如果一个人长了一个鹰勾鼻或者有双下巴，那么他的半身像就会被刻成鹰钩鼻和双下巴。同样，如果一个人愁眉苦脸，他的半身像也会是愁眉苦脸的样子。

所有罗马人家庭，只要能够付得起钱，都会给家庭中每个成员做一座半身雕像。这些半身雕像会一代代传下去，所以一个古老的家族通常会有许多许多祖先的半身雕像摆设在家。家里如果有人去世了，先祖的肖像也会出现在送葬的队伍中。如果你见过这种场面，你肯定看到过许多孙儿和他们手上捧着的爷爷的半身雕像非常相像。

每个罗马帝王都有上千座半身雕像，派送到罗马帝国各大重要城市。上一页图中是一座尤利乌斯·恺撒的半身像。他有没有长得像哪位你认识的人呢？

除了半身像，罗马人不太擅长制作圆雕像。所以，当罗马人征服希腊时，他们把能找到的所有著名的希腊雕像都带回了罗马，另外还带回了许多希腊的雕塑家，让他们在罗

● 古罗马元老院的议员。和平祭坛上的浮雕。

图拉真凯旋柱及细部

马做雕像。因此，许多罗马雕像都不是原创的，而是著名希腊雕像的复制品。但是，幸好有这些复制品。因为许多著名的希腊雕像都遗失了，如果没有挖掘出这些复制品，我们大概永远无法知道这些雕像到底是什么样。还记得米隆的《掷铁饼的人》吗？事实上，米隆的原作早已遗失，后来再没找到，但是罗马有许多复制品，所以我们才能知道这件作品到底是什么样。

　　尽管罗马人在圆雕方面不如希腊人，但他们的浅浮雕很好，他们留下了许多非常著名的浅浮雕作品。比如，罗马人雕刻了许多刻画罗马大帝图拉真打仗场面的浮雕，非常受男孩们喜爱。

　　这些浮雕表现了罗马士兵的各种活动，包括行军、露营、战斗、攻克城市、捕获囚犯以及带走战争掠夺品。图拉真打仗的场景刻在一根大理石

奥古斯都和平祭坛

柱上，带状的雕刻图案像螺丝一样，沿着柱子自下而上缠绕在柱身。这根柱子现在依然矗立在罗马，我们把它叫做图拉真凯旋柱。

罗马另一著名的浮雕作品刻在奥古斯都和平祭坛上。奥古斯都和平祭坛于公元前13年由罗马参议院下令建成，用来纪念罗马皇帝奥古斯都成功镇压罗马帝国西部叛乱，迎接奥古斯都凯旋。

读完这一章，如果以后有人问你罗马人最擅长什么雕塑，你就可以直接告诉他们："浮雕和半身雕像！"

第12章　石头里的故事

有些人专门拿着锤子把所有他们能找到的雕像都砸碎，甚至还跑去把教堂里的雕像也砸碎。你会把这群人叫做什么呢？你可能会说他们是坏人或者疯子，应该被关起来。

你说的或许没错，要是在现在他们肯定会被关起来的。但是在很久以前（大约公元8世纪的时候），这些人并不是坏人或疯子，也没有人试图把他们关起来。他们打碎雕像是因为他们觉得这些雕像太具偶像崇拜的含义了。他们认为教堂里尤其不应摆放任何具有崇拜意义的人物雕像，或者说偶像。这群人在

● 偶像破坏者。1566年8月，加尔文讲道以后，他们就开始毁坏圣骨和雕塑。版画，霍根贝作。

希腊语里就叫做"iconoclasts"（偶像破坏者）。他们砸碎了许多雕像，可怜的雕塑家如果想继续做雕像，就不得不离开城市，逃离这些偶像破坏者的蓄意破坏。

不过偶像破坏者似乎并不介意小型的浮雕作品。所以，在偶像破坏者当道的时代乃至之后很多年，人们用象牙、白银和黄金做了很多精美的陷浮雕。象牙制成的浮雕通常用于书的封面、写字板和小盒子。现在我们可以在博物馆看到这类象牙浮雕，通常是被小心翼翼地保存在玻璃箱子里。看到这种浮雕作品时，你应该想到偶像破坏者，以及为什么罗马之后很长时间都没出现好的圆雕作品。

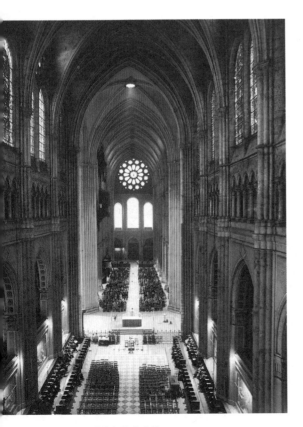

● 夏特尔教堂内景

因为偶像破坏者的存在，许多雕塑家不得不离开拜占庭（后来改为君士坦丁堡，现在叫伊斯坦布尔）前去法国，在那里继续他们的工作。后来正是在法国出现了新一代的伟大雕像。这些雕像出现于中世纪时期，也就是"偶像破坏者"之后的几百年。奇怪的是，偶像破坏者最不希望教堂里放有雕像，这些中世纪时期的雕像却都是为教堂雕刻的。实际上，中世纪时期的教堂外部都刻满了雕像，雕像用的材料就是修建教堂时用的石头，而不是古希腊或古罗马雕像用的那种大理石。雕像已经成为教堂的一部分。比如，法国夏特尔大教堂就有一万多座人物和动物雕像。教堂的门道、柱子、

● 夏特尔教堂西侧门门楣雕刻，表现的是贞女玛丽亚的生平。　　● 夏特尔教堂北侧玫瑰圆窗

　　屋顶、窗沿和墙壁上到处都是雕像。甚至连排水槽都刻成了奇怪的动物形状。

　　中世纪的人大部分都不识字，也不会写字。教堂的雕塑便代替了书本，它们向人们讲述《圣经》和圣人的故事。所以，除了装饰外，这些雕塑也是有实际用途的。

　　中世纪的教堂都是哥特式建筑风格，所以这些雕塑也被称为"哥特式雕塑"。大教堂上的哥特式雕塑几乎涵盖你能想到的所有生物，包括《圣经》中的场景、圣人像、动物雕饰和花雕、石器时代的画面以及各种各样的活动，如农活、写字、砍柴和打斗等等。除此之外还有许多画像，刻画的对象既包括现实中的人物和动物，又包括一些从未听说过的虚构生物。每个图案

● 法国巴黎圣母院钟楼外面的怪兽雕塑

都是根据它在教堂所处的特定位置而制作的。这些雕像也不是在教堂建完后才刻上去的。相反,它们和教堂融为一体,是用同样的石头雕刻出来的。

你还记不记得每次喉咙痛时含着漱口水吐水的样子? 知道吗,哥特式大教堂的雕塑也会吐水。不过,当然啦,它们吐水不是因为喉咙痛,它们只在下雨时吐水。这种会吐水的雕塑实际上是排水槽,它们身上有许多孔,雨水可以从它们的嘴巴排出去。所以它们像那些会讲圣经故事的雕塑一样,除了装饰外也有实际用途。我们把这类雕塑叫做“滴水嘴”。

滴水嘴雕成了你能想得到的千奇百怪的动物形状。有的脑袋像猴子,有的长着三个脑袋,还有的吐着舌头,像在做鬼脸。另外有些长着鹰爪,还有些长着人手。

另外有些动物雕塑也非常奇怪,但不会吐水,叫做“怪诞雕像”。这种雕像和滴水嘴一样,也刻在靠近屋顶的地方,看起来好像在俯视并嘲笑底下的人们。中世纪古老教堂的雕塑家们肯定非常喜欢雕刻滴水嘴和怪诞雕像,所以才会乐此不疲地雕刻了那么多。

第13章 天堂之门

开始讲故事之前我先给大家讲一个比赛。这个比赛可不是比谁跑得最快，也不是比谁吹哨可以吹得声音最大，它要比这些都难。正因为太难了，每个参赛者都得花上一年的时间准备才有可能赢得比赛。

这场比赛比的是雕刻，起因是这样的：在意大利的佛罗伦萨有一座很小的八边形建筑，叫做"洗礼堂"——也就是婴儿或成人接受洗礼的地方。这座建筑有四个门道，当时其中一个门道安有两扇很漂亮的铜门，铜门上有安德里亚·皮萨诺雕刻的浮雕。安德里亚·皮萨诺去世后很久，佛罗伦萨人决定在另一门道下也安上这样两扇铜门。

那个时候佛罗伦萨有很多了不起的雕塑家，人们很难决定到底应当让谁来做新门，于是他们举行了一个比赛，比赛规则如下：

每个参赛雕塑家必须用青铜雕制一幅浮雕，与门搭配。

浮雕的内容必须与亚伯拉罕和以撒相关。

每个雕塑家都有一年时间准备，然后由 34 名裁判共同决定最后的获胜者，并由获胜者来做这两扇门。

于是所有参赛雕塑家都开始着手准备，大家都小心翼翼隐藏自己的作品，在比赛未正式开始前不想让其他人看到，只有一个人例外。这个人叫做洛伦佐·吉贝尔蒂。他先自己认真地雕刻了一段时间，然后邀请许多朋

友到家里参观他的作品，给他提意见，看怎样刻会更好。接着，他就按照大家的意见对作品不断完善，直到最后他刻出来的浮雕非常漂亮。

一年的准备期截止时，每位雕塑家都把自己的作品拿给裁判看。你猜结果怎样？裁判也评不出到底谁的最好！所以，第一轮就以平局告终，一共选出了两件获奖作品，一件是吉贝尔蒂的浮雕，另一件是意大利著名建筑师布鲁内莱斯基的作品。但是布鲁内莱斯基认为吉贝尔蒂的作品比他自己的好。所以他就大度地退出了第一名的争夺，让吉贝尔蒂胜出。于是，裁判宣布由吉贝尔蒂负责做那两扇新门。

吉贝尔蒂马上开始工作，他不停地刻啊刻啊，慢慢地，一年过去了，两年过去了，五年过去了，十年过去了，那两扇门还没刻好。你根本想象不到它们最终花了多长时间才完成。看看吉贝尔蒂开始着手雕刻和最后完成的日期就知道有多久了。他开始工作是在1403年，最终完成是在1424年。

你肯定会说："什么？不可能吧？做一对门居然花了二十一年？那也太长了吧。"

最后这两扇门总算完成并被安到了洗礼堂里。它们从中间打开，上面刻了28幅浮雕图，讲述的主要是耶稣的生平故事。每幅图都是先单独做好，然后再拼接在一起。

这两扇门后来"一炮走红"。佛罗伦萨人都非常喜欢这对门，所以他们问吉贝尔蒂愿不愿意再为洗礼堂的另一门道做一

● 天堂之门。吉贝尔蒂作。

对类似的铜门。这次当然就没有必要再举行比赛。因为他们都知道吉贝尔蒂绝对能够胜任这份工作。

吉贝尔蒂又开始做这对新门。他不停地刻啊刻啊，一年、两年过去了，接着五年、十年过去了，那对门还是没做好。他1425年开始着手工作，1452年完成，整整花了二十七年。天呐！真够久的啊！

● 天堂之门中的第一幅浮雕细部

不过，这对门完成得非常成功，雕刻十分精美，大家都觉得堪称完美。曾有个著名的雕塑家见到这对门后，惊叹道："它们简直可以称得上天堂之门啊！"所以，从此以后，那对门便被称为"天堂之门"。

《天堂之门》上有十幅浮雕图，分别刻画《圣经·旧约》中的场景，上面便是第一幅浮雕的放大图，讲述的是亚当和夏娃的故事。

第14章　寻找宝藏的人和一个秘密

你有没有患过春倦症？两种春倦症都患过？没错，春倦症也分两种。

在暖和的春天，你是不是有时候会感觉又困又累，特别慵懒，不想学习，不想工作，不想玩，甚至都不想吃饭？这就是第一种春倦症。

另外，在春天，你有时是不是会觉得特别精力充沛，甚至焦躁不安？是不是觉得一刻都坐不住，就只想狂跑一阵、大叫一声或翻几个跟斗？甚至有没有觉得任何事都难不倒你，任何人都比不过你？这就是第二种春倦症。

事实上，中世纪后，全世界好像都染上了春倦症，而且是第二种春倦症，也就是精力过分旺盛。不过这种春倦症可不像普通的春倦症只在春天发作几天，它持续了好几年。

1400 年左右，意大利最先染上这种春倦症。就像寒冬过后，万物在春天开始复苏，到处都是鲜花绿叶。经历了中世纪的黑暗时代后，绘画、建筑、写作、雕塑、探索、发现、贸易等事物也迎来了复苏的春天，开始"百花齐放"。

这个"复苏"的时代就是我们所说的文艺复兴时代。复兴也就是"重生、再生"的意思。

文艺复兴时期，人们重燃对古代技艺和知识的兴趣，这种重新点燃的兴趣就像一种快速传播的病菌，让整个世界都感染上了文艺复兴这场春倦症。人们开始挖掘出自古罗马时期便埋在地底的雕像和建筑。古希腊和古罗马时期的文学作品也重新公布于世，广为传阅。在学习古人艺术成就的同时，文艺复兴时期的人们自己也为艺术做出了许多伟大贡献。

　　最早开始全面研究古罗马雕像的雕塑家中有一位名叫多那太罗。多那太罗住在佛罗伦萨，不过当他还是个年轻小伙子时，他曾和一个名叫布鲁内莱斯基的朋友去了罗马。到了罗马之后，这两个朋友整天都待在那些古老的废墟里，想方设法寻找漂亮的古罗马艺术品。布鲁内莱斯基对建筑很感兴趣，所以他到处测量古罗马建筑的尺寸，多那太罗则一心寻找雕像。没过多久，他们就被人称为"寻宝人"，因为他们看起来就像一直在找埋在地下的宝藏。

　　两个寻宝人回到佛罗伦萨之后，多那太罗雕刻了一座为唱歌者而建的漂亮的大理石画廊，安放在佛罗伦萨大教堂的一端当作墙壁。他在画廊的外部刻了很多小孩，看起来就像正在跳舞唱歌的丘比特。这件雕刻作品很了不起，看上去栩栩如生。

　　多那太罗另一著名雕像位于佛罗伦萨一个教堂外部。这座雕像刻的是圣乔治。圣乔治是罗马军队中一名基督徒，那时基督徒正遭受迫害，所以信奉基督教是非常危险的一件事。为了显示不怕被人知道自己是基督徒，圣乔治在自己的盾上佩戴了一个白底红字的十字架。所以，从那

● 圣乔治像。多那太罗作。

211

以后，人们便把这种白底红字的十字架叫做"圣乔治十字"。现在英格兰的国旗上也有这样一个十字，因为圣乔治是英国人最喜爱的圣人。圣乔治非常勇敢，当罗马帝王开始下令迫害基督徒时，圣乔治觐见罗马帝王，要求他停止迫害。正是因为这样，再加上圣乔治自身也是个基督徒，罗马帝王便将他处死了。

当然，由于圣乔治生活的年代很久远了，多那太罗并不知道圣乔治本人到底长什么样。所以他雕刻的圣乔治像并不是圣乔治真实的样子。他只是按照他认为这位英俊勇敢的年轻基督军官应当具有的形象来雕刻的。不过许多人都和多那太罗的想法不谋而合，也认为圣乔治就应当是这样子，所以这座雕像变得非常有名。另外这座雕像还很逼真，看上去栩栩如生。

据说，有人曾对多那太罗说："这座雕像其他都很好，只是存在一个问题。"

因为担心这人真的发现了什么缺陷，多那太罗忙问道："什么问题？"

那人回答说："问题就在于它不会说话。"

多那太罗最著名的作品刻画的是一个骑在马背上的人。我在下一章再详细地跟你介绍他的这件作品，因为在这一章里我还想告诉你一个秘密。不过，你得首先告诉我：你能保守秘密吗？

多那太罗有一个朋友也是雕塑家，他有一个秘密，而且是个绝妙的秘密，除了他收养的儿子以外，他没有告诉过任何人。

这个被收养的儿子后来又有五个儿子，等他的儿子们都长大后，他又把这个秘密告诉了他的五个儿子。所以这个秘密就成了一个家庭秘密。

最初知道这个秘密的那位雕塑家叫卢卡·德拉·罗比亚。他和多那太罗一样，也住在佛罗伦萨。因为他比多那太罗年龄小一些，我们就把他称为文艺复兴时期第二伟大的雕塑家。卢卡·德拉·罗比亚的作品主要是大理石雕像和青铜雕像。他也雕刻过一座大理石画廊，位于佛罗伦萨大教堂另一端，和多那太罗的大理石画廊刚好相对。

多那太罗的画廊外侧刻有许多唱歌的小男孩；卢卡·德拉·罗比亚的画廊外侧也刻了许多同样的小孩。但是如果你凑近仔细观察，就会发现卢卡·德拉·罗比亚刻出来的男孩比多那太罗的更漂亮。这是因为多那太罗的雕刻较粗糙，完成的没有卢卡的平滑。可如果你站在大教堂内远远观看这两幅画廊，又会发现，正因为多那太罗刻画的人物较粗糙，它们反而更显眼。所以这两件作品是不相上下，各有长处。

这两座画廊都很珍贵，所以现在已经从大教堂搬放到了博物馆。

我们差点忘了秘密那回事儿了。卢卡·德拉·罗比亚发现用大理石雕

🔴 唱歌画廊（局部）

刻很费时，而且大理石还非常昂贵。所以，在完成这件作品拿到工资之后，他发现自己根本没赚到什么钱。青铜也和大理石有一样的缺陷。于是，他决定找到一种既容易雕刻又不贵的材料来做雕像。后来他果然找到了。你猜是什么？不是木头，也不是石头，当然更不是大理石或青铜，而是黏土。

你肯定会说："没什么了不起的啊，古希腊人不就用过黏土吗？我还记得塔纳格拉那些小陶俑呢。"

你说的没错，但是先别着急，听我慢慢解释吧。卢卡·德拉·罗比亚用的是赤陶土没错，但接下来的才是他的秘密所在。在完成黏土雕像后，罗比亚会在雕像外面加涂一层像玻璃一样的物体，叫做"釉"，然后再把雕像放到炉子里焙烧一定的时间。他的秘密就在上釉（也叫"瓷"）的过程。上

● 圣母与圣子。安德里亚·德拉·罗比亚作。

了釉的雕像能像大理石一样经受得起风吹雨打，可以长久保存下去。如果没有上釉，赤陶土便会很快破裂。其他雕塑家也尝试做过这种上了釉的赤土陶像，但是他们做出来的都不及罗比亚的精美。罗比亚的上釉秘方的确非常成功。

卢卡·德拉·罗比亚在上釉陶器上做的雕塑大部分都是浮雕。其中浮雕部分通常是大理石般的白色，背景则是美丽的蓝色阴影。卢卡·德拉·罗比亚把给赤土陶上釉的秘方教给了他的养子，也就是他的侄子，名叫安德里亚·德拉·罗比亚。安德里亚后来几乎和卢卡一样有名。安德里亚大部分作品都是用上釉赤土陶做的，尽管他做的雕像肉体部分都是白色，但他在浮雕中加了更多别的颜色。他的代表作是《圣母与圣子》。

在佛罗伦萨儿童医院的外部，安德里亚雕刻了一系列赤陶高浮雕，刻画的是尚在褴褓中的婴儿。每个婴儿像分别单独刻在一个圆形背景之上。你可能看过这些婴儿像的石膏模型，但是石膏模型都是白色的，并不是安德里亚原作的颜色。

第15章 第二优秀和最优秀的骑士雕像

你有没有见过哪座雕像刻画的是一个名人坐在汽车上？没有？我也没有看到过。然而，在汽车还没被发明、马是主要交通工具的年代，许多伟人的雕像表现的都是他们骑在马背上的样子。

我们现在之所以没有坐在汽车上的名人雕像，是因为像汽车这样大型的人造物品都不适合做雕像。事实上，几乎所有的人造物品都不适合做雕像。雕塑家们喜欢临摹的是自然生长出的物体。他们选择的对象通常包括人、动物和花草植物。一个好的技工，只要有锤子和凿子就能够用大理石雕出一辆汽车，但是要想雕出一匹马，则只有艺术家才行。

还记得菲迪亚斯在帕台农神庙中楣上雕刻的那些马匹和骑士吗？那些都是浮雕。用浮雕的手法雕刻马匹要比用圆雕容易得多，因为如果是浮雕，马匹便是背景的一部分，不需要站立在地面，四肢也不用支撑身体的重量。骑在马背上的人物雕像也叫做"骑马雕像"。罗马人做的骑马雕像比希腊人好，因为他们更了解如何让马的四肢支撑起身体的重量。但是自古罗马后，整整一千年内再没出现任何好的骑士雕像作品。

后来多那太罗制作出了第一件好的骑士雕像作品。他的那件作品比真人还大，是用铜雕的。多那太罗花了整整十年时间才完成这座雕像，并把它安放在意大利的帕多瓦。这座雕像刻得非常精美，被认为是世界上第二

了不起的骑士雕像。如果你喜欢,也可以这么叫。它真正的名字真的很难记,不但读起来拗口,也很难拼写。雕像中马背上的骑士叫加塔梅拉塔,这座雕像就叫《加塔梅拉塔骑马像》,你能把它的名字拼出来吗?"加塔梅拉塔骑马像"。

请注意,这匹马看起来多强壮、多结实。加塔梅拉塔是一名士兵,在文艺复兴时期,士兵们骑的都是真正的战马。它们必须要非常结实,才能支撑得起穿盔甲的士兵。它们也得非常强壮,才能够冲锋陷阵,就像足球队中的前卫一样力量十足。我从没见过真正踩在球上的马,多那太罗也没有见过,但是他必须在这匹马一条腿底下放一只球,这样沉重的雕像才能固定,不会倒塌。也只有这样,马鞍上的骑士才能坐得稳稳当当的。

如果说《加塔梅拉塔骑马像》是世界上第二了不起的骑士雕像,那么最了不起的是哪件作品呢?想想所有的雕塑家,谁有可能做出最漂亮的骑士雕像呢?再回顾一下自有雕塑以来的几百年、甚至几千年的发展史,我们就会惊讶地发现,世界上最优秀的和第二优秀的骑士雕像都是在文艺复兴时期完成的,并且都是由居住在佛罗伦萨的金匠制作的。而且这两件作品雕刻的都是坐在战马上的士兵,都安放在一座离佛罗伦萨不远的意大利城市。

世界上最优秀的骑士雕像的雕刻家名叫安德烈亚·韦罗基奥。韦罗基奥并不是他的本名,而是他曾经师从的金匠的名字。奇怪的是,韦罗基奥在意大利语里的含义正是"真正的好眼力"。很显然,这个名字对他来说绝对名副其实。这座雕像雕刻的是威尼斯军

● 加塔梅拉塔骑马像。多那太罗作。

队的总司令，名叫科莱奥尼。所以，多那太罗雕刻了《加塔梅拉塔骑马像》，韦罗基奥雕刻了《科莱奥尼骑马像》。

科莱奥尼是一位出色的将军。他指挥有力，英勇善战，可以身穿盔甲和军队中跑得最快的士兵赛跑。他很好学，经常鼓励军营中的艺术家和学者们。他为人还十分谦逊，节制饮食，作息规律，因严谨诚实而著称。

科莱奥尼去世的时候，立下遗嘱把他所有的财产都捐给威尼斯共和国，不过有个条件，那就是威尼斯必须要为他做一座雕像放在圣马可广场上。在圣马可广场上立雕像是违反威尼斯法律的，所以威尼斯人以为拿不到他的财产了。但是后来他们想到一个很好的办法。他们想起来有一座建筑叫圣马可学校，学校前面有一个小小的广场。

● 科莱奥尼骑马像。韦罗基奥作。

他们就想："那个广场不可以叫做圣马可广场吗？"所以，他们就让韦罗基奥做了一座科莱奥尼的雕像，放在那个小广场上。这样，他们就可以拿到科莱奥尼的财产了。

韦罗基奥这座雕像平衡得很好，所以不需要在马抬起的前腿下放一个球。因为雕像被放在一个很高的基座上，韦罗基奥便把科莱奥尼的五官刻得比较夸张，这样人们从地面看上去它就刚刚好。

上图便是世界上最好的雕塑作品之一，也是世界上最了不起的骑士雕像——韦罗基奥的《科莱奥尼骑马像》。

第16章 四合一

当今世界上没有哪位著名的雕塑家同时也是出色的画家。但是在1475年出生的一个人，他不仅成为了著名的雕塑家，还是著名的画家和建筑师。他同时还是一个诗人，会写很多很好的诗歌，这些诗歌直到现在还在出版。我们把这样的人称为四项全能型的人，或者是四合一的人。不仅如此，他还被视为文艺复兴时期最了不起的艺术家。很多人认为他是自菲迪亚斯以来世界上最了不起的雕塑家。

这个了不起的天才就叫博那罗蒂。你以前听过这个名字吗？事实上，很少有人知道他这个名字，因为大家都叫他米开朗基罗。米开朗基罗学习大理石雕像出身，他也总把自己称为雕塑家，尽管事实上，他最著名的作品是罗马西斯廷礼拜堂里的壁画。在他还是个孩子时，米开朗基罗便用雪堆砌出一座雕像，当时有名的美第奇家族中一位成员，也就是佛罗伦萨公爵，非常喜欢这个雕像。因此，米开朗基罗得到允许可以研究学习公爵家收藏的古希腊和古罗马雕像。后来，公爵还给了米开朗基罗许多工作。

米开朗基罗年轻时，雕刻了一座很了不起的大理石雕像，叫做《圣母怜子》。这个作品描绘的是在耶稣被绞死之后，圣母玛丽亚双手把耶稣的尸体抱在腿上。在米开朗基罗所有作品中，有些人最喜欢这件，因为他们认为，与米开朗基罗后来的雕像相比，这件作品中人物的神色更安详、更平静。

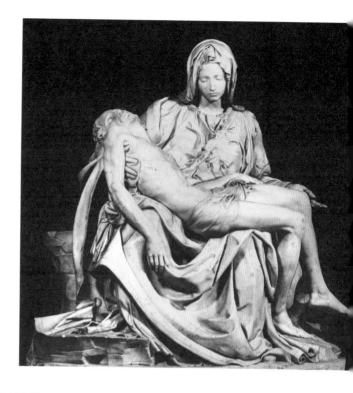

●圣母怜子。米开朗基罗作。

完成《圣母怜子》之后不久，米开朗基罗又完成了一件作品，正是这件作品使他在整个意大利声名鹊起。当时在佛罗伦萨有一块很大的大理石，一位早期雕塑家曾经试过雕刻这块石头，但最终没有完成，因为它实在太长太窄了。

米开朗基罗主动请求用这块大理石做一个雕像。得到许可后他便着手进行雕刻。人们将这块大理石两端支了起来，用篱笆围在中间，这样米开朗基罗就能不受干扰地雕刻了。三年后他完成了雕像。人们蜂拥而至想看看他到底雕刻出了什么。

他雕刻出来的是一座高达18英尺的巨像，表现的是大卫手拿投石器准备与巨人哥利亚战斗的样子。奇怪的是，尽管这座雕像雕刻的其实是杀死巨人的英雄，所有佛罗伦萨人却都把它称为《巨人》（The Giant）。不过，这座雕像的确很巨大，足足有9吨重。

米开朗基罗专心地学习了解剖学。解剖学主要研究人体的肌肉和其他部位的构造。他研究活人的身体，甚至解剖尸体，希望能够清楚人体皮肤下肌肉的构造，这样雕刻出的雕像才能更逼真。这样一来，他对人体的肌肉构造非常了解，所以他雕刻出的许多雕像都姿势夸张、特别，恰到好处地表现了人体肌肉的构成方式。

米开朗基罗还为一个教皇的陵墓做过一座摩西的雕像。当然，他不知道摩西到底长什么样儿，也没有图片可以参照。所以他就按自己想象中摩西的形象雕刻出了这座雕像。从图中你可以看到，米开朗基罗居然在摩西

头顶刻了一对角！《圣经》上说，摩西从西奈山下来的时候满脸放光。在早期的《圣经》意大利语译本中，摩西头上的光环被翻译成了"牛角"。正因为这样，在米开朗基罗那个时代，人们都以为摩西长着牛角。这座雕像非常有力度，也很壮观。所有看到过的人都会记住它的样子。很多游客说这座雕像就像尼亚加拉大瀑布、海洋或者海上风暴一样，让人一看便终身难忘。

米开朗基罗为美第奇家族两位家庭成员的墓碑做过两组雕像，这些雕像也和《摩西》一样有名。这两座墓碑位于圣洛伦佐大教堂中美第奇家族的私人洗礼堂里。米开朗基罗在每座墓碑上各安了两座雕像，一男一女。两座雕像上方的墙上有一个壁龛，里面放着死者的雕像。这两座死者的雕

● 巨人。米开朗基罗作。

● 摩西。米开朗基罗作。

● 洛伦佐·德·美第奇墓碑,壁龛中的雕像为《思想家》,墓碑上的雕像左为《黄昏》,右为《清晨》。

● 朱利亚诺·德·美第奇墓碑,壁龛中的雕像为《勇士》,墓碑上的雕像左为《黑夜》,右为《白天》。

像都非常著名,一个叫《思想家》,另一个叫《勇士》。其中一座墓碑上的那对雕像分别叫《清晨》和《黄昏》;另一座墓碑上的那两个分别叫《白天》与《黑夜》。

米开朗基罗活了 89 岁,于 1564 年逝世。

奇怪的是,米开朗基罗去世之后,雕刻艺术不仅没有发展得更好,反而越来越糟糕了。好多年后这种情况才又开始好转。

第**17**章　切利尼和他的珀耳修斯青铜像

从前在意大利有一个最著名的金匠，叫本韦努托·切利尼。他用金银或珍贵的石头做出来的东西都特别好看，现在我们的博物馆里还陈列着一些他的作品，都是无价之宝。

切利尼是一个金匠，但他坚信自己也能做出很好的雕刻作品。他总爱吹嘘，但他每次吹嘘都能得到原谅，因为他雕刻的青铜像就跟他吹嘘的一样好。

切利尼是佛罗伦萨人，佛罗伦萨公爵要他做一座青铜雕像，刻画珀耳修斯杀死美杜莎的场景。切利尼很努力地工作，花了很长时间才做出一个自己满意的珀耳修斯的黏土模型。然后他就开始动手将这个模型铸成青铜像。

现在雕塑家想要做青铜雕像，只要先做一个黏土模型，然后把模型送到专门铸青铜像的铸造厂便可以了。这样一来，雕塑家便轻松多了，他只用全心做好黏土模型就行了，不用再做铸铜的工作。可是在文艺复兴时期，切利尼等雕塑家不仅得做黏土模型，还得自己铸铜。对大部分雕塑家来说，铸铜通常都是个难做的活。

而且，切利尼要做的珀耳修斯与美杜莎的雕像尺寸比真人大很多。佛罗伦萨的很多人都说，切利尼不过是个金匠，肯定铸不出这么大的青铜雕像。

甚至连佛罗伦萨公爵也说，一个习惯做小珠宝的金匠想铸出这么大一座青铜雕像有点自不量力。

然而各种议论反而使切利尼更想做这座青铜像了。他首先建了一个熔炉用来熔化青铜。接着，他挖了一个地窖，把模型放进去，地窖外接有几根管道，熔化的青

● 切利尼做的杯子

铜可以通过管道流到模型上，慢慢冷却硬化。青铜的模型冷却后便成了青铜像。为了简化工作，切利尼先给雕像中美杜莎的部分上铜。结果证明美杜莎像铸得很成功。

接下来，切利尼开始铸造珀耳修斯。这部分更难，因为珀耳修斯非常巨大，形状也很奇怪。熔炉的火得烧得非常旺，甚至把切利尼的房顶都点着了。切利尼自己还得用尽全力让熔炉里的火保持不熄。因为实在太过劳累，他突然病倒了，不得不躺在床上休息，让他的助手们按照他的指示接着做。他觉得自己病情非常严重，甚至都以为自己就快死了。

没过多久，一个助手来到切利尼的房间，告诉他雕像被毁了，因为青铜熔化的浓度不对。一听到这个，切利尼不顾病情，立刻从床上跳了下来，冲到熔炉旁边。切利尼本来就脾气火爆，现在对那些愚蠢的助手们更是火冒三丈，狠狠骂了他们一顿，把他们吓得战战兢兢。

接着下起了一场暴雨，暴雨过后便是小雨。切利尼派了两个助手去买

● 珀耳修斯与美杜莎。切利尼作。

回许多木材，把熔炉的火加大。可火苗烧得太旺又把屋顶给烧着了。他不得不命令助手支起木板和毯子挡雨。接着他和助手们一起用长铁棒不断地搅拌青铜液，直到浓度刚好合适。

突然，一道亮光闪过，接着他们听到了爆炸的声音。他们吓得动也不敢动。这时，切利尼发现熔炉的盖子被吹开了，青铜液液面在不断冒泡。他立刻打开管道，让青铜液流到下面地窖中的黏土模型上去。

青铜液流动还是不怎么顺畅。切利尼想，肯定是高温熔掉了青铜中与铜混合在一起的某种金属，没有了这种金属，青铜液便不能流动了。他是怎么解决这个问题的呢？你肯定猜不到。

他把家里所有的铅锡锑合金碗盘都扔进了熔炉！铅锡锑合金是一种质地柔软的金属，主要用来做碗盘。扔进去的铅锡锑合金碗盘熔化后便和青铜混合在一起。青铜液开始快速流动起来，没过多久就把模型给填满了。所以这个方法奏效了。切利尼非常高兴，把病全给忘了，觉得自己的身体再好不过了。不过，第二天早上，他的仆人不得不先去买了新的碗盘回来，才能做早餐。

上图便是切利尼的那座雕塑，展示的就是珀耳修斯杀死美杜莎的场景。这座雕塑是切利尼吹嘘了许久，又经历了众多艰辛和激动才完成的。雕塑中的珀耳修斯手里拿着他刚割下来的美杜莎的头，但没有看它，因为任何人看了美杜莎的头都会变成石头。看到珀耳修斯手上那把形状奇怪的剑了吧？注意，切利尼连美杜莎流血的细节都用青铜刻画出来了。

　　这座雕像最初放在佛罗伦萨，现在也还在那里。人们得知切利尼辛苦的工作历程后，更加深了对这座雕像的喜爱。

第18章 米开朗基罗时代前后

任何事物的发展都会经历上下起伏的过程，雕塑也是这样。文艺复兴时期开始以来，雕塑的发展越来越好，到米开朗基罗时达到顶峰，接着就开始走下坡路了。

米开朗基罗之后的二百年也出现过上千名雕塑家，但是出色的雕塑家却少得可怜。其中有一个就是金匠切利尼，他雕刻了珀耳修斯青铜像。

除了切利尼，在米开朗基罗之后还有两个出色的雕塑家，他们和大部分其他文艺复兴时期的雕塑家不一样，都不是意大利人。其中一个叫让·古戎，是法国人，另一个是博洛尼亚的约翰·博隆亚，来自佛兰德斯的一个叫杜埃的小镇。

古戎最著名的作品是他的浅浮雕《水女神像》。水女神跟水精灵或水仙女差不多，只不过她们不像仙女那样有翅膀。古戎雕刻的水女神特别优雅。每个水女神都刻在独立的大理石板上，石板又高又窄，古戎居然还能把所有女神都刻得既美丽优雅，又各不相同，真是很不容易啊！为了表示她们真的是水之女神，古戎让每个女神手里都捧着一个水罐从中倒水。古戎去世很多年后，他的水之女神像被用来装饰巴黎的一个喷泉，叫无辜者之泉。现在这些水女神像都保存在法国巴黎的卢浮宫。

我以前说过，博洛尼亚的约翰生于佛兰德斯，但是他并没有在那里生活，

● 无辜者之泉（局部）。古戎作。

他去了意大利，在那里度过了他的一生。

所有重要的作品都是在意大利完成的。他建过一个很著名的喷泉，就在意大利的博洛尼亚市，所以人们都以为他是博洛尼亚人，于是称他"博洛尼亚的乔瓦尼"，意思是"博洛尼亚的约翰"。

我经常听到人们在非常开心的时候说"我快乐得要飞上天了"。但是实际上，真想在天上飞可不是那么容易的事。所以千万不要尝试。

不过，博洛尼亚的乔瓦尼却做过一座在空中飞行的雕像。你肯定会说这怎么可能！雕像和人一样，也不能在空中飞啊。但是这座雕像的确是在空中飞。它的名字叫《飞行的墨丘利》，是博洛尼亚的乔瓦尼的代表作。既

● 飞行的墨丘利。乔瓦尼作。

然是在空中飞翔，墨丘利脚底下除了空气外不能有其他支撑物。所以，乔瓦尼便想到用风来支撑墨丘利。这个风也是用青铜刻的，看起来像是从底部的风神头像的嘴里吹出来的。墨丘利一只脚掌正好支在风的上面。仔细看，我们会发现风神头像是横着放的，面向天空。

雕塑中墨丘利看起来好像在空气中飞奔，头戴一顶插有双翅的帽子，脚穿飞行鞋，手握魔杖。手杖上缠有两条蛇。墨丘利是神的信使。同时他也是主管商业、礼仪、羊群、牛群、演讲、诡计、梦想、和平、旅行、健康及财富等方面的神。希腊人还认为是他发明了字母表、数字、天文学、音乐、拳击、举重、计量、体操和橄榄果园的种植方法。由此可见他有多么的了不起。墨丘利也是健康之神，所以他的手杖也被美国军队用做医生的标志。他的手杖还可以让发生争执的人或动物讲和，重新成为朋友。据说，墨丘利有一次看到两条蛇在打架，便把自己的手杖扔到它们中间，这两条蛇立刻就讲和了，一起缠到手杖上。从此，墨丘利就让它们一直缠在上面，以显示手杖的力量。

如今我们一想到墨丘利，脑海里首先浮现出的便是博洛尼亚的乔瓦尼的《飞行的墨丘利》。这座雕像完全符合我想象中墨丘利的形象，是不是也符合你的呢？

第19章　一个意大利人和一个丹麦人

自米开朗基罗时代以来，意大利最好的雕塑家是安东尼奥·卡诺瓦。我们通常只叫他卡诺瓦。他于1757年出生，1822年去世。

卡诺瓦从小便由爷爷奶奶抚养。他爷爷是一个石匠，所以他从小便受

● 胜利维纳斯：保利娜·博盖塞。卡诺瓦作。

到熏陶，为以后成为雕刻家奠定了基础。卡诺瓦8岁时，用大理石雕刻出两座小小的神殿。10岁的时候，据说他为一个有钱贵族的晚宴雕刻了一头黄油狮子，这个贵族非常喜欢这头狮子，所以他答应做卡诺瓦的资助者，赞助他上学。

卡诺瓦非常努力地学习，希望能成为一位雕刻家。长大后，他做了许多很好的雕像。这些雕像给他带来了名利。他把钱捐给了穷人、建立艺术学校、资助雕塑家、奖励好的雕刻作品，等等。

卡诺瓦的雕像表面很平滑，也很精美，但外表看起来不够有力度。他雕刻了很多神像，但看上去都只是在模仿古希腊罗马艺术。他还为很多名人雕刻过半身像，其中就包括乔治·华盛顿。

卡诺瓦也雕刻过珀耳修斯和美杜莎像，但与切利尼雕刻的很不一样。事实上，卡诺瓦的珀耳修斯像并没有切利尼的好，但是也同样有名。

1797年，正值卡诺瓦的事业达到顶峰时，一位丹麦人来到了意大利。这个丹麦人非常喜欢意大利，所以他在意大利整整待了二十三年，并很快就成了一个非常著名的雕塑家。这位丹麦雕塑家在意大利用坚硬的石头雕刻了一头垂死的狮子，就是著名的《卢塞恩狮子纪念碑》，你很可能见过这座雕塑的图片。这座雕像表现了一个垂死的狮子躺在破裂的法国王室徽章上，用来纪念法国大革命期间为保卫杜伊勒里宫而牺牲的六百多位瑞士卫兵。

●珀耳修斯和美杜莎。卡诺瓦作。

那么，这个丹麦人是谁呢？他叫托瓦

尔森。托瓦尔森认识卡诺瓦，而且跟卡诺瓦一样，也模仿古希腊罗马雕像的风格。托瓦尔森是所有模仿古式风格的雕塑家中最成功的一个。但是他也有一些作品不是古代风格，比如《卢塞恩狮子纪念碑》。

当托瓦尔森在意大利待了二十三年后重新回到丹麦时，他已经非

● 卢塞恩狮子纪念碑。托瓦尔森作。

常出名了。所以哥本哈根大教堂请他做一组耶稣基督族和十二使徒的巨型雕像。巨型就是超大型的（比如罗德斯岛的巨像）。这些大型雕像最终花了二十年才完成，一开始是在意大利雕好，然后再送去哥本哈根。现在，其中一座基督像的复制品放在美国巴尔的摩约翰·霍普金斯医院的大厅里。

托瓦尔森去世时，立下遗嘱用自己房产和大部分财产为哥本哈根建一座艺术博物馆，将自己的创作和收集到的雕塑作品放在里面展览，并将自己安葬在这座博物馆的庭院里。

第20章 邮票上的头像

我从小便开始集邮。现在长大了，我还保留着过去收集到的邮票，也喜欢不断收集新的放到邮册里。

如果你也集邮，我想你的邮册里肯定有这样一张邮票。如果你不集邮，你肯定也见过这张邮票很多次，尽管你有可能从没仔细看过它。这张邮票就是面值为2美分的美国邮票，上面印有乔治·华盛顿的侧脸头像。

相比我们手头上有的其他华盛顿的图片，这张两分邮票上的图片最接近华盛顿本人。这张图片的原型是一座华盛顿的半身像。这座半身像是一个专业半身像雕塑家在弗农山庄为华盛顿做的，看起来跟华盛顿本人简直一模一样。

这位雕塑家是法国人，名叫让·安东尼·乌敦。乌敦是法国两百年以来最了不起的雕塑家之一。他小时候在巴黎学习艺术。21岁时，他获得了一个雕塑大奖。这个奖项的奖金很多，足够他到意大利学习四年。所以，他去了意大利。他喜欢意大利，在那不只待了四年，而是一连待了十年。接着，他回到了法国。

乌敦认为，对于那些为祖国做出过杰出贡献的人，雕塑家应该为他们做出尽可能逼真的雕像，这样人们才会始终记得这些人到底长什么样儿。乌敦在肖像雕像方面的成就和罗马人不相上下。有些人甚至认为他比罗马

232

● 乔治·华盛顿像。让·安东尼·乌敦作。

● 坐在椅子上的伏尔泰雕像。让·安东尼·乌敦作。

人做得更好。乌敦最著名的作品是一座法国作家伏尔泰坐在椅子上的雕像。

你有没有觉得奇怪，为什么很多雕像人物的眼睛都没有瞳孔？我曾经认识一个小男孩，他在看一本雕刻作品图片集的时候，用笔给所有雕像人物的眼睛都画上了瞳孔。他说他不喜欢看到雕像的眼睛全是白的。

这些雕像的眼睛没有瞳孔，其中一个原因就是雕塑家都希望刻出来的眼睛和真实的大小形状一样。可我们都知道，真正的眼球外表面是没有任何孔的，所以雕像家觉得要是在雕像眼球上刻一个孔会很不合适。另外，如果雕塑家想表现虹膜（也就是眼球上有颜色的部分）和瞳孔（眼珠中间的黑色），他就必须给雕像的眼睛画上颜色，或者将玻璃或水晶球用做眼球。有些雕像即使没有瞳孔也是好雕像，但眼睛看起来会很无神。米开朗基罗

在雕刻大卫像时，在大卫的眼睛上轻轻画了一个圆圈，里面点了一点，但是他其他绝大部分的雕像作品眼睛都是空白无神。

乌敦跟我们想法一样，他觉得肖像雕像的眼睛一定要有虹膜和瞳孔。所以，他自己发明了一种方法来解决这个问题。他在眼珠上刻了一个深深的洞，作为瞳孔，然后用浮雕刻出虹膜。眼睛中余下的大理石部分作为眼睛的白色部分，他让这部分稍稍向外凸出，让光照到上面。结果证明乌敦的方法非常有效。他的肖像半身像看起来非常地栩栩如生。有一些半身像的眼睛看起来还闪闪发光。

本杰明·富兰克林去法国时，让乌敦为自己做过一座半身像。富兰克林很喜欢这座半身像，于是要求乌敦去美国给乔治·华盛顿做一座雕像。1785年，乌敦和富兰克林花了将近两个月的时间才从法国航海到美国，但在当时，这也还算是很快的了。现在美国1分面额的绿色邮票上的富兰克

● 富兰克林半身像。让·安东尼·乌敦作。

● 华盛顿半身像。让·安东尼·乌敦作。

林头像就是乌敦为富兰克林做的半身雕像图片。

　　乌敦到了弗农山庄后，同华盛顿住在一起，直到完成半身像。之前提到的那张邮票上的图片参照的便是乌敦做的那座半身像。这座半身雕像一直放在弗农山庄，如果你去参观华盛顿的故居就能看到它。乌敦还为华盛顿做过一座真人大小的大理石雕像，现在放在美国弗吉尼亚州里士满市的国会大厦。

　　除了给伏尔泰、富兰克林、华盛顿、约翰·保罗·琼斯、托马斯·杰斐逊、拉斐特等名人做过半身像之外，乌敦也为许多普通人做过半身雕像，男女老少都有。

　　讲了这么多，现在，即使你不集邮，你对这张邮票上的肖像画的了解可能也比许多集邮者都要多了。

第21章　狮子、圣人和国王

你喜欢去动物园吗？几乎所有人都喜欢动物，有人喜欢看动物，有人喜欢猎取动物，有人喜欢和动物玩，有人喜欢画动物，还有人吃动物。不过有一个人很喜欢雕刻动物，他的名字叫巴里。

巴里是巴黎人，在一家珠宝店工作。他和大部分文艺复兴时期的法国雕塑家一样，也是一个金匠。但是巴里出生在 19 世纪早期，比文艺复兴时期要晚很多。

巴里很喜欢去巴黎的动物园。他经常带上纸和蜡笔到动物园去给动物画像。回家之后，他再根据这些画制作动物雕像。在珠宝店工作的时候，他经常做一些小小的动物金像，挂在手表链和项链上，还做青铜动物像用做钟表的配饰。这样一来，巴里的雕刻技术练得越来越好，后来他成了世界上最伟

● 黑豹抓鹿。巴里作。

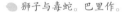
狮子与毒蛇。巴里作。

潘和两只小熊。弗雷米耶作。

大的动物雕塑家。美国人都非常喜欢他雕刻的狮子和老虎。过去在美国小镇的街角总是会有很多小商贩叫卖巴里《走路的狮子》的石膏模型。很有可能你家的壁炉台上就摆放了一座巴里雕刻的狮子。

巴里雕刻的许多青铜像表现的都是痛苦和残忍。他好像很喜欢做老虎吃鳄鱼或美洲豹吃兔子之类的雕像。像他这样喜欢看动物互相残杀的人还真是少之又少。反正我是很不喜欢看。

巴里的青铜动物像大多很小，不适合做纪念碑，但尽管如此，人们还是把他的作品称作纪念性雕塑。也就意味着，他的雕塑的风格和我们在公园里看到的大纪念碑的雕刻风格是一样的。雕塑上没有过多的细节。如果我说巴里的雕塑外形都很夸张，不知道你能不能理解我的意思。"外形夸张"并不代表他的雕塑不优雅或很笨重，而是说明巴里的青铜像不管近看远看都很漂亮。

另外还有一名法国人和巴里一样很擅长雕刻动物雕像。他的名字叫弗雷米耶。弗雷米耶雕刻了很多了不起的动物雕像。其中有一件叫《潘和两只小熊》，刻画的是潘正用稻草挠两只小熊仔取乐。

除了动物雕像之外，弗雷米耶也做人物雕像。他雕刻的骑士雕像被证明是所有骑士雕像中最好的。他最著名的骑士雕像是《圣女贞德像》。雕像中的圣女贞德身穿盔甲，手上高举着象征法国国王的旗帜，领导国王的士

● 晚年拿破仑。文森佐·维拉作。

兵作战。

圣女贞德是法国人的骄傲。他们把贞德视为圣女。法国人还以另一位法国将军为荣，尽管并没有奉他为圣人。这位将军就是拿破仑。

你肯定听过拿破仑的故事。拿破仑出生于法国科西嘉岛，从小便进了军事学校，后来成为法国军队的上尉，再后来成为一位很有名很成功的将军。他曾当上法国国王，成为当时世界上权力最大的人。后来他被人打败，流放到地中海的一个岛屿——厄尔巴岛。可他突然又从厄尔巴岛返回了法国，把老部下们重新召集起来。他训练了一支军队，与英国人和普鲁士人作战。他的军队在滑铁卢遭到惨败后，他被流放到遥远的位于南大西洋的圣赫勒拿岛。拿破仑在圣赫勒拿岛度过了生命中最后的六年，日夜渴望能够回国重新领导他的军队取得胜利。他最后死在圣赫勒拿岛上。

上图的雕像表现的就是困在圣赫勒拿岛上的拿破仑。拿破仑膝盖上搭着一张摊开的欧洲地图，他一只手拳头紧握，为自己权力丧失而愤怒，另一只手的手掌无力地摊开，表现出他回国无望的绝望心情。

这座雕像是一名瑞士雕塑家雕刻的，他叫文森佐·维拉。你喜欢这座雕像吗？人们把这种雕像叫做情景雕像，因为它表现了一种故事情节。比如，这座雕像表现的不仅仅是拿破仑本人，更多的是他想回国重获光辉历史的那种渴望之情。

第22章 精美的礼物

你到过雕像的内部吗？其实，大部分大型青铜像内部都是空的，可以塞下一个人，但前提是，你得有办法钻进去才行。不过，世界上有一座雕像成百上千人都进去过。当然，这许多人不是同时挤进去的，雕像的头部一次只能容纳 40 个人。你肯定已经猜到我说的是哪座雕像了。它就是美国的自由女神像。

自由女神像立在一个石头基座上，位于美国纽约港入口处的一个小岛上。每艘从纽约港进出的船只都要经过自由女神像。即使在晚上，船上的乘客也可以看到自由女神像，因为一到晚上雕像内的探照灯就会点亮。从国外回来的游子只要看到自由女神像，就立刻有了到家的感觉。

自由女神像是世界上最大的青铜雕像。想象一下，如果一个女人有十层楼那么高，那会是什么样子呢？她的手会有 16 英尺那么长（打蚊子该是多么的方便啊！）。她每只眼睛会有 2.5 英尺宽（肯定会进好多的煤灰啊！）。她右手高举时会有 42 英尺长（多么适合去打棒球呀！）。她的手指长度会和大象的高度一样！如果要给她戴上戒指，戒指得有篮球框那么大！ 如果你想给她戴上手套，那么一个网球场都不够装给她做手套的材料！

自由女神像正是这样一位女人。因为她右手高举一个点燃的火炬，人们有时也称她为"自由照耀世界之神像"。这个火炬很大，人们可以从女神

自由女神像 1886 年 10 月揭幕仪式

像右手臂里的梯子爬到火炬里，在里面行走，就好像一个门廊。

自由女神像左手紧抱一块铜板，这块铜板比我们餐厅的大餐桌还要大很多，上面刻着：

JULY IV MDCCL XXVI （1776 年 7 月 4 日）

你知道这些字的含义吗？如果你不知道，我也不告诉你，就让你自己好好猜猜吧。

自由女神像从很远处便能看到，但是要想走近它，你得坐船才行。下船之后还要爬一些阶梯才能到达基座。进入基座后，你可以乘坐电梯直达基座的顶部。然后，还得爬几层楼梯才能最终到达雕像的顶部。这些楼梯在神像里盘旋而上，好像一个蜗牛壳。爬得越高，你会越慢，越感觉自己也像一只蜗牛。不过在爬的过程中，你可以观察到雕像内部的钢条构架。你也会发现，整座雕像其实是用许多单独的青铜片拼接起来的。

● 巴托尔迪像

当你最后到达女神像的头部时，你可以从女神皇冠上的窗户向外眺望。

这座巨型雕像由一位名叫巴托尔迪的法国雕塑家完成。它是法国人民送给美国人民的礼物。巴托尔迪先选好了自由女神像摆放的位置，然后回到法国做了一个模型，再根据这个模型刻出组成雕像各部位的青铜块。这些青铜块被运送到美国，再在岛上拼凑起来。因为每块青铜的形状都各不相同，所以整个工作就好像拼一幅巨型的拼图。

我认为法兰西共和国给美利坚合众国送的这件礼物意义重大，是两国友谊的象征，你认为呢？

第23章 思想家的思想

假设你是一名雕塑家，如果你想雕刻一件表现思想的作品，你会怎么做？思想就是观念。在语法中，思想叫做"抽象名词"。那么，一个雕塑家如何能够用具体的物质，比如青铜和大理石，来表现像思想这种抽象的概念呢？

当然，雕塑家可以表现一个人坐着思考的样子。但他必须给这座雕像加上"思想"这个标签，否则，它也可能代表"睡觉"、"休息"或者"疲劳"。

古希腊人用自己的方法解决了这个问题，他们想象出一位智慧女神或思想女神，然后制作出这个女神的雕像。这类雕像的确代表了智慧，但是它们看起来也只是像女神，而不是思想。事实上，任何有思想或看起来很聪明的女性都可以成为这类雕像的模型。

● 思想者。罗丹作。

我们还是另想办法比较好。事实上，有思想的人通常思考问题都很轻松。对于真正有智慧有思想的人，你可能根本看不出来他在思考。很可能他们也不想让人看出来自己在思考，因为他们思考问题时都很轻松。他们是用头脑而不是用肌肉在思考。

但是如果你观察一下一个学习成绩不怎么好的小男孩做算术题时，你就会发现他思考时一点都不轻松。他会伸出舌头，双腿缠在课桌上，紧紧地握住笔，甚至紧到手指都疼。你可以明显地看出他在思考，这是因为他思考的问题对他来说很难。

● 罗丹像

现在，我们再来想象一下洞穴人思考的样子。洞穴人肌肉发达，充满力量。与其说他们是人，不如说他们更像动物。不过他们的确是人，有自己的灵魂，迟早有一天会开始思考生命和人生的终极问题。比如，他为什么会来到这个世界？他死后会变成什么？是像熄灭的火苗一样消失得无影无踪，还是会进入另外一个他不知道的世界继续生活？尽管他们的智力还处于动物的水平，但是他们已经开始思考、质疑和追问。你一眼就能看出来他们在思考，甚至比那位小男孩更明显。假如你能看到这样一位洞穴人，你的第一句话肯定是："他思考得真用力啊！"

因此，相比智慧女神或思想家的雕像，一座洞穴人的雕像能更好地表现"思考"这一概念。一名法国雕塑家很好地利用这个方法，雕刻了一座正在思考的人的雕像，以此表示"思考"这个抽象的概念。这个雕塑家名叫奥古斯特·罗丹，死于 1917 年。他最著名的雕像作品就是《思想者》。这座雕像本身不是在思考，它只是表现了一个正在思考的人。可能其他没

有哪座雕像能比这件作品更能表现思想这一概念了。

这座雕像中的人物是一个智力尚未完全发育的野人。雕刻模型非常粗糙，比不上卡诺瓦的水女神像那样平滑和漂亮。但粗糙的模型反而使人物看起来更加粗野，更加不习惯思考。他坐在那儿双手抱头用力沉思。因为思考得太过专注，脚趾头都紧紧地抓着地板。

罗丹喜欢对比。他在雕像完成后通常会将剩下的未雕刻的大理石块保留下来，这样一来，外形精美的雕像看起来就像是从大理石里天然长出来的一样。大理石上已雕刻的部分和未雕刻的部分形成鲜明对比，进一步突显了雕像的美感。

第24章 现代雕塑

现代雕塑跟绘画一样，也可以是非写实派。非写实派雕塑表现的是雕塑家看到某件物品时，内心的感受和对物品的大致印象，而不是对物品的简单复制。

本章有张图名为《空中飞鸟》，图中的雕塑便是非写实派雕塑的代表。看得出来，这座雕塑完全不像一只鸟，但的确有一种飞翔的感觉。鸟飞翔靠的是翅膀，这座雕塑呈流线型翼形，整个看起来就像一个大翅膀——至少大部分人是这么认为。这座雕塑是雕塑家康斯坦丁·布朗库西的作品。他雕刻的这个飞鸟没有脑袋，没有羽毛，没有尾巴，甚至都没有身子。有些人认为，既然一座雕塑名字里有鸟，就得看起来像只鸟。不过对《空中飞鸟》而言，重要的不是鸟本身，而是鸟飞翔的感觉。

非写实雕塑流行于19世纪。布朗库西是最早的非写实雕塑家之一。他出生在罗马尼亚，年轻时在当地学习美术。后来他去了巴黎，在法国著名雕塑家奥古斯丁·罗丹的工作室里做事。最初，他的雕塑作品跟罗丹的一样，也是写实派。但后来他喜欢上了非写实派雕塑，很快停止了写实派雕塑的创作。

布朗库西不仅创造了新的雕塑风格，而且尝试了许多不同的雕塑材料。他用过的材料包括木头、铜块、大理石、玻璃和钢板。《空中飞鸟》是他最

著名的作品。

《洗发少女》是美国克利夫兰市雕塑家雨果·罗布斯的作品。这座雕塑比《空中飞鸟》更加写实，但也算不上写实派雕塑。它虽然叫《洗发少女》，表现的却不是某一个具体的少女。雕塑中的人物没有眼睛、鼻子和嘴巴，你可以把她当作是任何一个少女。对这座雕塑来说，重要的不是这个少女到底是谁，而是她洗头发这一动作。雕塑家虽然只雕刻出了人物的部分部位，但却足够让我们看出来她是在洗头发。再多加点什么（比如，一个鼻子、一张嘴或一只脚），也不会使洗头发这一概念更加明了。

这些雕塑的主题都不是特别严肃，能看到一座不过于严肃的雕塑是件好事。过去的雕塑大部分都过于庄重威严。有些是权威贵族的半身像，比如罗马帝王；还有些是古希腊神、骑马英雄和基督教圣人的雕像；另外有些是虚构人物的雕像，比如胜利女神、自由女神和正义女神像。所有这些雕像都非常庄严宏伟，仿佛雕塑家不想把宝贵的时间和大理石浪费在无足轻重、但大家熟悉并喜欢的对象上似的。

不过人民大众都喜欢自己常见的、有趣的东西。最受欢迎的雕像通常表现的都是我们平时熟悉的人物，做的是大家熟悉的事。正因为如此，我们才有了越来越多像《洗发少女》这样刻画普通

● 空中飞鸟。布朗库西作。

● 洗发少女。
罗布斯作。

人民的现代雕塑。

　　我们可以回头看看第二部分第八章的《拔刺的小男孩》。从这座雕塑可
以看出，早在两千多年前，有些雕塑家便已经发现刻画普通民众其实是很
有趣的。不过《拔刺的小男孩》要比《洗发少女》写实得多。

　　你不用去博物馆就可以看到不同风格的雕塑。每座城市的花园里、纪
念碑上或大楼前都有雕塑。这些雕塑都在室外，所以很容易用相机拍照。

　　在华盛顿，差不多走到哪里都能看到雕塑。在纽约，要想看雕塑，
你就可以去洛克菲勒中心或动物园。洛克菲勒中心前有一座大型铜质雕
塑，名叫《普罗米修斯》，出自美国著名画家保罗·曼希普之手。纽约动
物园入口的大门也是一座漂亮的铜质雕塑，同样是保罗·曼希普的作品。
你可能会想，既然是动物园的入口处，上面肯定会刻满动物雕像。没错，
保罗·曼希普也是这么想的。他在大门周围的铜质结构上刻满了各种野
生动物，包括熊、鹿、狒狒、狮子，等等。这件雕刻作品属于写实派，
极具装饰功能。

　　所以说呢，现代雕塑也有许多种。有些一点都不写实，像《空中飞鸟》。

● 普罗米修斯。保
罗·曼希普作。

还有些像罗布斯的《洗发少女》一样，稍微有点写实，但也只是雕刻出物
品的大致形状，不是对原有事物的复制。另外还有些不但写实，而且极具
装饰性，比如，保罗·曼希普的《普罗米修斯》和动物园大门上的动物雕像。
这三种现代雕塑都值得一看。

PART 3
ARCHITECTURE
第三部分　建筑

第 1 章　最古老的房子

——群人在讨论房子。其中一个人问我："你的房子有多久历史了？"

我回答说："五年了。"

这个人说："我的房子有一百年了，在马萨诸塞州。"

另一个人大声说："才一百年呀！我在弗吉尼亚州的房子有二百年历史了。"

还有一个说："这也不算久，我的房子有四百或五百年了。"

每个人都希望想出一座历史更久的房子，比过其他人。

我叫道："四百五十年！怎么可能？那时候哥伦布还没发现美洲大陆呢，而且那时候美国还没有白人的房子！"

这个人回答道："这座房子不在美国，在英国。我是英国人。"

"哦！那就不一样了。如果算上国外的房子，我去过一座有一千年历史的房子，是一个教堂，在法国。"

"才一千年？"这个英国人很不屑地说，"我去过一座房子有二千年历史，是希腊的一个寺庙，叫做帕台农神庙。"

我不肯认输，说道："我还知道一座房子比这更古老。我曾经去过一座给死人建的房子，有五千年历史了，在埃及，大家叫它金字塔。"

这个英国人说："好吧。你赢了，没人可以想出比这更古老的房子了。"

他说的没错，世界上最古老的房子就是埃及的金字塔，一种给死人建的房子。不过，为什么最古老的会是这些给死人建的房子呢？五千年前人们给自己建的那些房子都到哪儿去了？

那些房子很早很早以前就没了，那时候的人一般只能活50多岁，所以他们就用木头或土砖盖房子，刚好可以住到自己去世的时候。他们去世后，那些木头房子就腐朽了，土砖房也化成了灰。不过古埃及人认为自己死后还可以活很长时间，所以国王会给自己建一个陵墓，死后可以住在里面，直到最终审判日的到来。

早在耶稣诞生几百年前，古埃及人就相信人能死而复生，也就是说自己死后，尸体在某天又会复活。所以他们就用石头建金字塔，在尸体上涂抹防腐香料制成木乃伊，使它可以永久地保存下去。现在埃及的金字塔还在原地，不过曾经放在里面的木乃伊早已经不在了，有些被偷走了，还有些被移放到博物馆了。尽管当初陵墓的建造者花了很大心思，希望能把尸体好好保存起来，不受任何打扰，一直等到最终审判日那天到来，但如今这些木乃伊却被放在博物馆里，人人都可以去看。今天，我们并不在乎我们死后要怎样埋葬，或埋葬在哪儿。如今的国王和女王甚至都是埋在地下，上面立一个墓碑，或只是建一个简单的陵墓。

在尼罗河沿岸，有100多座古埃及国王建的金字塔，其中最大的是胡夫金字塔，建于耶稣诞生前三千多年。也就是说，这个金字塔已经有五千多年历史了。胡夫金字塔大约高500英尺。确切地说，本来是480英尺高，但后来因顶部塌掉一部分，所以现在只有451英尺高。尽管如此，胡夫金字塔仍然是目前世界上最高的石头建筑，简直就像一座大石山。

胡夫金字塔是用坚固的石块砌成的，底下是一块天然的石基。不过在建这座金字塔时，附近并没有岩石，所以要从50英里（英美制长度单位，1英里约合1.61千米——译者注）甚至100英里外的采石场购买，然后搬过来。

● 胡夫金字塔

有些大石块比一辆满载的货车还重，需要花上好几年才能搬到建金字塔的地方。

那时候不像今天，古埃及人没有任何卡车或其他机械来搬运大石块，所以每一块石头都得靠人力搬运，通常几百个人在前面拉，几百个人在后面推。等搬到建筑工地后，还得把每块石头抬放到所需的位置。古埃及人很可能在金字塔的一面建了一条自下而上的轨道，石块可以通过轨道滑到需要的位置。据说，胡夫国王动用了 10 万人来修建胡夫金字塔，最终花了二十年才建成。

刚建好时，金字塔的外部是打磨过的光滑石块，周围镶着不同颜色的花岗石，不过早在很久以前，所有这些表面的石块都被偷走或搬去建其他房子了。所以现在我们看到的金字塔，各个边的表面都是一排排不规则的粗糙石阶，每阶有几英尺高，沿着这些石阶可以直接爬到金字塔顶端。

正如它的名字所暗示的那样，胡夫大金字塔看起来就像一块从中间往下切出来的奶酪。金字塔里有三个小房间，从上而下排列，另外有一些倾

斜的通道连接这些房间，剩下的就都是坚硬的石块。

　　最上面的房间是用来放胡夫国王的木乃伊。为了防止房间上端的石块太重压垮房间，他让人用石块砌了五层天花板，一层叠一层，每层之间留一个缝隙，然后在最上面再加了一层斜的天花板。从这个房间出发，有两条小通道分别往斜上方通到金字塔外部，那是两个通风口。第二层房间用来存放王后的木乃伊。最底下那个房间建在金字塔的石基里，里面什么都没有。这个空空的房间曾经是金字塔的一个谜，不过现在这个谜已经解开了。只有一条通道可以进入金字塔，这条通道中间有一条秘密通道通往存放国王和王后木乃伊的房间，但如果我们沿着通道一直走下去，就不会看到这条秘密通道，而是会直接走到底下的空房间。胡夫担心，他和王后去世后，他的仇人可能会把他们的尸体偷走，不让他们有复活的机会，所以让人在

● 吉萨金字塔。最前面的是胡夫金字塔，中间为海夫拉塔，最后方为孟考里塔。胡夫金字塔前面的深沟里原来是有大船，升天后的国王可以乘船到达天国。

他的木乃伊放进去之后，用石头封死所有的通道，把入口掩藏起来，这样就没人能进这座金字塔了。

胡夫又想到，即使有人发现了入口，开始往里挖，这条笔直的通道也会误导他一直往下挖，而不会看到那条秘密通道，当这个人一直挖到底下的空房间时，发现里面什么都没有，肯定就会大呼自己上当受骗了。

尽管胡夫花了这么多心思，考虑非常周全，以保护自己的木乃伊不被人发现，最终人们还是找到并打通了这些通道，他和王后的木乃伊也被搬走了，而且没人知道是谁搬走了，搬到哪儿去了。这对胡夫来说，是多大的戏弄啊！

尽管埃及有100多座金字塔，但并不是所有的金字塔都真的是金字塔的形状，也就是说，金字塔并不都是规则的三角锥形。有些金字塔的底部坡度很小，到上面好像建筑师突然改变主意了，坡度变得非常大，一下就到顶了。把自己的陵墓建成这样的法老，肯定是突然生病了，担心自己快死了，所以就让人急急忙忙把金字塔建起来。还有些金字塔，每一边都有一些巨大的石阶，弯弯曲曲地通向顶端。把金字塔建成这样的法老，可能是希望自己的金字塔比较特别、与众不同。还有些金字塔是用砖而不是用石块砌成的，这些金字塔的法老们很可能是太穷了。

这三种金字塔并排屹立在沙漠中，非常雄伟，它们已经在那里屹立了许多个世纪，还将继续屹立一个又一个世纪，让所有亲眼目睹的人都被它们的庄严和雄伟所震撼。

当然，大并不一定就美，有些很大的东西很丑。不过金字塔是为了纪念人类希望创造出永垂不朽事物所付出的努力，金字塔的建造者非常伟大，创造出了这些人类历史上最为永恒的建筑。金字塔同样代表了古埃及人复活的观念。想一想，自从这些雄伟的金字塔建成以来，无数的人在世间来来去去，生生死死，而这些金字塔却始终屹立在那里，我们会不禁感叹：时间永恒而人生短暂啊！这正是艺术的魅力所在。

● 埃及贝尼哈桑的石凿墓穴

所有的金字塔都是陵墓，但不一定所有的陵墓都是金字塔。有些陵墓就完全不是金字塔形状，而只是平顶的石房子。而且，还有些陵墓就只是在尼罗河西岸石崖上凿出的洞窟。之所以凿在尼罗河西岸，是因为这样的洞口可以朝着东方——太阳升起的方向。古埃及人的墓穴口都是朝着东方，因为他们认为，只有将墓穴口朝着太阳升起的方向，在最终审判日到来时，太阳神才可以把墓穴里的尸体唤醒，就像清晨的阳光从东边的窗户照进来，把人们从睡梦中唤醒一样。

有趣的是，这个墓穴前面有两根一模一样的石柱。而金字塔形状的陵墓都没有石柱。

总而言之，这些金字塔和墓穴便是世界上最古老的建筑。

第**2**章 神庙

你们大家肯定都曾盖过小房子：可能是用纸板搭成的小房子，很快就垮掉了；可能是用书堆出来的小房子；也可能是用砖头砌成的小房子；还可能是在你们家后院盖的一个小木屋。

既然是房子，就必定有墙壁和屋顶。如果我们把两块砖头或纸板斜靠在一起，这两块砖头或纸板就既是墙壁也是屋顶了，就像一个帐篷一样。这是最简单的建筑方法。金字塔的每一个面也是既作墙壁也作屋顶，样子和帐篷有点像，只不过金字塔里面还砌了一些小房间。

● 英国的巨石阵

257

我说过，世界上最古老的建筑就是古埃及人建的陵墓。那么世界上第二古老的建筑就是古代的人们给神建的房子——神庙。上页插图中的废墟就是一座神庙的遗迹。这座神庙很可能一开始就没有屋顶，不过我们还是可以看到一些石头做的横梁留在原地。这个废墟被称为"巨石阵"，位于英国。我让你们看这张图，是因为这些巨石的排列方式充分说明：它们当初绝对不是按照金字塔形状造的，而是在每两块直立的石头上放一块横着的石头。这是另一种建筑方法。

这些巨石看上去就像一个小孩把两块砖立在地上、再在砖上面横放一块砖头堆出来的东西。不过不同于砖块的是，这些巨石都非常大，是一个人的好几倍大。据估计，巨石阵就是用来把一块地方圈出来，作为圣地，人们可以在里面敬拜自己的神。因为那时候耶稣还没诞生，基督教也还没创立，这些人崇拜的都是太阳神，我们把他们叫做德鲁依教教徒。

如何修建巨石阵的想象图

埃及的卡纳克神庙是世界上最古老也是最重要的一个神庙，这个神庙有一部分是拉姆西斯大帝造的，就是下令杀死所有以色列小孩的那位。卡纳克神庙也是世界上最漂亮的一个废墟。你可能觉得，既然是废墟，就肯定不会很漂亮，破损的房子或四肢残缺的人通常不怎么好看。那么为什么我们会说卡纳克神庙很漂亮呢？

卢克斯特庙前的拉美西斯二世的方尖碑。石版画，19世纪塞西尔绘。（上）

考古学家发现"克娄巴特拉的绣花针"（下）

卡纳克神庙的多柱厅

　　卡纳克神庙现在只剩下一些大柱子了，有些是曾经支撑屋顶的圆柱，这些圆柱差不多有70英尺高（是普通人身高的12倍）和12英尺宽（是普通人横躺时长度的2倍）。有些柱子单个砌成了莲花状，还有的是几根柱子一起形成一个莲花状。

　　埃及还有其他一些神庙，尽管规模很小，构建的方式都差不多。首先，是一条大道通往神庙，大道两旁有许多狮身人面像；然后是两个方尖碑，一个方尖碑就是一块直立的大石块，顶部尖尖的，据说每个方尖碑代表着一束阳光。

　　绕过方尖碑，便是神庙的入口。入口两旁分别有一座门塔，两座塔的外侧都向内倾斜。据说，古时候的占星家——也就是根据星象变化来预测

被移到伦敦的"克娄巴特拉的绣花针"

未来的人——常常爬到这些门塔的塔顶去"读星象"。门塔正面的岩石上刻有许多人物雕像。

入口后面是一个露天庭院，再往后走是一个柱子大厅，柱子大厅的后面便是供奉神像的神殿。

通常，如果人们去国外旅游，都会带回许多纪念品。但事实上，不仅人会这样做，国家也是如此。许多国家把埃及的方尖碑搬到了自己国家，有些是埃及送给它们的，有些是它们自己花钱买的，还有些就是它们偷的。美国纽约中央公园里就有一座，英国伦敦的泰晤士河岸也有一座，这两座方尖碑被称为"克娄巴特拉的绣花针"。不过这两座方尖碑在古埃及女王克娄巴特拉出生前很久就建成了，而且它们看起来也不像绣花针，倒更像巨型铅笔。巴黎一个漂亮的广场中心也有这样一座方尖碑，另外，罗马也有许多座。

第3章 "土饼"宫殿和神庙

在《圣经》中，迦勒底人指的是我们所说的两河流域国家的智者或先知。与亚述和巴比伦一样，迦勒底也是两河流域的国家之一。亚述要比巴比伦和迦勒底更靠北，但这三个国家非常相似，而且有时候也同时由一个国王统治。

两河流域的河流之间有一个运河网络，给两岸的国家提供灌溉，所以这个地区的土地非常肥沃。那时这里种植的庄稼是世界上最好的，而且这个平原地区也兴建了许多大型城邦。今天，两河流域平原早已干枯，只剩下一片黄沙。这是因为运河年久失修，没有水庄稼也就无法生长。原来的那些城邦现在都成了一座座土墩或低矮的山丘。这片古老土地上那些漂亮的建筑现在都化为乌有了，因为它们全都是用土砖砌成的。想象一下，一个国王的宫殿居然是用土砖建的——像泥土饼一样放在太阳底下晒的土砖！不过，还记得吧，我说过的，两河流域的人们会在土砖墙上盖一层上过釉的瓷砖或大理石板，这些瓷砖就跟我们今天在浴室装的瓷砖一样，也是五颜六色的，大理石板上则刻有浅浮雕。所以即使是土砖盖的宫殿，也同样可以很漂亮。

不过由于只能用土砖，两河流域的工匠们便有点力不从心。他们不能把房子砌得太高，超过一层房子就会坍塌，因为底下的土砖墙支撑不了那

● 古巴比伦神庙

么大的重量。考虑到一层的房子看起来不像是宫殿，他们就先用泥土堆一个高高的平台，然后等泥土干了，再在上面建宫殿，这样一来宫殿看起来就会更加高大。

因为平台的四面都非常陡峭，差不多是与地面垂直，人们就在每一面建了一个斜坡道，方便爬到平台的顶端。

土砖墙都非常容易倒，为了解决这一问题，工匠们就把宫殿的墙壁砌得非常非常厚，有的甚至厚达 20 英尺。两河流域太阳非常炙热，厚厚的墙砖还可以遮挡热气。为了更好地抵御热气，宫殿也不设窗户，里面只能靠灯光照明。

我们通常认为，宫殿里房间会非常大，非常宽敞。不过两河流域这些土砖宫殿里的房间却非常狭小。事实上，他们不得不把房间砌这么小，因为他们没有足够的石头和足够长的木梁来建大房间。不过，为了弥补房间小的不足，他们增加了房间的数量，每座宫殿里都建有许多小房间。

僧侣们的寺庙也是用土砖砌成的，不过他们认为底下只盖一层土平台做地基不够，所以就砌了好几层平台，一层叠一层，呈阶梯状，就是说，上面一层平台要比下面那层窄。今天在纽约和其他一些城市，建筑师们也开始用这种古老的建筑方式来建高楼大厦，按照这种建筑方式，每栋建筑的楼层都是自下而上逐级变窄。

《圣经》中有一个关于洪水的故事，讲的是经历了一场洪灾后，巴比伦人建了一座高塔，叫做"巴比伦塔"，为的是下次发大水时，人们可以爬到塔顶，就不会被淹死了。事实上，巴比伦塔也不是上下一样大，也是阶梯状的金字塔形状。巴比伦塔看起来就像是几层大小不一封闭的方块，按从大到小的顺序叠出来的。每两层之间有一个斜坡道连接，顶部的那个平台最窄，上面建了一个供奉神像的神殿。

巴比伦塔的阶梯一共有 7 层，这是因为"7"是他们的幸运数字。每一层阶梯代表的是天体的一部分。最上面那层代表的是太阳，涂成了金色；接下来那层代表是月亮，涂成了银色；再往下的几层分别代表五个行星，被涂成不同的颜色。

迦勒底人是世界上最早观察星象和星体运动的人，他们给许多星体起的名字一直沿用至今。我们把观察星象的人叫做占星家。迦勒底的占星家常常把那些梯状的寺塔顶的神庙当作观星台，就是说，他们常常站在这些神庙中观察天体的运动。正因为如此，我们把迦勒底人称为"两河流域的智者"。

有一句俗语说："需要是发明之母。"意思就是，如果你需要某个东西，你就会发明另一个东西来代替。正是"需要"使得亚述人发明了世界上最伟大的一种建筑方式——拱门原则，这种方式直到今天还在被使用。

亚述人没有足够大的石块可以用作大房间的天花板，所以他

巴比伦塔

们就发明了一种方法，用小石块或砖块来盖房子的天花板或门框。

事实上，要想把小石块或砖块用水泥粘在一起，形成一个整体，放在两面墙之间而不掉下来，是不可能做到的。

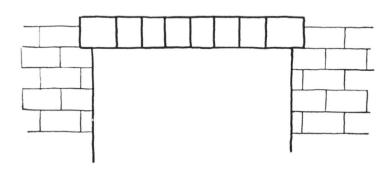

不过，如果你将石块按一定方式排放，它们就不会掉下来。这种方式就是，把石块按照一个弧形或半圆形排列，这就是"拱形"。

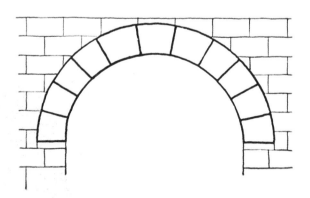

通过这种简单的排放方法，所有的石块就可以一动不动地待在原地了。之所以会如此，并不是因为它们之间粘得有多紧，事实上，不管石块之间涂不涂水泥，它们都不会掉。这是因为每块石头都有往下掉的趋势，就会挤压两旁的石块，由于每块石块都受力，结果所有的石块就紧紧地压在了一起，没有哪一块可以挤出来掉下去。如果拱形两边的墙壁是固定的，那么拱形顶部受力越大，它就会越稳固。

下面我们来做个实验,你可以拿十几本书过来,把它们竖放在一起,然后双手用力地挤压书的两侧。你会发现,如果你用力够大,这些书就会紧紧地靠在一起,不会滑落出来,相反,一旦你稍稍松手,它们就会全倒下去。所以,为了让用石块搭的拱形不滑落,拱形两旁的墙壁就必须建得非常厚实。

不仅门框可以砌成拱形,屋顶同样可以砌成拱形,拱形的屋顶叫做桶形穹隆,因为整个屋顶看起来就像半截水桶。如果房屋本身的墙壁是环形的,那么上面的拱顶看起来就会像是一个翻过来的大碗,我们把这种屋顶叫做圆顶,建造时同样遵循拱形原则。

砌拱门、拱顶或圆顶时,在所有石块没有都放好之前,需要有个东西做支撑,把石块放在上面,否则拱就会支不起来。人们通常会做一个半圆形的临时木支架——木鹰架——放在两堵墙之间,然后把石块沿着架子排放,先从两端放起,再逐渐往顶部砌。最后放在最顶端的那块石头叫做"拱心石",只有等拱心石放好后,木鹰架才能抽掉,这时候拱门就可以支撑住不倒了。不过,亚述的木材很少,几乎没有木料可以用来做木鹰架,所以他们很少砌拱门或拱顶,直到一千多年后,拱形才开始广为流行。

古埃及的金字塔能保存至今,是因为它们都是用石头造的,也因为圆锥体是最牢固的形状,绝不会重心不稳而坍塌。两河流域国家建的寺庙却没有一座保存下来,所有的建筑都化成了泥土,留下的只有一堆堆杂草丛生的土丘。

如果说有一天,今天的大城市也会像亚述或巴比伦城邦一样,变成一堆堆杂草丛生的土丘,街上熙熙攘攘的人群全都消失得无影无踪,你是不是觉得难以置信,根本不可能?那时候生活在亚述的人们可能也和我们一样,想都没想过,亚述有一天会变成今天这个样子。

第4章 完美的建筑

如果你在做数学题或写作文时出了个错，你可以立即把它改正或者撕掉重新写；如果你的一幅画没画好或一座雕塑做得很难看，你可以把它藏起来，不让别人看见，甚至把它给毁掉。但是如果一栋建筑很难看，大家都能看得到，除非建筑倒塌或被拆掉，否则这些难看的建筑就会永远留在那里，藏也藏不了。曾经有一位建筑师，在自己设计的房屋刚建好时自杀了。他留下一张字条，说出了自杀的原因：他设计的建筑有五个不完善的地方，而且这些地方无法修改或掩盖，肯定会永远被人笑话，他实在忍受不了这种耻辱。

其实大部分的建筑都会有几处不完善的地方，或几处不怎么漂亮的地方，只不过很少有人能够觉察得到。

不过有一栋已经有两千多年历史的建筑，却没有任何不完善的地方，称得上是世界上最完美的建筑之一。这座建筑是男人们建造的，不过却是为了纪念一个女人——希腊的智慧女神雅典娜·帕台农，所以这座建筑就以这个女神的名字命名，叫帕台农神庙。帕台农神庙位于希腊雅典城的一座小山上，尽管这座建筑大部分已经毁掉，但是从它的遗迹那巍然屹立的柱廊中，来自世界各地的游客还是可以欣赏到这座世界上最完美的建筑的风姿。

● 马诺里斯科里斯根据罗马建筑学家维特鲁乌斯的描述绘制的帕台农神庙施工图，表现的是如何将石块吊起。

● 雅典的帕台农神庙

　　古埃及寺庙的屋顶通常是平的，因为埃及基本上不怎么下雨，不需要把屋顶建成斜的来排雨水。希腊的雨很多，所以希腊的神庙屋顶大多是倾斜的，帕台农神庙也不例外。

　　古埃及人在寺庙里建柱廊；古希腊人则相反，把柱廊建在神庙外面。古希腊的神庙不是用来容纳人的，只用来供奉女神的雕像。不像我们会进入教堂里敬拜上帝，古希腊人从不进到寺庙里拜神，他们通常是在神庙外面敬拜。古希腊神庙的柱子和古埃及人的风格也不一样，它们更加简洁，但也更漂亮。

　　希腊神庙有三种柱式，帕台农神庙用的是一种男性柱，以一个古老的希腊部落命名，叫做"多立克柱式"。多立克柱和多立克式的建筑都非常结实，简单平实，因此又被称为"男性柱"。希腊有许多多立克式建筑，不过帕台农神庙是最漂亮的一座。

　　多立克式建筑也是建在一个阶梯状的平台上，不过这个平台不是由表

面镶有石膏板的土砖砌成的，而是由坚硬的石头，主要是大理石砌成的。古希腊建筑也没任何花哨的地方，该砌成什么样就砌成什么样。

女士们的帽子和服装的风格会经常变化，但多立克式建筑风格却一直沿用至今。下面我简单地介绍一下什么是多立克式建筑，下次你们看到这种风格的建筑时就能认出来了。.

多立克柱式没有柱基，直接建在台阶上。柱身自下往上慢慢变细，像树干一样，整个柱身也不是完全笔直的。事实上，多立克柱式柱身中间微微隆起，成凸肚状。因为有凸起的曲线，柱子才会看起来上下一样大，否则看起来就会中间细两头粗。

一些现代的建筑师看到多立克柱式隆起的曲线，想当然地以为，柱身曲线的弧度加大一点肯定会更好。这就像有些人，明明医生说只要吃一片药就够了，他们却偏偏吃两片，想当然地以为，既然吃一片可以治病，吃两片岂不好得更快。古希腊的多立克柱式凸起的曲线恰到好处，如果弧度再加大，柱子看起来就会又肥又丑，像挺着个大肚子似的。

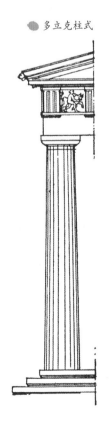

● 多立克柱式

多立克柱式柱身刻有许多条纵向的长凹槽，使柱子看起来更加纤细，而且也不那么单调。今天的柱子却一般没有凹槽。想象一下，要在大理石上刻出这么多条槽线，而且不能有丝毫的差错，否则就会在柱子上留下刻痕，擦都擦不掉，该是多么困难的事呀。

柱子的顶部叫做柱头，由一个形状像托盘的石块砌成，上面是一个小小的方块。

你们家附近可能就有一栋多立克式建筑，它可能是一家银行、一座图书馆或法院，也可能是其他什么建筑。不管是什么，如果你发现有的话，就去观察一下，看看那栋建筑是不是完全符合多立克式建筑的条件。比如：

柱子是由石头做的，还是由木头做的？

柱身有没有凹槽？

柱头和其他部位是不是真正的多立克式风格？

自帕台农神庙建立以来，人们就一直在试着对多立克柱式做进一步的完善，但几乎都失败了，因为对原始形式做出任何改动，都会损害它的美观。

我最早的记忆就包括挂在我们教室墙壁上的一幅帕台农神庙的画。我每天都盯着这幅画看，一连看了几个月。终于有一天，我鼓起勇气问老师这幅画画的到底是什么。

她回答说："是世界上最漂亮的建筑。"

"什么？这座又旧又破的房子？"我很诧异地说，"我可看不出来它有什么漂亮。"

老师说："你当然看不出来。"

老师这句话深深刺痛了我。我想跟她理论，说出为什么这幅画不漂亮。不过她根本就不和我争论。

她说："等你长大了就知道了。"

我讨厌她把我当作一个分不清美丑的小孩，所以我决定找出帕台农不漂亮的理由来。不过我发现，我读到的相关资料越多，离我的目标就越远。

二十八年后的一天，当我第一次站在这座庞大的多立克式神庙前，抬头仰望屹立在蓝天下它的样子时，我旁边的一名游客说道："我看不出这堆破砖烂墙有什么漂亮。"

听到这句话，我差点脱口而出："你当然看不到。"

连小孩都能看出一个人是否漂亮，但经验丰富的老人却也有可能看不出一栋建筑是否漂亮，正因为如此，世上才会有那么多难看的建筑。所有人都能看出一个人是不是太高、太胖、耳朵太大、鼻子太小或是身体比例不协调，但要看出一栋建筑的比例是否协调，却需要"好眼力"。

如果有人脸上长疮、斜眼睛、双下巴或 X 型腿，人人都能看得出这个人不漂亮。不过，如果一座建筑有这些毛病，即使经验丰富的老人也可能看不出来。但是古希腊人就有一双"好眼睛"，不仅可以看出人长相上的毛病，而且可以看出建筑的毛病。

有些人看不出来挂在墙上的画是不是端正，当然他们也可以用尺子去量一下，然后得出正还是不正的结论。不过"眼力好"的人不仅可以看得到尺子量得出的东西，而且可以看出尺子量不出的细微差别，比如哪怕画只是偏了头发丝那么点，他们也能看得出来。

铅锤和水平尺是现代的建筑师最常用的两个工具。铅锤用来测量一堵墙、一根柱子或其他应当垂直的东西是不是与地面垂直。水平尺上有一根玻璃管，里面装有一个小气泡，用来测量地板、窗台等应当水平的东西是不是与地面平行。任何偏差都逃脱不了铅锤和水平尺的测量。

不过，古希腊却认为我们不应当过分相信铅锤或水平尺，因为真正垂直的柱子看起来两头大中间小，完全水平的地面也会看起来中间有凹陷，这是因为我们眼睛在看东西时会有视觉误差。既然眼睛的视觉误差改变不了，古希腊的建筑师们便决定对帕台农神庙进行"视觉矫正"，也就是说，使原本是直线的部分略呈曲线或内倾，这样一来，尽管整座神庙事实上没有一条真正的直线，但看起来所有的线却都是笔直的。这正是帕台农神庙了不起的地方之一。

帕台农神庙的柱子不是由简单的石砖，而是由圆饼状的石块砌成的。而且所有石块都切割得非常精密，拼接得非常好，两块石块之间没有任何缝隙。有人甚至说，这些石块就像骨头摔碎后又重新长在一起一样！

第5章 女式建筑

一座建筑和一名妇女，听起来像是八竿子都打不着。不过古希腊人却通常能将八竿子打不着的东西联系在一起。比如，在他们的想象中，一个虚荣的小伙子变成了水仙花；一个爱上美丽太阳神的大胆姑娘变成了太阳花；一个仙女变成了月桂树。因此，他们认为一名妇女变成了柱子，或某种柱子很像一名妇女也就不足为奇了。

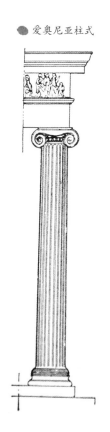

爱奥尼亚柱式

耶稣诞生前100年，有一位名叫维特鲁威的建筑师，他认为女式柱柱头的一对波浪形装饰像一位妇女头上梳的两绺头发，柱身的凹槽像她长袍上的皱褶，而柱基则是她光着的脚。这种柱式源于希腊在小亚细亚的一个殖民地——爱奥尼亚，所以人们将其称为"爱奥尼亚柱式"。

不过最好的爱奥尼亚柱式建筑却在雅典卫城，离帕台农神庙不远，称为厄瑞克忒翁神庙。传说厄瑞克忒翁是很久以前雅典的一名国王，这座神庙为纪念他而建。帕台农神庙是一座为女人而建的男式建筑，而

厄瑞克忒翁神庙却是一座为男人而建的女式建筑，真是有趣。厄瑞克忒翁神庙三面都是爱奥尼亚式柱子，第四面是六座真正的妇女雕像，用做柱子支撑着房顶。这一组柱子叫做女像柱廊。在厄瑞克忒翁神庙里，不仅有女式柱，还有真正的妇女雕像，也就是女像柱，据说，这些女像柱代表的是来自卡律埃的战俘，被判永远站在原地，用头顶着房顶。其中一座女像柱被搬到了英国，取而代之的是一座陶土做的复制品。

世界上最大最著名的爱奥尼亚式神庙不在希腊本国，而是在爱奥尼亚的以弗所。这座神庙是为月光女神戴安娜而建，非常雄美壮观，是世界七大奇迹之一。《圣经》中有一个故事，讲的是圣保罗因为宣扬反戴安娜的思想，差点引发一场动乱。戴安娜并不信仰基督教，所以圣保罗指责她，不过以弗所的民众们根本不听圣保罗的布道，他们大声叫嚷着，希望把圣保

● 女像柱廊

罗的指责声压下去。他们整整叫喊了两个小时："戴安娜女神万岁！戴安娜女神万岁！"如今，戴安娜女神神庙已经不复存在，不过，以弗所人希望压下去的圣保罗的指责声却一直保存至今。

还有一座爱奥尼亚式建筑也是世界七大奇迹之一，它位于哈利卡纳索斯。这座建筑不是神庙，而是摩索拉斯国王去世后，摩索拉斯王后为他建的一座陵墓。尽管这座陵墓早已不复存在，我们今天仍然会把非常大的陵墓称为"摩索拉斯"。

当然，你不必老远跑到希腊去看爱奥尼亚柱式。很可能你身边就有许多爱奥尼亚式建筑，不过你得去检查一下，看看这些建筑是纯的爱奥尼亚式建筑，还是只是混杂的。

● 摩索拉斯陵墓想象图

混杂的东西指的是几种东西的混合体，比如，如果一条狗既有猎狐犬血统，又有牛头梗血统，那这条狗就是杂种狗。

与多立克建筑风格相比，今天的建筑师更多地运用爱奥尼亚式建筑风格，因此，如果你数一数身边可能有的多立克柱式和爱奥尼亚柱式，一定会发现爱奥尼亚柱式要比多立克柱式多出好几倍。

第 **6** 章　建筑新风潮

人们讨厌总是穿同样款式的服饰，所以总想尝试用一些新的东西。今天的女士们如果想知道流行的服饰款式，就会去巴黎；同样，过去的建筑师们如果想知道流行的建筑风格，就会去希腊。一些建筑师采用新的柱式，只是想要尝试一些新的不同的东西，不过他们创造的所有新柱式都比不上我介绍过的那两种柱式漂亮。

古希腊人创造的新柱式中有一种叫做"科林斯柱式"，不过他们自己也不喜欢这种柱式，应用很少。维特鲁威，也就是为爱奥尼亚柱式编过一个故事的那位建筑师，也给科林斯柱式编过一个童话故事。

维特鲁威说，在科林斯有一个小女孩的坟墓，按照当地的风俗，坟墓上放着一个装满玩具的小石篮，用一块石板盖着。凑巧的是，花篮底下长了一颗蓟花树，蓟花树叶长出后便缠绕在石篮上。一个建筑师看到这个缠满了树叶的石篮后，便想，如果把柱头装饰成这样应该很漂亮。他就用大理石仿照那个石篮做了一个柱头，装在爱奥尼亚柱式之上。这样，科林斯柱式便产生了。

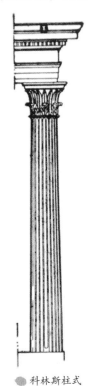

　　科林斯柱式

所以，科林斯柱式其实也是爱奥尼亚柱式的一种，只不过柱头不一样。希腊生长的蓟科植物叫做莨苕，科林斯柱式的柱头四面便是相互缠绕的莨苕叶形装饰。柱顶下面的四个角各有一些卷曲的花纹，看起来就像工匠用刨子凿出的刨花，但和爱奥尼亚柱式的波形花纹不一样，爱奥尼亚柱式的波形花纹更像音符的卷曲。而且，爱奥尼亚柱式的花纹是前后水平放置的，而科林斯柱式的花纹成对角线。

许多人都认为科林斯柱式的柱头比多立克柱式和爱奥尼亚柱式都漂亮，不过也有一些人认为科林斯柱式太花哨，而且将石柱建在"树叶"上，看起来也很不自然。总之，尽管古希腊人发明了科林斯柱式，他们却不怎么使用它。

古希腊所有伟大的建筑都是在耶稣诞生前 300 年左右时完成的，自那以后，古希腊便再没出现过伟大的建筑师了。

你们在地理课上应该学过，希腊是地中海旁边一个近似岛屿的国家，叫做半岛国家。希腊旁边便是另一个半岛国家，叫意大利。意大利的首都是罗马，希腊的实力衰落后，罗马便成了世界之都。

如果说古希腊人是伟大的建筑师，罗马人则是伟大的建造师。建筑师和建造师是不同的。罗马人建造过许多很好的建筑，但他们的品位没有希腊人好。相比多立克柱式或爱奥尼亚柱式，罗马人更喜欢科林斯柱式。他们还发明了一种新的柱式，将爱奥尼亚柱式与科林斯柱式结合起来，叫做"混合柱式"。混合柱式的柱头既有爱奥尼亚柱式的波浪状花形，也有科林斯柱式的莨苕叶形。科林斯柱式和混合柱式通常很难分辨，因为它们唯一的差别就是混合柱式的柱顶要更大些。罗马人对多立克柱式也做了一些修改，加了一个柱基，去掉了柱身的凹槽和柱头托盘状的部分，这种柱式被称为"托斯卡纳柱式"。罗马人对建筑风格还做了其他一些修改，但都不成功，反而改得更难看了。为了让柱子看起来更高，他们经常在柱身底下加上一个盒状的柱基。罗马人还创建了一种附在墙上、只露出一半柱身的柱

希利尔讲艺术史
A CHILD'S HISTORY OF ART

从左至右分别为：古罗马科林斯柱式、混合柱式、托斯卡纳柱式

子，叫做"壁柱"。还有一种柱式则全部埋在墙壁里，只露出来正方形的柱面，叫做"半露柱"。

罗马人在建筑方面，最伟大的成就是广泛运用拱。还记得吧，拱是亚述人发明的，但亚述石头很少，所以他们几乎不怎么用。

不过亚述人从没试过用拱连接石柱。古希腊人和他们以前的一些建筑师也只是在两个石柱上架一块大石块将它们连接起来，但石板通常不会太长，所以连接的两根石柱相隔也不能太远。罗马人第一次用拱将石柱连起来。

罗马人还建了很多拱顶和圆顶。你应该还记得，拱顶和圆顶都是拱形的屋顶，建造的原则和拱的原则是一样的。因为使用了拱顶和圆顶，罗马人可以将屋顶砌得很大，比用单块石板或木板搭建出来的屋顶要大得多。而且，与木屋顶相比，石头屋顶还可以防火。

罗马人在建筑方面做的另一伟大尝试是使用了水泥和混凝土。混凝土是由水泥和水、沙、石子混合而成的一种混合物，干了后就成了石头。罗马人在拱中的石块之间加入水泥，用混凝土砌拱顶和圆顶。尽管我们都知道，只要石块摆放的位置适合，不用水泥也能砌成拱顶或圆拱，因为所有的石块紧紧地压在一起，不会散开。不过，正如我之前说的那样，由于每个石

古罗马拱桥

块都往两侧挤压，拱的两旁必须分别要有一堵坚固的石墙，而且一定要足够坚固才不会被石块侧向压力推倒。

　　罗马人费了很大心思才解决这一问题。他们用水泥或混凝土将石块黏在一起，这样，所有石块便成了一个整体，整个拱只有向下的压力，而不会有侧向的压力了，所以也就不需要在两边建坚固的墙壁了。

　　举个例子，如果将一辆卡车、一架钢琴或一辆汽车水平放在一堆砖块上，这些东西肯定不会倒下。不过，如果稍微用力推一下底下的砖块，上面的东西就会掉下来。你有没有试过从一排砖块上走过去？试一下，如果你走过去时，脚垂直往下踩，砖块就不会倒。不过如果你稍微走歪一点，砖块立马就会倒。石柱或墙壁也是如此，如果放在它们上面的东西是垂直向下用力，一根小石柱或一面很窄的墙也可以支撑很多东西。但拱中的石块并不是往下用力的，而是往旁边挤压，所以要使拱不倒，两边的墙壁就得很厚实。不过，如果在一排石柱上面建拱桥，拱桥中的拱洞就会彼此受力，最后相互抵消了，不会对石柱形成侧面的压力。

　　拱桥中的拱洞是在不断相互挤压的，你可能看不出来，但事实上就是如此。试着找个身边的同学，你们俩彼此用力挤在一块，最终你们肯定会一起倒向一边，形成一条斜线，这时如果你们当中任何一个人跳开，另一个人就会倒下去。拱桥中的拱洞也是用这种方式相互挤压在一起的，如果把任何一个拱洞拆掉，其他的拱洞就都会倒掉。

第**7**章　罗马不是一天建成的

有些人喜欢戴人造珍珠、钻石和首饰，想以此炫耀。还有些人建房子时，会用混凝土伪造石头、用漆过的木柱伪造大理石，或用贴了墙纸的石灰墙伪造瓷砖。这些做法都是欺骗行为，那些伪造出的东西也都只是赝品。古希腊人从不这么做，不过罗马人却总喜欢伪造，他们用混凝土或砖盖房子，然后在外面覆盖一层薄薄的大理石板。

在耶稣诞生前后几百年内，罗马人不停地建房子，建啊建啊，建了许多非常雄伟的建筑，比以往任何时候的建筑都多，种类也更丰富。而且他们不仅仅在罗马和意大利地区建，还在由罗马控制的其他国家建了很多建筑。

尽管罗马人建的房子很多，但没有一栋可以与古希腊的建筑相媲美。原因

● 罗马万神殿

就是，罗马人只是好工程师，而不是好的艺术家。希腊人信奉宗教，所以他们建了许多庙宇。罗马人是出色的统治者，所以他们崇尚一切跟统治相关的东西。罗马人用工具建房子，而希腊人用的是自己的眼睛，罗马建筑中所有该垂直的线就都垂直，该水平的线就都水平，该笔直的线就都笔直，看起来不像人工砌成的房屋，反倒像一幅用尺子圆规画出来的规整的画。

同样，罗马建筑看起来非常机械。我们对罗马人建筑的喜欢同对发动机的喜欢差不多。也就是说，罗马建筑尽管非常结实有力，但是缺乏一种用手所绘的图画之美。

你猜你家附近会有多少种不同的建筑？试着去数一下。当然会有许多住宅，但肯定还有其他许多种建筑：教堂、银行、商店、法院、图书馆，等等。希腊人的建筑种类非常少，但罗马人的建筑种类非常多，不仅有庙宇、住房和宫殿，还有：

拱门和引水渠

桥梁和浴室

法院和大厅

剧院和竞技场

这些建筑中，有些是伪造品，但并不全是如此，还有些非常雄伟壮观。大部分罗马建筑如今都只剩废墟了，但有一栋给众神修建的庙宇却保存至今，叫做"万神殿"。万神殿的前部有一个科林斯柱式组成的柱廊，柱廊后面是一栋环形建筑，上面有一个巨大的圆顶，像一个翻倒过来的混凝土大碗，支撑圆顶的环形墙壁有 20 英尺厚，整个建筑唯一的窗户就是圆顶顶部的一个圆形窗口。窗口没有玻璃，但因为非常高，离地面很远，所以即使下大雨，底下的地面也不会怎么湿。

不过万神殿并不是在罗马，而是在今天的法国，因为那时法国是罗马帝国的一部分。法国人把这个寺庙称为"广场大厅"。

罗马剧院是罗马演员进行表演的场所，都是露天式的。剧院里的座位

● 万神殿剖面图。19世纪建筑家乔治·谢丹绘。

都是石头做的，也跟今天的剧院一样呈半圆形排列。法国小镇橘郡便有一个古罗马时期的剧院，一直到现在还有演出。

尼禄是罗马最坏的统治者和建筑师之一。他给自己建过一个镀金的宫殿，叫做"黄金宫殿"，如今已经片瓦不存。他还给自己建过一座高达50英尺的巨型雕像，也早就不存在了。

离尼禄雕像曾经所在处不远的地方，有一个大型露天竞技场，建造时间比尼禄雕像稍晚，名叫罗马圆形竞技场。圆形竞技场看起来和足球场差不多，不过它不是用做体育比赛，而是用做人与人之间或人与野兽之间的搏斗。圆形竞技场里的石板座位呈椭圆形阶梯状排列，外围的墙壁有四层楼高，最底下的三层是三排拱洞，第一层的拱洞之间是半露的多立克柱式，第二层为半露的爱奥尼亚柱式，第三层为半露的科林斯柱式，第四层为混

● 罗马圆形竞技场

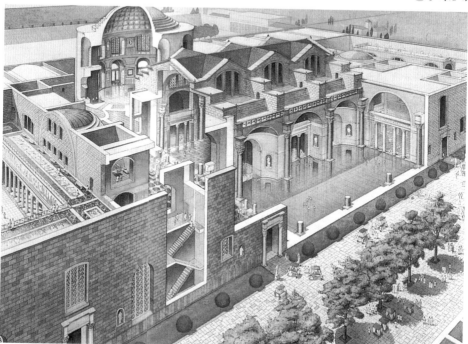

● 罗马浴场

🔵 君士坦丁凯旋门

合柱式。

罗马圆形竞技场早就已经废弃不用了，但大部分还保存完好，可以跟今天的体育场一样容纳许多观众。不过还有一个名叫马克西穆斯的圆形竞技场更大，可以同时容纳 25 万人，等同于一个大城市的人口了。如今这个竞技场已经不复存在，取而代之的是一栋栋住房。

罗马人也建了许多公共浴场，因为古罗马的平民家里都没有浴室。罗马人建的公共浴场非常大，是有拱门和拱顶的大厅，可以同时供一千多人洗澡。公共浴场里不仅有冷热温水浴室之分，还有健身房、游戏室、休息室等，相当于公众休闲娱乐场所。

🔵 提图斯凯旋门

除房屋外，罗马人还建了许多大型的拱门，专门用来迎接凯旋的君王和军队，因此这些拱门就叫做"凯旋门"。其中一个凯旋门名为提图斯凯旋门，由一个单独的大拱门组成，用来庆祝提图斯国王征服并摧毁耶路撒冷城。另一

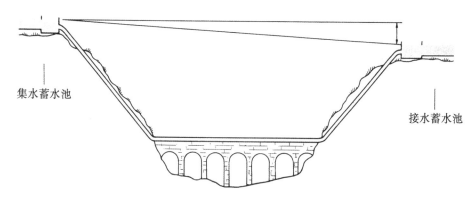

集水蓄水池

接水蓄水池

罗马高架引水渠的供水原理。利用两地的高度差可以轻松地将水从高处引到低处。

个拱门名叫"君士坦丁凯旋门"，中间一个大拱门，两旁分别由一个小拱门组成，用来纪念罗马首位基督徒帝王君士坦丁大帝。上页中便是这两个凯旋门的图片，在图片的背景中可以看到圆形竞技场。

　　罗马人建的桥梁是他们所有建筑中最牢固实在的建筑。有一些桥梁不是用来供人穿行，而是供水川流，桥顶有一个水槽，可将水从水源地引进城区内，看起来就像河流被桥梁抬高了。这种用来引水的拱桥叫做"高架引水渠"，今天我们一般是用地下水管或铺在山间的水管将水引进城区。罗马人建的高架引水渠都有一定的弧度，刚好可以让水一直沿着渠道往山下流。

　　有一种罗马建筑常常被后来的基督教教堂借鉴，就是矩形会堂，罗马人通常将它们用作法院或公共大厅。矩形会堂很长，内部有几排石柱支撑房顶，另外有一条中央长廊和两条侧廊，中央长廊上的天花板比侧廊上方的天花板更高，今天许多教堂采用的也是这种建筑方式。下一章我将给你们详细介绍矩形会堂。

第8章 建筑边饰

男生们喜欢穿带袖口和衣领的衣服，女士们则喜欢有装饰和镶边的衣服。建筑同样也可以有镶边，这样看起来就不会太单调。我们把建筑上的镶边叫做"饰条"或"饰边"。古希腊人和罗马人用过的某些图形的饰条直到今天还在使用。

你可能从没认真观察过门窗嵌板、天花板饰带或建筑外部的饰条，如果你留意观察，肯定会很惊讶地发现，原来大部分的饰条都不只是简单的板条，而是形状各异。就像每个小朋友都有自己的名字方便别人记住一样，不同形状的饰条也有不同的名字。

下面我就给你们一一介绍这些饰条吧：

有一种饰条侧边呈正方形，形状非常简单，简单到让你觉得都没必要给它取任何名字。这种饰条叫"嵌条"，意为"缎带"。古时候人们不论男女都喜欢在头上绑一根缎带，用来固定头发或用作装饰，现在的建筑也装有嵌条作装饰。右上图便是嵌条侧边的图形。

如果嵌条侧边往里陷，像一个方形的凹槽，就直接叫做"凹嵌条"，如左图所画。

右面这种饰条是半圆侧型，建筑师们把它叫做"环面饰条"，不过工匠们直接称之为"半圆条"。

左面是一个凹型环面饰条。这种饰条的正确叫法是"凹弧饰"，不过工匠们把它叫做"凹槽条"。

右面这种饰条的侧边就像小馒头外部的弧线，建筑师的叫法是"馒形饰"，不过工匠们就直接叫"馒头条"。

左面这种饰条的侧边也像小馒头外部的弧线，不过弧度朝内，叫做"凹嵌边饰"。

右面这种饰条的侧边呈 S 形，上凸下凹，叫做"葱形饰"。你们在学校用的尺子可能就是这种形状。

右面这种饰条的侧边也呈 S 形，不过上凹下凸，叫做"反曲线饰条"。

这些饰条的名字都记住了没有，下次如果看到能不能认出来，能不能说得出它们的名字？事实上一共可以分为四对，一凸一凹，相互匹配。总结起来就是：方形饰条夫妇、圆形饰条夫妇、弧形饰条夫妇和波形饰条夫妇。

建筑师通常不是单独使用一种型式，而是用几种不同的型式组成漂亮的组合图案。

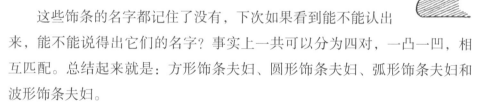

最常用的组合方式是每两个弧形饰条中夹一个条形饰条，这样可以使弧形饰条更突出。

试着找找，看在你们家或朋友家的房子里能找到多少种饰条。

饰边也有许多种。最简单的是锯齿形，因为很像军官佩戴的山形袖章，故又叫"山形饰"。这种饰边就好像小朋友第一次拿笔画出来的东西。

其次是扇形，跟扇贝边缘的形状很像。见下图：

扇形颠倒过来的样子如下：

阵形饰边也叫"特洛伊城墙边"，因为特洛伊外部城墙的墙头就呈阵形，士兵们可以在墙墩间跑动，从中间的空隙处射箭。

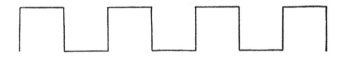

下图是曲形饰边：

曲形饰边是根据小亚细亚的敏德河命名的，因为曲形饰边和敏德河的流向一样，非常迂回曲折。

下图是回文形饰边，看起来就像一串钥匙。

下图是齿形饰边，顾名思义，齿形饰边看起来就像一排牙齿，不过也有点像一排钢琴琴键。

下图是波形饰边，看起来像一排横放的 S，每前后两个 S 恰好卷曲在一起。当然，如果你看过海浪拍打海岸，肯定能理解为什么这种形状叫波形。

下图是滚波形饰边，向上的波纹和向下的波纹交叉排列，这种饰边可以算得上是最漂亮的饰边了。

下图是串珠形饰边，看起来就像一串小珠子，每两颗长条珠之间穿两颗圆珠。

链条形饰边如图所示。

我觉得这种饰边不怎么漂亮，你们认为呢？

绳索形饰边是下面这样的。

下面是蛋镖形饰边，蛋形代表的是出生，镖形代表的是死亡，整个饰边代表的就是生死循环。这种饰边的寓意是：每个人都得经历生死，一代人死后又有新的一代人出生，世世代代循环往复。

右图是蕾丝饰边：

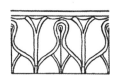

下面是粽叶饰边，外面一个心形，里面是叶状花纹。

下面是花状平纹，通常是由许多百合花纹交错而成。

所有这些饰边都叫做"经典饰边"，因为这些都是希腊人和罗马人使用过的，而凡是古希腊人和罗马人用过的都是经典。

下次画画时，试着在画的四周加一些经典的饰边，肯定会很好玩。我知道有些小男孩喜欢在信纸、贺卡甚至数学本上画各种各样的花边，小女孩也喜欢用绣了花边的手帕或毛巾。不过在画花边时，一定要非常小心，所有图案都得画得一模一样，而且每两个图案间一定要等距。

第9章 早期基督风格

建筑史上"早期基督教风格"指的是基督教诞生初期的建筑风格。现在世界上一些最好的建筑也还是基督教堂，不过早期的基督教堂却都只是地洞。

这些地洞叫做"地下墓穴"，位于罗马的地下隧道。在当时的罗马，基督徒受到迫害，也就是说他们因为信奉基督教而要遭受惩罚，所以他们只能藏在地下，躲在黑暗的秘密通道里。这些地洞里有些房间专门供基督徒做礼拜，还有一些房间用来埋葬被害死的基督徒。

住在地下墓穴跟住在煤矿里差不多，甚至更差，因为基督徒一旦被罗马士兵抓到，通常不是被用来喂狮子，就是被活活烧死或剁成碎片。想象一下，如果让你住在地底永远都不能出来，否则就可能被抓住杀掉，会是怎样？一开始你可能会觉得刺激好玩，但等你发现身边许多朋友亲人都被抓走处死后，就会知道这一点都不好玩。

所以你可以想象得到，当罗马帝王自己也信奉基督教时，那些住在地下的基督徒们有多开心。

罗马首位基督徒帝王名叫君士坦丁。君士坦丁大帝皈依基督教后，基督徒自然就可以从地下隧道走出来，光明正大地在地面做礼拜了。基督徒发现地面上最合适用来做礼拜的建筑就是矩形会堂。还记得吗？我们在上

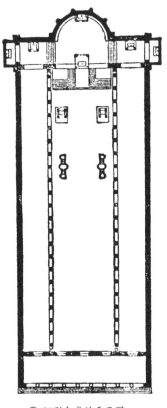

● 矩形会堂的平面图

一章说过，矩形会堂一般是用做法院，法官背靠后墙坐在墙壁中央处，前面是一条通往前门的长廊，两侧分别是一列圆柱，主廊两旁各有一条侧廊。左图是一个矩形会堂的平面图，你可以把它想象成是你搭着飞机，从空中看到的、拆了屋顶的矩形会堂的样子。图中的直线代表墙壁，圆点代表圆柱。法官坐的地方就是平面图顶部的半圆区域。你可以拿出纸笔玩个游戏，给你家画个平面图。我小时候就常常给自己想象中的房子画平面图，通常我都会画一个游泳池、一个健身房还有一个苏打水喷泉。

好了不扯远了，还是回到矩形会堂吧。基督徒把矩形会堂中法官坐的半圆区域用作祭坛，前面是网格状的通道，用作牧师布道。罗马人将这个区域称为"高坛"，这个称号一直沿用至今。人们进教堂参加礼拜时，就坐在面对高坛的长椅上，跟今天的许多基督教教堂一样。教堂的中央部位叫做"中厅"，中厅不包括高坛和侧廊。

矩形会堂的窗户都很高，快接近天花板了。因为中厅部分本身就比侧廊高，所以中厅上方的屋顶也就更高。事实上，中厅部分的天花板有两层楼高，侧廊部分是一层楼高。窗户设在中厅部分第二层楼高处，叫"天窗"。你们应该能猜出来为什么叫这个名字。

矩形会堂的外部没什么好看的，大部分看起来都活像一个大谷仓。不过矩形会堂的内部装饰都非常富丽堂皇。圆柱是用从非基督教教堂那没收来的大理石建的，非常漂亮，墙壁上贴满了用石块和彩色玻璃拼成的各色

● 夏特尔教堂彩绘玻璃窗画细部　　　　　　　● "城墙外的圣保罗大教堂"室内图

图案，像珠宝一样熠熠发光。对于好不容易从墓窟中走出来的初期基督徒来说，这些教堂肯定显得尤为富丽堂皇。

　　最大的初期矩形基督教堂是"城墙外的圣保罗大教堂"，之所以叫这个名字，是因为这座教堂位于罗马城城墙外。圣保罗大教堂也有一个中厅和两条侧廊，不过两条侧廊不是一边一条，而是在同一边。上图就是"城墙外的圣保罗大教堂"的室内图，是从正对着高坛的角度拍摄的，你可以清楚地看到图中的天窗。"城墙外的圣保罗大教堂"建于公元380年，之后保存了长达一千四百多年，供基督徒做礼拜。1823年，这座教堂被一场大火烧毁了。不过后来人们又按照原型将其重建，所以你如果去罗马，还是可以去参观一下这座教堂。

　　本章我们学了四个难记的新词：平面图、中厅、高坛和天窗。假如让你不回过头翻书就把所有词的意思都写出来，你能写出几个？如果一个词算25分，你可以拿100分吗？

第10章　早期东方基督教风格

你是个好侦探吗？你能不能只凭一个人的说话方式猜出他来自你们国家哪个地区？不过至少你应该可以从他的发音方式，推测出他是南方人还是北方人吧？

来自同一国家不同区域的人们讲话方式各不相同。不过除了讲话方式不同外，不同国家的人们还有许多其他不同点，比如他们的衣着打扮、遵循的法律、饮食习惯、绘画风格，甚至连建筑风格也各不相同。

君士坦丁大帝皈依基督教后，罗马的基督徒便可以不用藏在地下，而是光明正大地在地面上建矩形会堂了。不过当时罗马帝国还统治着其他一些基督徒，他们住得离罗马很远。罗马帝国领土往东扩张到了亚洲，因此辽阔的东部地区也有许多基督徒。和罗马的基督徒一样，他们在君士坦丁掌权后也开始建教堂，不过因为他们生活的地方与罗马很不相同，他们建的教堂也不是矩形，而是有自己独特风格的教堂。

东方基督徒建的教堂叫做"拜占庭风格教堂"，这是因为罗马帝国东部地区最大的城市就是拜占庭。拜占庭直到今天还是一个极具影响力的大城市，不过它早就不叫拜占庭了，所以你在地图上也找不到这一名字了。君士坦丁大帝后来搬到了拜占庭，把它改为首都，并重新命名为君士坦丁堡。不过你在今天的地图上也找不到君士坦丁堡这个名字，因为现在它叫伊斯

坦布尔。不过"拜占庭建筑"这一
称呼还是一直保存至今。

　　拜占庭教堂和矩形会堂一个最
主要的区别就是：前者有圆拱顶，
有些很小；还有些上面加了方形屋
顶，只能从建筑内部从下往上看；
还有许多教堂同时有许多个圆顶。

　　罗马万神殿也有圆拱顶，不过
不是拜占庭风格。万神殿的圆拱顶
是用水泥做的，安在一个环形区域
上；而拜占庭教堂的圆拱顶是由砖
块或瓷砖做的，安在方形区域上。

　　大部分拜占庭教堂的平面图看
起来都像一个十字，这种等长十字
叫做"希腊式十字"。圆拱顶的中央
部位正好位于十字交叉的地方。

● 查士丁尼下令重建圣索菲亚教堂，采自《圣索菲亚教堂纪事》手稿。

　　查士丁尼大帝即位之前，所有
拜占庭教堂的圆拱顶都很小。查士丁尼皇帝执政后，下令修建了有史以来
最好最大的拜占庭教堂，我们把这个教堂称为"圣索菲亚教堂"。事实上索
菲亚并不是《圣经》中圣人的名字，它代表智慧，所以拜占庭教堂的真正
名字应是"圣智慧教堂"。既然大部分的美国人都把它称为"圣索菲亚教堂"，
我们也就用这个名字吧。

　　下面我给你介绍圣索菲亚教堂的结构，看你能不能理解。教堂中央是
个大圆拱顶，安放在四个形如槌球球门的大型拱门之上，四个拱门共同排
成一个正方形。圆拱顶的底部就正好放在每个拱门的顶端，中间没有任何
缝隙，每两个拱门顶部之间的倒三角形缺口中间填满了砖块，形成四堵拱

状的倒三角形墙壁，叫做"斗拱"。斗拱正是拜占庭式建筑区别于其他建筑的特色所在。比如，罗马的万神殿就没有任何斗拱。

因为圣索菲亚教堂的圆拱顶是用砖块砌的，整个圆拱顶不能像托盘或万神殿的水泥圆拱顶一样紧紧连在一起。这就意味着圆拱顶会对底下的四面墙壁带来侧下方的压力。我们都知道，如果一个梯子架在墙边，底部没有固定在地面上，一个重一点的人爬上去，梯子立刻就会滑倒。圣索菲亚教堂的圆拱顶也是如此，只不过梯子底部是往一个方向用力，圆拱顶底部是往各个方向用力，因此底下的墙壁必须固定起来，这样才不会倒塌。

安放在地面上的拱门必须要支撑住圆拱顶往下的压力。圣索菲亚教堂的建筑师很巧妙地处理了往外的推力，他们在两个相对的拱门外部，分别建了一个立地的弧形墙，这两堵弧线墙像书夹一样夹着中间的建筑，支撑着拱门不倒。

在另两道拱门外，建筑师们堆砌了高高的石砖堆，像书夹一样夹着中

● 圣索菲亚教堂剖面图，由查士丁尼重建。

间的拱门。我们把这些石砖堆叫做"扶壁"。

尽管建筑师们花了大量心力，圣索菲亚教堂在建好几年后还是倒塌了！但这也不能怪建筑师，因为一场地震把砖块震动了，上面的圆拱顶便随之倒塌了。毕竟建筑师也不能阻止地震发生。

重建圣索菲亚教堂时，建筑师做了一些改善，他们在新圆拱顶底部添加了40个小窗户，可以让光线照进来，因此整个圆拱顶从底下看来，就像是悬在拱门顶部上方几英尺的半空中。

圣索菲亚教堂的内部装饰是世界上最富丽堂皇的：中厅各面都有双层的长廊或画廊，画廊由五颜六色的大理石石柱支撑，非常漂亮。凑巧的是，教堂内部一共有107根石柱，而圆拱顶也是107英尺宽。

教堂的墙壁底部全铺满漂亮的大理石板，其颜色比石柱的更丰富。较高一点的墙上是用镶了金的彩色玻璃和大理石块拼成的组合图案。

圣索菲亚教堂建成大约一千多年后，君士坦丁堡被土耳其人占领了。土耳其人信奉的不是基督教，而是伊斯兰教，他们拜神的地方不叫教堂，而叫清真寺。土耳其人攻入君士坦丁堡后，他们的首领便骑着马直接冲进

了圣索菲亚教堂，命令人将这个教堂改建成一个清真寺，接着教堂里墙壁上的各种图案都被刷上了石灰或白粉，只剩下少数几幅天使的图像。而且从那以后，所有人要想进圣索菲亚教堂都必须先脱鞋。这是所有清真寺的规矩，任何人都不能穿鞋踏入穆罕默德的圣土，所以你要进去就必须先脱鞋。

从外部看，圣索菲亚看起来很大，但有些人认为不怎么漂亮。你可以留意看一下图上用来支撑拱门的扶壁。

你肯定要问，那些尖塔是用做什么的？真希望你们可以忘记它们的存在，因为它们在图上看起来实在太漂亮了，让人不由自主地就被它们吸引住，把注意力从主建筑转移开了。事实上这些尖塔并不是圣索菲亚教堂的一部分，它们是土耳其人将教堂变为清真寺后加上去的。

不过，其实圣索菲亚并不是唯一的拜占庭教堂，而且也不是只有君士坦丁堡才有拜占庭式建筑。世界上有希腊基督徒传播的地方就一定有拜占庭式建筑。比如俄罗斯的大部分教堂都是拜占庭风格，因为俄罗斯人信奉的是希腊基督徒，而不是罗马基督徒。如今世界各地也还有人在修建拜占庭式教堂。

另一座拜占庭式教堂在威尼斯，与圣索菲亚教堂同样有名，比圣索菲亚晚建几百年。威

● 圣马可广场的仪式行列。油画，让蒂尔·贝利尼绘。

尼斯是一个独立的港口共和国，不隶属于任何其他国家。威尼斯的舰队向东航海到了亚洲,带回了亚洲漂亮的丝绸和香料,所以变得非常富有和强大。威尼斯人喜欢上了从亚洲带回的商品的鲜艳颜色，把许多漂亮的颜色都运用到自己修建的拜占庭式教堂中，因此他们的教堂五光十色，在阳光下像珠宝一样熠熠发光。威尼斯人把他们的教堂称为"圣马可教堂"，因为教堂所在地就是传说中圣马可埋葬的地方。

圣马可教堂有五个圆顶，中间一个大的，周围四个小的。因为五个圆顶都不够高，从外面看不怎么清楚，所以威尼斯人就在每个圆顶外再加了一个圆顶，这样一来每个圆顶都是双层的。圣马可教堂的内部铺满鲜艳的组合图案和从各地买来的名贵的条纹大理石。教堂主门上有四匹铜马，和教堂本身一样有名。圣马可教堂应该是世界上最五彩缤纷的建筑了。

下面再给你们做个测试。底下列出了本章的新单词。每个词算 20 分。看你能不能准确地把每个词默写出来，比一比，看这次能不能拿到跟上一章测试一样高的分数。本章的新词有：

拜占庭风格

希腊式十字

斗拱

扶壁

清真寺

第11章　黑暗中的一线光明

"有辉煌也就必定会有没落。"罗马帝国一度辉煌至极，罗马人曾征服了差不多整个欧洲，建立了欧洲文明。后来罗马帝国走向了没落。

罗马帝国的没落始于东西部之间的分裂。罗马帝国的首都从罗马迁往君士坦丁堡后，原先的首都罗马自然地丧失了实力。直到最后东西部分裂了，君士坦丁堡成了东罗马帝国的首都，而罗马则成了西罗马帝国的首都。原先的一个帝国分裂成了两个，出现了两个帝王。但这种状态并没有维持多久，北部的野蛮民族开始不断南攻，一路从法国攻至意大利。这些北方人非常凶残粗鲁，从没学过读书写字，我们把这些人叫做"日耳曼人"。日耳曼人先后占领了法国、西班牙和意大利，并最终攻下了罗马城，结束了西方历史上古罗马帝国的辉煌。我一直很好奇，当日耳曼人进入罗马城，看见那些金碧辉煌的宫殿剧院时，心里是怎么想的。

日耳曼人十分粗暴无知，但很勇猛善战。他们最终也皈依了基督教，并学会了他们在欧洲各定居地的语言。罗马帝国各个地区曾经都讲同一语言——拉丁语。在日耳曼部落统治时期，欧洲各个地区的语言开始变得各不相同。法国人不再讲拉丁语，开始说法语，西班牙人说西班牙语，意大利人说意大利语。没过多久，各个地区之间人们的语言便不再共通了。

　　不过那个时候西班牙、法国和意大利都还没有成为真正独立的国家。因为只要有战争就不会有独立。各个部落、各个城镇之间相互残杀，把古老的文明生活全颠覆了。与文明有关的一切都渐渐陷入了黑色的深渊，古罗马人的生活方式也完全被遗忘了。鉴于战火不断，人们也没有时间修建筑，甚至差不多都忘了建筑是怎么一回事，人们还是使用以前建好的矩形会堂，几乎没有新建任何教堂。公元 500 ～ 1000 年之间的这段时期，局势非常糟糕，所以我们将这一时期称为"黑暗时代"。

　　尽管整个欧洲都陷入了黑暗之中，但通过黑暗还是可以看到几许希望之光。其中第一道光就是查理曼大帝统治时期。查理曼大帝也是日耳曼人，从小没受过教育，不会写字。你肯定很难想象，一个国家的领袖（比如美国的总统）竟然一个字都不会写。不过查理曼大帝头脑聪明，而且所有该知道的东西他都愿意去学，他后来成了法国国王。但他并不满足，直到最后把德国和意大利也纳入了他的统治范围。

　　查理曼大帝鼓励发展建筑。他把能找到的最聪明的人都招纳到自己的朝廷。在他的帮助下，自古罗马帝国灭亡以来便止步不前的建筑才又有所恢复。公元 800 年，查理曼被加冕为新罗马帝国大帝。

　　黑暗时代另一束摇曳的希望之光，是由基督教修士们点燃并保持不灭的。修士指的是在隐修院修行的道士。每个隐修院都有一个主持修士，叫"隐修院院长"。

克吕尼隐修院第三教堂复原图

查理曼大帝

克吕尼隐修院第三教堂中殿复原图

当时的修士们认为，只要他们辛勤劳作，远离外界的战火纠纷，就可以将生活变得更好。

因此这些修士便在隐修院里辛勤地劳作，种蔬菜、修教堂、开办学校、绘画、编写史册以及救济那些上门求助的穷人和病人。不过对我们来说，他们最大的贡献就是研究古罗马著作，并将它们完整地保存了下来，正因为有这些博学的修士，我们今天才能对古罗马人的生活方式有这么深入的了解。

修士们住的隐修院通常建在教堂周围，这种教堂叫做"僧院"。僧院的一面是个庭院，从僧院出来穿过庭院通常是用餐的地方，叫做餐厅。庭院各端都有一条通道，连接僧院和餐厅，靠庭院的一边有一排石柱。每条通道都像一条长廊，我们将这种通道叫做回廊。回廊中的石柱与古希腊或古罗马人的石柱不一样，既不是多立克柱式、爱奥尼亚柱式或科林斯柱式，也不是托斯卡纳柱式或混合柱式，而是形状各异，即使是同一回廊里的柱式也各不相同。一些柱式呈扭曲状，像个螺丝钉，也像条拧干水的湿毛巾。还有一些柱式柱身缠满丝带或纵横交错的线条。许多回廊中的石柱都是成双成对存在，因此叫做"组合柱"。这种石柱跟万神殿中的石柱很不一样吧？

第12章　圆　拱

假如整个世界明年便终结，那会怎么样？在黑暗时代，大部分欧洲人都相信，世界末日会在公元1000年年底降临。不过他们不清楚世界会以哪种方式终结，可能整个地球会起大火，也可能地球会分裂开来，或被地震和火山喷发震裂开来。不管到底是以何种方式，他们坚信《圣经》上所记载的，公元1000年是世界终结之年。所以人们开始停止新建任何重要的建筑，因为即使建了也没用，反正世界末日来临时都会被毁掉。

接着公元1000年过去了，整个世界什么都没发生，一切还是照样存在。欧洲人这才意识到，原来他们错了。于是人们开始建更多好的建筑，黑暗时代的光明之光开始变得越来越亮。

现在我将给你介绍一下公元1000年后广泛采用的一种建筑，叫做"罗马式建筑"。要想分辨出一栋建筑是不是罗马式建筑，最简单的方法就是看它的门窗顶部有没有圆拱，如果有，就很可能是罗马式建筑。

这种建筑之所以称为罗马式，是因为使用这种建筑风格的国家都曾由罗马统治。随着这些原罗马统治下的国家各自有了自己的语言，他们也开始渐渐有了自己的罗马式建筑。

意大利的罗马式建筑跟传统的矩形建筑很不一样，所以我先给你们介绍两座最有名的意大利风格罗马式建筑。

　　我想你肯定认识下图中那座斜塔，它就是著名的比萨斜塔。比萨斜塔旁边的建筑便是一座大教堂。大教堂指的是拥有主教的教堂，因为这座教堂里住的是比萨城的主教，所以就叫做"比萨大教堂"。

　　如果从飞机上俯视比萨大教堂，它是一个十字架的形状，但不是希腊十字，而是拉丁十字，也就是说十字的四个架臂并不是等长的，其中有一个主臂比其他三个架臂都长。十字架的顶端始终朝东，这样一来，位于那一端的祭坛就可以离耶稣诞生之地——东方的巴勒斯坦更近。

　　比萨大教堂的外部值得认真观察一下，如果你自认为是个优秀侦探，可以观察到大多数人注意不到的细节，就更得仔细看了。教堂外部那一排排上面有拱门的圆柱叫做"拱廊"。一个出色的侦探肯定一眼就可以看出，拱廊中的拱门都是圆拱，因此就会推测出，这座建筑很可能是罗马式建筑。比萨教堂西面一共有四排拱廊。

　　还有一个细节，我想只有非常优秀的侦探才能够观察得到，那就是每

● 比萨大教堂、比萨浸礼堂和比萨斜塔

层拱廊的高度都各不一样，最底下那层的圆柱最高，然后每升一层，圆柱的高度就会减少一些。另外肯定只有非常非常优秀的侦探才能看出来，靠近地面的三个拱门中，中间那个要比旁边两个更大。

你再更仔细地观察这座教堂。应该只有相当出色的侦探才会看出来，最上面两排拱廊与底下两排圆柱并不是完全对齐的。

所有这些差异都不是偶然造成的，而是故意建成那样的，因为如果四排拱廊建得完全一样，整个正面看起来就会非常单调呆板。

如果再仔细观察比萨斜塔，你会发现它所有的拱廊都差不多一模一样，正因为如此，比萨斜塔看起来才没有比萨大教堂漂亮，有些人甚至觉得它很丑。我倒不认为比萨斜塔丑，但也不得不承认它的确没有大教堂漂亮，尽管你可能觉得它斜斜的样子很好玩。比萨斜塔比大教堂晚修建很久，所以那时候的建筑师可能已经忘了，为什么大教堂的拱廊不是建成一模一样的了。

比萨斜塔始建后没多久便开始倾斜了，第一层还没建好时，地基就斜了，一边高一边低，因此修建就暂停了。不过几年后，另一个建筑师设法在原有斜度的基础上加建了三层楼；再后来又有另一个建筑师建好了整座塔。不过有人认为，建筑师一开始就是特意把比萨塔建成斜的，好让它有别于其他建筑。

没错，当时意大利各城市的确在相互竞赛，争先恐后地建各种稀奇古怪的建筑，以吸引眼球。但今天大部分人还是相信，比萨斜塔的倾斜是偶然造成的，是因为斜塔下的泥土太软了，所以地基的一边陷了下去。比萨斜塔的顶部偏离垂直线大约 14 英尺（现在为 5 米多——译者注）。塔的顶部有 7 个大钟，其中最重的那个钟放在与塔斜向相反的那边，以保持塔身的平衡。

比萨大教堂附近是一栋环形建筑，名叫"比萨浸礼堂"，用来给人做洗礼。罗马式建筑时期结束后，比萨浸礼堂发生了巨大的变化，因为后来的建筑师们认为，他们可以把浸礼堂改得比原先更漂亮。

● 昂古莱姆教堂

　　法国罗马式建筑的典范是昂古莱姆教堂。如图所示，昂古莱姆教堂的正面有雕塑装饰。你应该也注意到教堂外部典型的罗马式建筑的圆拱了。

　　跟随威廉一世共同进入英国的诺曼底人在英国建了许多教堂和城堡。诺曼底人的建筑跟法国以及意大利的建筑一样，也属于罗马式建筑。不过这些建筑通常叫做"诺曼底式建筑"，而不是罗马式建筑，而且它们现在跟刚建好时的样子也很不一样，因为后来的建筑师总是不停地对它们做一些修补和改动。通常情况下，一座英国的教堂中可能只有一部分是诺曼底风格的，剩下的部分则可能跟诺曼底风格完全搭不上边。

　　德国也有许多非常不错的罗马式教堂，而且都有拱廊和圆拱。所以记住罗马式建筑都有圆拱和拱廊吧，绝对非常实用。

第**13**章　城　堡

在很久以前有一个非常邪恶的魔鬼，他住在山顶的一座大城堡里，每当有人很不幸从城堡下走过时，他都会跳出来，把这个人抓起来关进城堡的高塔里。

听起来像一个童话故事的开头吧，它也的确是一个故事的开头，不过这个故事要比童话故事更真实。中世纪的人们认为世界上有仙女和魔鬼存在，而且他们也真的在山顶上建了许多城堡。不过尽管那时其实并没有魔鬼，但很不幸，我还是要告诉你们，有些城堡里住着一些非常邪恶的人，他们也真的会把那些他们认为有钱可抢的人锁进城堡的高塔里。虽然并非所有住在城堡里的骑士都是坏人，

● 卡尔卡松城堡

305

但大部分骑士都很好战和残忍，而且所有的城堡都是用来关押犯人的地牢。

这些城堡是为了封建制度而建的。在封建制度中，一个国王或王子征服了一个国家后，就会把整个国家的土地分给他手下的几个贵族，然后这些贵族又会把自己分到的土地分给其他的贵族，其他的贵族又可以把自己的那份土地分给各个骑士。不过每个贵族和骑士都得承诺，每当分给他们土地的贵族需要帮助时，他们都得尽量帮忙。接着每个分得土地的贵族和骑士便给自己修建大城堡，保护自己的土地不被别人抢走。那个时候还没有警察可以保护他们的土地不被偷走，所以每个骑士就得组建自己的军队，修建自己的城堡，来维护自己的权利。

城堡附近通常是一个村庄，里面住着平民。平民的待遇通常都不怎么好，住在简陋的小木屋里，大部分人都得把自己种的粮食部分上交给城堡里的贵族，而且当贵族需要时，所有平民都得成为贵族的士兵，为他服务。作为回报，城堡里的贵族也会保护这些平民免受敌人的侵犯。

城堡周围建有高大厚实的石墙，石墙外面是一条很深的水渠，叫做"护城河"。进入城堡的唯一通道就是护城河上的吊桥。每当有敌人进攻时，城堡内的人就可以把吊桥升起来，这样敌人就进不了城堡了。即使吊桥还没来得及升起，敌人已经上桥了，他们也还是进不去城堡，因为前面还会有一个大栅栏门挡着他们。这个大栅栏门叫做"吊闸"，可以从城门口上方降下来挡在门前。

城堡的城门处以及沿着城墙有许多大型的高塔，高塔上只有窄窄的几个开口用做窗户。射手可以从这些开口往外射箭，但外面的箭却射不进来。

城墙内部有一个庭院，庭院周围是马厩、士兵和仆人住的营房、厨房以及一个名叫"要塞"的高塔。高塔里住着的是城堡的主人，里面有一个大餐厅，通常还有一个小教堂或礼拜堂。城堡底下是牢房和酷刑室。当有敌人进攻时，附近村庄的村民便会带上牛羊进入城堡，在那儿待上一段时间，因此城堡里必须要有足够的粮食储备。

● 皮埃尔丰城堡剖
面图。水彩画，维
奥莱·勒·杜克绘。

　　上图是法国皮埃尔丰城堡。你应该注意到了，下层城墙上开的窗户非
常少吧。皮埃尔丰城堡原本已经慢慢倾塌了，大约在五十年前才重建起来。

第 14 章 高耸入云的建筑

下面我要给你们介绍的这类建筑是根据一些从来没有自己建筑风格的人命名的，这些人除了小木棚外，再没建过其他建筑。但根据这些人命名的建筑却是世界上最著名的建筑风格之一。听起来很是奇怪，对吧？

那些只修建过小木棚的人叫做哥特人。而与哥特人毫无联系的那类漂亮建筑则叫做"哥特式建筑"。如果说哥特式建筑与哥特人毫无关系，那为什么还要叫这个名字呢？

原因很奇怪。今天在我们看来，哥特式建筑非常神奇漂亮。但奇怪的是，有些人却非常鄙视这些漂亮的建筑。他们认为只要不是来自希腊或罗马的建筑风格都是不好的，他们还认为哥特式建筑非常粗俗野蛮。而他们能想到的最粗俗野蛮的民族就是征服了罗马的哥特人了，因此他们就

● 斯特拉斯堡大教堂的正面外观局部图

● 哥特式大教堂内部

将这种漂亮的建筑称为"哥特式
建筑"。这不仅表明了那些人认为
这些建筑非常粗俗，而且暗示了
他们认为这种建筑风格肯定是由
哥特人发起的，总之这个名称其
实是对哥特人的一种讽刺和挖苦。

哥特式建筑也是从罗马式建
筑发展而来。建筑师一直都在试
着用石块修建教堂的中厅拱顶，
因为石块比木头更防火。一开始
中厅拱顶是建成筒形拱顶，形状
像木桶的底端。建筒形拱顶需要许多木制的拱顶支架，因为如果拱顶宽度
很大，拱顶的各个部位都得用拱顶支架支撑起来，直到所有石块都放好后
才能取掉。建拱顶支架需要耗费相当多的木材，所以当有人发现有一种可
以用很少的拱顶支架便能建好拱顶的方法时，大家都认为这个发现意义重
大。这个新方法就是：先从拱顶的四个角出发建两个相互交叉的拱肋，就
像两个交叉的拱门或两段交叉的铁环，然后再将拱顶中剩下的部分同时一
点点地补建上去。

接着又有了另一个发现，那就是建筑师发现尖拱有时比圆拱更好。事
实上这并不是新的发现，因为小亚细亚人使用尖拱已有许多年了，只不过
参加十字军东征的骑士们在返回欧洲时，带回了这一想法。你可能认为，
把圆拱改为尖拱不过是件小事，没什么了不起，但事实上这个小小的改动
却意义重大，下面就是具体原因。

圆拱的高度必须要由宽度决定，也就是说拱顶的开口越宽，拱顶也就
要越高。尖拱则不同，不管拱顶的开口有多宽，你都可以自由决定拱顶的
高度，想要多高就可以建多高。你可以把双手放到一起组成个拱形来证明

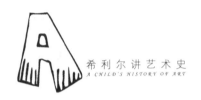

这一点,假如你的两个手掌间的距离保持不变,那么你的手指肯定只能形成一个圆拱,却可以形成几个不同高度的尖拱。

建筑师在用石块修建大教堂时,发现将中厅拱顶建成尖拱要比建成圆拱容易得多。当然尖拱也会对底下的墙壁造成侧向的压力,因此墙壁就得砌得非常厚,并且要用扶垛很好地固定起来。但他们又发现,如果将拱顶建成十字拱顶,侧压力主要来自于拱肋的各个角,这样一来,如果在拱肋的各角砌上厚厚的扶壁,墙壁的其他部分就可以建得很薄了,甚至到最后,扶壁之间的墙壁都不需要承受支力了,可以直接安装成玻璃。因此最终教堂外部的墙壁便成了每两个石扶壁之间夹一块大玻璃。

● 法国一座教堂上的飞扶壁

因此不仅墙壁变得更薄了,扶壁也发生了变化。大家都知道扶壁是不会真的能飞的,但哥特式建筑中的扶壁却叫做"飞扶壁"。飞扶壁倚靠在墙上,看起来就像一个人拿着一根木棍推向墙壁。飞扶壁抵压着墙壁的顶部,使墙壁不被拱顶和屋顶的重量压塌。

左图中便是法国一座教堂上的飞扶壁。总结一下,交叉拱、玻璃与扶壁交替的墙壁、飞扶壁是三个值得纪念的重要发现,正因为有这三个新发现,才有了美轮美奂的哥特式建筑。当然还得记住，哥特式建筑之所以叫这个名字，并不是因为它们由哥特人发明的。

　　哥特式建筑与古希腊和古罗马建筑完全不同。古希腊和古罗马建筑都是牢牢地固定在地面上，差不多所有的重量都是直接向下的。但哥特式建筑是各个方向压力的一个平衡，只要有侧压力存在的地方，就会有一个扶壁来平衡这股压力。

　　希腊和罗马式教堂中的线条大部分都是纵长走向，算是横向建筑。哥特式大教堂则是竖向向上，直耸云霄，大部分的线条都把视线引向上方，而且有些细节部分也起到了这种作用，比如尖拱。总而言之，一座哥特式大教堂看起来就像是一首献给上帝的赞美诗。

第15章　献给圣母的赞歌

今天建一座高楼只需几个月。但过去人们建一座哥特式建筑却要花几百年，其中科隆大教堂甚至花了六百多年才建好。

最重要的哥特式建筑便是大教堂。而且一提到"哥特式建筑"，大部分人首先想到的便是法国，因为世界上最精美的哥特式大教堂大都在法国。

哥特式大教堂是用爱心筑成的。教堂所在村子和周围村子的乡亲们都会为教堂的修建做出贡献。工匠行会的成员负责打磨和堆砌石块。如果工作做得不好，行会是绝对不允许通过的。因此整座大教堂中找不到任何造假的东西，连屋顶上的石雕都做得非常精心，仿佛人们会爬上去认真研究这些雕刻一样。

可能正因为如此，哥特式大教堂才能被列为除希腊建筑外世界上最精美的建筑典范。希腊庙宇和哥特式大教堂的工匠们各自留下了不同风格的建筑，但相似的是他们都勤勉认真。

大部分法国的哥特式大教堂都是为圣母玛丽亚而建的，叫做"圣母院"。因为法国建的圣母院实在太多了，每座圣母院就只是根据它所在城镇来命名，如夏特尔圣母院和兰斯圣母院。不过如果人们直接说圣母院，通常指的是巴黎圣母院。

巴黎圣母院的西端，也就是跟祭坛相对的那端，有两座高塔。高塔底

● 巴黎圣母院细部

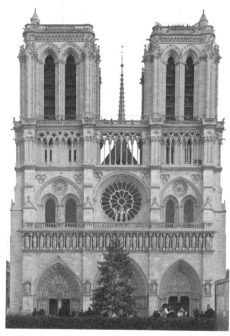

● 巴黎圣母院正面图

下和中间有三个入口，一个通往中厅，旁边两个分别通往侧廊。入口上方是一排排先知和圣人的雕像，密密麻麻叠在一起。每个入口上面有一排大型的国王雕像，国王雕像再往上便是一个圆形大窗户，叫做"轮辐窗"或"玫瑰花窗"。玫瑰花窗上镶满了五颜六色的玻璃，使得教堂内部呈现出柔和的淡紫色光晕。

巴黎圣母院呈拉丁十字形，事实上差不多所有的哥特式大教堂都是拉丁十字形。十字的架臂叫做教堂的"翼"，左右翼在中厅处交叉，叫做"交叉口"。交叉口上建有一座细长的尖塔。你可以在图中看到，那座尖塔就在两座高塔之间。

据说，巴黎圣母院的正面是世界上最精美的。尽管事实上，法国的每一座大教堂都有某一部分可以视为世界上最好的。所以如果说将每一座教

堂中最好的部分都拿出来，然后放在一起组建成一座新的教堂，那这座教堂该有多完美呀！不过尽管完美，这座教堂却不一定会比单个的那些教堂有趣。毕竟太过完美也并非好事。

巴黎圣母院的两座平顶的高塔上原本也是要建尖塔的，但等到可以建尖塔时，已过去太多年了，人们也就渐渐忘记要建尖塔了。有些大教堂中，两座高塔只有一座上面建了尖塔。还有一座非常漂亮有名的大教堂，它的几座尖塔是在不同时期建好的，所以并不怎么相似，这座教堂就是著名的夏特尔大教堂。

夏特尔是法国的一座小城，离巴黎大约60英里。夏特尔大教堂不仅因为其两座尖塔而著名，还因为其外墙上的彩绘玻璃而闻名。夏特尔大教堂墙上的玻璃都绘有五颜六色的圣经图案。太阳光透过彩色玻璃照进教堂内，

● 夏特尔大教堂　　　　　　　　　　● 夏特尔大教堂的玻璃镶嵌画之一

● 巴黎圣礼拜堂的内部图

带来美轮美奂的光影效果。不过我现在
要给你们看的这幅图，并不是夏特尔大
教堂的彩绘玻璃，而是巴黎圣礼拜堂的
内部图。你可以从图上看到，整个教堂
大部分的墙壁都是玻璃，石壁部分非常
少，差不多只有用来固定玻璃的石框架。
单独的玻璃块用铅条连在一起，组成的
玻璃墙便固定在石框内，用来固定的石
框叫做"窗格"。

随着更多新哥特式大教堂的修建，窗格的形状也发生了变化。通常通
过窗格的形状我们可以很好地分辨出一座哥特式大教堂修建的时间。

● 兰斯圣母院

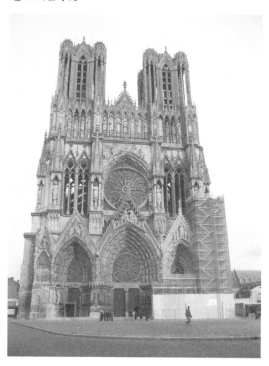

人们认为兰斯圣母院的入
口是所有教堂中最精美的。兰
斯圣母院同样因为其整体建筑
的比例或外形而闻名，同时覆
盖整个教堂外墙的许多石雕也
非常有名。不幸的是，这座
教堂是在战火纷飞的第二次世
界大战时期建造的，后来被德
国的炮弹击中，严重受损。战
争结束后，人们尽可能地重修
了这座教堂，因此现在兰斯圣
母院差不多已经完全恢复了原
貌。

兰斯圣母院能够得到重
建，这真是万幸，但还有许多

● 亚眠圣母院的中厅

漂亮的古老建筑要么已经在战争中完全摧毁了，要么就已经受损严重，无法再重建了。比如漂亮的帕台农神庙便在一场战争中被炸掉了。

许多人都认为亚眠圣母院的中厅是所有哥特式大教堂中最好的。下面我们就来总结下，看每座教堂最好的部分都是什么：

巴黎圣母院的正面

亚眠圣母院的中厅

兰斯圣母院的入口和雕刻

夏特尔大教堂的尖塔和玻璃

法国北部有许多哥特式建筑，差不多每座小镇都有自己的哥特式大教堂。因为这些教堂都是为上帝而建，所有人都会尽其所能将它们建得更为金碧辉煌。中世纪时期的所有艺术形式都可以在这些教堂里或在这些教堂里举办的宗教仪式中找到，包括：绘画、彩绘玻璃、雕塑、建筑、音乐、壁画、珠宝，以及制作祭坛时用的稀有金属。高耸入云的哥特式建筑风格最适合建教堂不过了，甚至到今天，还有许多人认为最适合用于现代教堂的建筑风格非哥特式莫属。

第16章 乡村教堂

你有没有注意到，上一章插图中的所有教堂看起来都是位于城区。事实上，法国几乎所有教堂都位于城镇，周围没什么空地，全部是住房、商店等，所以很难看清楚法国教堂的外部。

英国教堂则完全相反，主要建在乡间，因此周围有许多空地，全是花草树木，漂亮的周边环境使得教堂本身看起来更加漂亮。

那么，为什么法国的教堂要建在城市，而英国的教堂却建在乡间呢？

这是因为法国的教堂都是城里人建的。那时候的教堂用途要比现在多得多，除了做祈祷和拜神，教堂还用作学校、剧院和公共会议厅。鉴于教堂对于城市人民的生活如此重要，它也就必须建在城镇中心了。

但英国的教堂主要是修道士所建，主要供他们自己使用。村民们有自己的郊区礼拜堂用来做礼拜。普通民众当然也可以去大教堂做礼拜，但大教堂主要是为隐修士所建。隐修士住在隐修院是为了远离外界，专心修行，所以大部分的隐修院都是建在远离城市的乡村。

因此英国教堂和法国教堂的第一个差别就是，前者位于乡村，后者位于城市。

不过除了这个，还有第二个差别：

英国的教堂要比法国教堂更长、更窄。英国的教堂看起来又长又窄，

法国教堂则又短又宽。这是因为，英国教堂的东端是隐修士做祷告的地方，必须足够长才能容纳下许多隐修士。而法国教堂经常会有大批民众前来听牧师布道，所以空间更宽更短，这样所有的人才能听得到牧师的声音。总之每个国家教堂的形状都根据其各自的用途来决定。

第三个差别：

大部分法国教堂在西面都有通向中厅和侧廊的大门。但除了西面的大门外，英国教堂在两侧还有旁门，旁门外建有小门廊，用来遮挡风雨。

第四个差别：

大部分法国哥特式大教堂在西面的入口都有两座高塔。但许多英国哥特式大教堂只在中厅上方有一个主塔，或者有些教堂在西面完全没有塔。

所以，这就很好地说明，同一种建筑风格在不同国家也可能完全不同。难怪英国人总认为英国的哥特式建筑是最好的，法国人却认为法国的才是最好的。

关于哥特式大教堂，另一个值得注意的地方是，几乎没有哪座教堂是一次建好的。在多数情况下，教堂可能一开始修建时是罗马式，等几年后完成的时候却成了哥特式。比如英国的达勒姆大教堂，这是英国人当初为了抵御苏格兰人而建的一座碉堡式教堂，它的中厅是诺曼底式风格，高塔却是哥特式风格。相比于其他教堂，达勒姆教堂更加简单，外部没有太多装饰，因此看起来也就更加庄重。

随着时间的推移，英国的哥特式建筑也经历了一些变化。根据不同的时期，英国的哥特式建筑可以分为四种风格。但有时候，因为建一座大教堂需要的时间实在太长了，一座教堂可以同时拥有不同时期的四种风格。

13世纪修建的哥特式大教堂为早期英国式，如索尔兹伯里大教堂，它拥有英国所有教堂中最高的尖塔。

14世纪的哥特式建筑是装饰式，如林肯大教堂的中厅和西端。

15世纪的哥特式是垂直式，典型代表是坎特伯雷大教堂上的高塔。

● 索尔兹伯里大教堂。选自康斯太伯尔绘画作品。

最后一个是都铎王朝时期，这段时期内流行的哥特式叫做都铎式，典型代表是西敏寺中著名的亨利七世礼拜堂。

西敏寺本身比大部分英国建筑都更具法国教堂的风格，可能是因为它位于伦敦城区。这里因埋葬了许多英国伟人而著名。

如果你有收集剪贴画的习惯，你可以试着去找另外两座著名大教堂的图片。一座是彼得伯勒大教堂，在它正面的拱门入口有一排高大的尖拱，差不多有屋顶那么高。另一座是威尔士大教堂，其横翼和中厅的交叉处有一座著名的高塔，我保证你肯定会很喜欢这座塔。如果还没有剪贴本，就

● 英国林肯大教堂

● 英国坎特伯雷大教堂

买一本吧。这样你就可以搜集你喜欢的图片贴上去，挺好玩的。你还可以跟好朋友比赛，看谁最先收集齐八张不同的英国大教堂的图片。你可以从杂志上或旅游手册上去找这些图片。这样等你以后去英国旅游时，看到每座大教堂都会觉得很亲切，就像见到老朋友一样。

第**17**章　环游欧洲

我有一个朋友，花了整整一个夏天骑着自行车穿行欧洲，到处看风景。他是一个年轻的美国建筑师，希望通过这种方法能够参观尽可能多的哥特式建筑，同时又锻炼身体。他骑着自行车穿行了整整1100英里，等暑假快结束时，他发现还有一些他希望参观的建筑已经没时间骑自行车去了，更为甚者，这些建筑还分布在欧洲的不同地区。所以他卖掉了自行车，搭飞机去了那些建筑所在地。坐飞机一天可到达的地方，比骑自行车三个月才能到达的地方还要远。

他首先飞去了德国的科隆,这个名字听起来有点像古龙香水，但事实上，科隆是德国的一座大城市，因其庞大的哥特式大教堂而闻名。科隆大教堂是北欧最大的哥特式大教堂，尖顶高500英尺，相当于30层楼的高度。

科隆大教堂始建于1248年，建筑过程很漫长，六百年后，也就是1880年才完成。不过比起其他许多教堂这已经很好了，因为有许多教堂到后来根本就没接着建下去，也永远不会再建了。

科隆大教堂就其自身长度来看有点宽，因此许多人都认为它没有法国大教堂漂亮。而且其西翼的双子塔和尖顶底部都太大、太笨重，在视觉上拉小了建筑的其他部分。整座教堂各个部分的比例不是很协调，也就是说，尽管教堂的每个细节部分都建得非常精美华丽，整体搭配上却不怎么协调。

上面提到的那个年轻建筑师当然也知道这些缺陷，但当他看到教堂上成千上万的石雕人物、高高的尖顶、耸立的高塔和飞扶壁时，他完全惊呆了，所有的缺陷都被抛之脑后。事实上也正是因为这些精美的细节，科隆大教堂才能举世闻名。

年轻的建筑师接着从科隆飞往比利时的安特卫普。安特卫普大教堂是比利时最为华丽的教堂，其西侧正面留有两座高塔的空间，但后来只建了一座，另一座一直都没再建，取而代之的是一座小小的尖塔。

唯一建好的那座高耸入云的高塔，顶部较小，就像一个尖顶，塔身有许多石雕，看起来像是用石头雕的花边。整座塔非常优美，但花边看起来

● 科隆大教堂

● 安特卫普大教堂

有点过于花哨。另一座塔一直没再建，很可能是因为只建一座反而更好。否则，建两座高塔会使整个教堂看起来就全是塔了，就如科隆大教堂一样。

● 布鲁塞尔市政厅

除了安特卫普大教堂内的高塔外，比利时还有其他许多漂亮的塔，许多都不是建在教堂里，而是独立存在的。这些塔通常叫做"唱歌塔"，因为塔内的大钟会发出悦耳的音乐。唱歌塔不但漂亮而且实用，比如，塔的钟声可以用来召集民众、出现危险时发出警告，还可以用来宣布胜利的好消息。比利时应该为它漂亮的哥特式塔而自豪。

● 布尔戈斯教堂

除了唱歌塔外，比利时还有许多非教堂的哥特式建筑。哥特式风格因为看起来高耸入云，很适合建教堂，所以大部分的哥特式建筑都是教堂。但比利时的许多非教堂哥特式建筑也很漂亮。既然不是教堂，这些建筑自然也不是十字形，其中有些也像教堂一样有高塔和尖顶，有些却没有。有些是市政府建立的，用做市政厅，供公众开会；有些是用做行会的俱乐部或总部。每一个行业都有自己的行会，比如，泥瓦匠行会、铁匠行会、

船夫行会、商人行会、屠夫行会、面包师行会、烛台匠行会，等等。每个行会当然也希望有自己的俱乐部。比利时的许多行会俱乐部都是漂亮的哥特式风格。

许多哥特式市政厅和行会俱乐部都建有斜屋顶，上面是一排排的天窗。伊佩尔的克洛斯厅便是中世纪时期比利时最著名的建筑之一，但这座教堂早就在世界大战期间被烧毁了。我的那位建筑师朋友去得太晚，所以看不到这座教堂了。

那位年轻的建筑师告诉我："游完比利时后，我搭飞机去了西班牙。我想去看看世界上最大的哥特式大教堂，也就是位于西班牙布尔戈斯小镇的布尔戈斯教堂。这座教堂的双子塔让我想起了科隆大教堂，除了有两个尖顶外，双子塔中间还有一座八边形高塔。大教堂周围还有回廊、礼拜堂和大主教的宫殿。

布尔戈斯位于西班牙北部，相比于西班牙最南端的教堂，布尔戈斯大教堂更具法国和德国教堂的风格。西班牙北部长期由阿拉伯的摩尔人统治，因此那里的哥特式大教堂具有许多摩尔人建筑的特色。在后面的一章我将

● 圣马可教堂　　　　　　　　　　　　　　　● 圣马可教堂上的圆顶

给你们介绍摩尔人的建筑风格。

接着，我的那位朋友就快速穿过了比利牛斯山、法国和阿尔卑斯山到达意大利，因为他知道在那里他能看到威尼斯哥特式建筑。

圣马可大教堂屹立于圣马可广场，顶部有五个圆顶，极具拜占庭式建筑风格。圣马可大教堂旁边是一座四层楼高的建筑，名为总督府，也是哥特式风格（注意到右图中的尖拱了吧），但它与其他哥特式建筑很不一样。总督府的底下两层是长排的尖拱柱廊，形成两排环绕建筑的游廊。

总督府的上半部分是按一定图案用粉白色大理石砌成的平面墙壁。下半部分精美的拱廊在上半部分平面墙的衬托下，显得更加漂亮，就如一辆旧汽车会把新汽车衬托得更新一样。不过，平面墙的面积也不能太大，否则整座建筑看起来就会太过单调。正因为上下部分搭配得恰到好处，总督府才成了圣马可广场上一道美丽的风景。

威尼斯还有许多规模稍小的哥特式建筑。不过要想参观这些建筑，你得坐船去，因为大部分建筑都位于水道旁，坐船你就可以直达建筑前门的阶梯。我的那位建筑师朋友就是这么做的，他搭了一艘平顶船，然后在三天内参观了所有想看的建筑，三天后他便坐船返回纽约了。在回来的船上，他将自己拍下的照片整理成相册。他说他非常开心，因为搭飞机旅行让他能有机会拍下这么多漂亮建筑的照片。

第18章 芝麻开门

在《一千零一夜》中有这么一个故事：阿里巴巴来到四十大盗的洞口，发现石门紧锁着，便叫了一声："芝麻开门！"门马上就开了。

阿里巴巴是伊斯兰教教徒，水手辛巴德、阿吉布王子和《一千零一夜》中其他的所有好玩的人物也都是伊斯兰教教徒。

"芝麻开门！"让我们看看，如果说出这个神奇的词语，这一章会不会向我们敞开通往伊斯兰建筑宝藏的大门。

伊斯兰教教徒信奉《古兰经》，就如同基督教教徒信奉《圣经》一样。《古兰经》里规定，所有伊斯兰教教徒不得画任何生物的画像。所以你应该很容易猜测得到，伊斯兰教教堂，也就是清真寺，肯定与哥特式大教堂很不一样，不会像哥特式大教堂那样刻满了人物、花草树木的雕像。

如果你生活在伊斯坦布尔或其他伊斯兰教城市，肯定也会注意到清真寺和哥特式大教堂的另一个区别——拱顶的形状不一样。清真寺的拱顶一般是椭圆形的，像半个鸡蛋，而且屋顶通常有一个甜菜根形状的尖顶。所有的清真寺都不用圆拱顶，因为在伊斯兰教中，圆拱顶在过去是坟墓的标志，所以只有当建筑是用作坟墓时，才会修建圆拱顶。

如果你仔细地观察一座伊斯兰教建筑，就会发现这些建筑的工匠们都是非常出色的石雕匠，尽管他们的宗教并不允许他们雕刻任何生物的雕像。

他们雕刻的是一种特殊的图案，里面有直线、曲线、方块、圆圈、斜方形、星形、Z字形和十字形。有些图案雕得非常精美，连成一个网状，看起来像是石刻花边。

这座建筑内部的雕刻和装饰比外部更丰富。它内部的装饰叫做阿拉伯装饰图案，因为最初的伊斯兰教教徒是阿拉伯人，他们修建的许多清真寺都是用这种装饰图案的。有些时候阿拉伯装饰图案是《古兰经》中的经文，因为阿拉伯文字非常优美，可以用作漂亮的装饰。

我们熟悉的伊斯兰教建筑还有一种内部装饰形式，是其他建筑所没有的：在伊斯兰教建筑内，拱顶下方（也就是室内的天花板处）通常有一种奇怪的雕刻，看起来像是无数倒挂在屋顶的小石柱。

每个伊斯兰教乡村，都至少有一个宣礼塔，宣礼人每天要爬上楼五次，呼唤人们祷告。有些清真寺会在寺院的每个角建一个宣礼塔。宣礼人大声唱着："快去祷告！快去祷告！真主阿拉！先知穆罕默德！"这时所有虔诚的伊斯兰教教徒就会面朝圣城麦加的方向，跪地祷告。麦加是先知穆罕默德出生和生活的地方，因此被称作圣城。每个清真寺在最接近麦加的墙上都有一个壁龛，相当于基督教堂里的祭坛。

早期的伊斯兰教徒认为，要想让更多人皈依伊斯兰教，仅仅说服别人信仰是不够的，他们威胁别人说："如果你不信伊斯兰教，我们就杀了你。"这样一来，伊斯兰教便很快从其发源地阿拉伯传播开来，由此可见阿拉伯人都是很好的征服者。伊斯兰教往东传播到了波斯，一直到印度，巴格达成了东部伊斯兰教徒的首都。阿拉伯人往东穿过埃及，经过北非，一直到达直布罗陀海峡。他们并没有止于此，相反，他们修建了船只，一直航行到了西班牙，然后穿过西班牙，将伊斯兰教一直传播到遥远的法国。要不是后来法国人在小镇图尔发起一场战争，阻止阿拉伯人的继续前行，很可能所有的欧洲人都已成了伊斯兰教徒。

不过许多西班牙人的确成了伊斯兰教教徒，西班牙的阿拉伯人称为摩

尔人，他们将科尔多瓦建为西部伊斯兰教教徒的首都，巴格达是东部伊斯兰教的首都，正如罗马帝国曾经有东部和西部的首都——君士坦丁堡和罗马一样。摩尔人统治西班牙达七百多年之久，大约到哥伦布时期才完全被赶出西班牙。

摩尔人在科尔多瓦修建了一座大清真寺，直到今天还存在。你还记得吧，当初伊斯兰教教徒攻下君士坦丁堡时，将那里的圣索菲亚教堂改成了一座清真寺。在科尔多瓦则发生了相反的事，因为摩尔人最终被赶出了西班牙，基督徒便将那座清真寺改成了一座基督教教堂，而且一直维持至今。

就目前来看，西班牙最有名的伊斯兰教建筑是阿尔汉布拉宫。人们将这座宫殿建在一个陡峭的石山上，从而可以阻止敌人进攻。宫殿内有许多不同的建筑，分别是卫士室、众多大厅、花园和庭院等，全都饰有成千上万的阿拉伯花纹。其中的狮庭你可能听说过。狮庭四周都是拱廊，看起来有点像一个回廊，中间是一个巨大的大理石盆，安放在十二只石狮背上，用作喷泉。

我想接下来你肯定会问我一个难堪的问题了，之所以难堪，是因为我根本回答不上来。那就是："既然摩尔人不能够雕刻任何生物，这些石狮又是怎么回事呢？"

这个问题的答案我也不知道。可能这些石狮只是一个例外吧；也可能这些石狮是基督徒雕的，只不过被摩尔人俘获了，然后放进了阿尔汉布拉宫；还可能……谁知道呢！下页有一幅"狮庭"的图，你能看到图中的阿拉伯装饰图案吗？

● 阿尔汉布拉宫

● 阿尔汉布拉宫中的狮庭

● 泰姬陵

摩尔人在西班牙留下的另一座著名建筑是希拉尔达塔。希拉尔达指的是放在塔顶的风向标。风向标是一种宗教标志，会随着风向的变化而摇摆。希拉尔达塔的顶部三层是基督教文艺复兴时期的建筑风格，因为基督徒将摩尔人从西班牙赶出去后，他们便把伊斯兰教建筑占为己用，并通常会补建一些东西。

下面我将带你们去东方之国印度。在印度阿格拉有一名伊斯兰教国王，他为自己的妻子建了一座建筑。要是你知道这座建筑是什么肯定会大吃一惊，是一座陵墓，而且这座陵墓是他妻子还没去世时就建好的。

这在我们看来很奇怪，但在当时却是一种风俗。这种风俗很实用，因为国王和王后在世时就将这座陵墓用作一个招待宾客的娱乐场所。他们死后，便被埋葬在里面。

这座圆顶陵墓叫做泰姬陵。许多游客看到泰姬陵后，都会赞叹它是世界上最漂亮的建筑，甚至超过帕台农神庙。泰姬陵由大理石建成，在太阳底下熠熠发光，像漂亮的白宝石。建筑周围有花园、树木、草地和喷泉，正前方还有一个方形水池，水面倒映着树木和泰姬陵。

伊斯兰建筑的故事就讲到这里。我们就模仿阿里巴巴的话来结束这一章吧："芝麻关门！"

第19章　麻烦的圆顶

很久以前，意大利的佛罗伦萨要建一座大教堂。在这座教堂快完成只剩圆顶没建的时候，突然有一天，工人们不得不停工，留下还未建好的教堂。这是因为建筑师去世了，而建筑师是唯一知道怎样给这座教堂建足够大圆顶的人，所以他一死，教堂就没法建好。因为这位建筑师没有留下任何绘图或平面图供工匠参考，他也没告诉任何人怎样建圆顶。因此在接下来两百多年内，这座教堂圆顶所在的地方都只有一个大洞。后来人们决定进行一场竞赛，选出会建圆顶的人来完成这座教堂。

参加竞赛的人们提出了许多方案。一个人说他确定能够建好圆顶，但必须在底下的中央处建一根大柱子做支撑。另一个人说他也能建好圆顶，但必须用一大堆土。他说："我们可以将金币与泥土混在一起，堆在圆顶的位置，然后再在土堆上建一个圆顶，等圆顶建好后，就可以让人们把土堆移走，同时，找到里面的金币。扒光土堆后，留下的便是建好的圆顶了。"但这个方法简直就是大海捞针，太难实现了。

最终赢得比赛的是一位名叫布鲁内莱斯基的建筑师。他在罗马研究古罗马建筑，曾是雕刻家，也是一名出色的建筑师。布鲁内莱斯基说他能够建好圆顶，而且不用支架，可以节省许多木料。尽管布鲁内莱斯基非常自信，教堂的负责人却不相信他能做到，所以他们让雕塑家吉尔贝蒂和他合作。

　　吉尔贝蒂是一名优秀的雕刻家，他的《天堂之门》便是很好的证明，但他对圆顶一窍不通。事实上，他根本就没做任何工作，所有的设计都由布鲁内莱斯基一个人完成，但他却和布鲁内莱斯基拿一样的工资。这当然就让布鲁内莱斯基很不高兴，所以他就装病躺在家。工匠们也就不得不停工，因为吉尔贝蒂根本不知道要告诉他们接下来该干什么，布鲁内莱斯基在床上躺了多久，工程就暂停了多久。

　　这种做法还是没赶走吉尔贝蒂，所以布鲁内莱斯基决定用新的方法来摆脱吉尔贝蒂。他向负责人提议，最好让两个建筑师各自分工。他说："建圆顶有两件麻烦的东西，一个是泥瓦匠要站的架子，另一个是将拱顶八个边连在一起的链子。我和吉尔贝蒂可以每人负责一项，这样就不会浪费时间了。"

　　布鲁内莱斯基雕像

　　这一招果然管用。吉尔贝蒂选择建链子，但却没建成，很快就被解雇了，只剩下布鲁内莱斯基一人负责。

　　布鲁内莱斯基最终很成功地建成了圆顶。他建的圆顶与帕台农神庙上罗马式的圆顶和圣索菲亚教堂的圆顶都不相同。他的圆顶用砖块砌成，从上到下有许多根石肋拱，将整个圆顶分割成八个部分，因此它的弧度比其他大多数圆顶更平滑。此外，圆顶顶部还有一个顶篷，像个小灯塔，只不过里面没有灯。

　　布鲁内莱斯基是怎样做到不用支架就建好这座圆顶，一直是个谜。但

● 佛罗伦萨的大教堂和钟塔

他的确建出来了，而且建得很好。今天这座圆顶还高耸在佛罗伦萨，从远处都可以看见，它是世界上最著名的圆顶之一。如果你去佛罗伦萨，就会看到这座大教堂附近有一座布鲁内莱斯基的雕像，他平坐在地，抬头望向圆顶，腿上放着圆顶的设计图。

我告诉你们布鲁内莱斯基的故事，除了因为他设计了这座漂亮的圆顶，还有一个原因，那就是布鲁内莱斯基发明了一种新建筑风格——文艺复兴式。

文艺复兴指的是人们重新燃起对文学、绘画、雕塑和建筑的喜爱，尤其是对古希腊和古罗马人所留下的文学、艺术的复兴。我前面说过，布鲁内莱斯基研究过古罗马的建筑遗迹，他对这些遗迹作测量，制绘图，总结所有值得学习的地方。因此在自己设计时，布鲁内莱斯基便会借用他非常欣赏的古罗马设计风格。当然我并不是说他在完全照抄古罗马建筑的风格，他只是仿照这种风格进行设计而已。布鲁内莱斯基之后的所有意大利建筑师也都是如此。

意大利人对哥特式建筑并不感兴趣。意大利阳光炙热，不太适合建玻璃墙的教堂。意大利人喜欢室内阴暗凉爽，不喜欢阳光充足，哪怕阳光是从哥特式大教堂漂亮的彩色玻璃射进来的，他们也不喜欢。

意大利的新文艺复兴式建筑在许多方面都非常不错，但也有许多不足。哥特式建筑的每一部分在建立之初，都有其特殊的作用，比如扶壁用来支撑墙壁；扶壁上的装饰物用来增加扶壁的重量，使扶壁更加牢固；彩色玻璃窗和雕塑用来帮助不识字的人们读懂《圣经》里的故事。总之，哥特式建筑中几乎所有部分都是有用途的。

文艺复兴式建筑却不然。通常情况下，建筑的设计只是为了看起来漂亮。圆柱和壁柱都只起装饰作用，完全不发挥任何支撑的功能。其实装饰就应当是装饰，而不应该像一个圆柱，圆柱是应当用来承载重力的，需要花很多心思才能建好。

一些文艺复兴风格的建筑师会在哥特式建筑外部覆盖一些文艺复兴式建筑装饰，让建筑看起来像文艺复兴风格。但大部分文艺复兴式建筑都是纯粹文艺复兴式的。那个时期最好的艺术家都成了建筑师，负责设计房屋。人们没有修建任何新的哥特式大教堂。事实上，那个时候的教堂已经够多了，没必要再建，所以大部分的文艺复兴式建筑都是宫殿、政府办公楼或图书馆。

第20章 回顾历史 展望未来

文艺复兴式建筑在意大利开始的时间非常好记，和哥伦布发现美洲是在同一年，15世纪的1492年。15世纪的一些早期文艺复兴式建筑是所有文艺复兴建筑中最好的。下图便是佛罗伦萨里卡迪宫的一角。这座宫殿看起来更像一座碉堡，事实上它也的确曾被用作碉堡。

● 佛罗伦萨里卡迪宫

罗马圣彼得广场全景图

　　那时的佛罗伦萨战火纷飞，因此所有宫殿都得砌成碉堡的形状。宫殿底层使用结实的石块，下面的窗户则用很粗的铁条封起来。底层所使用的这种岩石结构叫做乡村式结构，每两块岩石连接处微微凸隆，整栋建筑看起来非常牢固结实。

　　建筑顶部周围的墙上有一圈突出的岩架，叫做飞檐。因为有了飞檐，整座建筑看起来就不会像一个单调的盒子。与哥特式建筑中的尖拱不同的是，这座建筑中所有窗户都是圆顶。

　　建筑内部比外部更像一座宫殿，中间是一个空旷的庭院，周围有阳台。里面有一个大宴会厅、一个图书馆以及其他许多装潢精美的房间。这座建筑最初是由美第奇家族修建，但后来由里卡迪家族买下，所以称为里卡迪宫。

下面总结一下哥特式建筑和文艺复兴式建筑的区别。哥特式建筑中大部分线条都是纵长式，让视线直接从地面拉向屋顶。但文艺复兴式建筑中大部分线条都是水平式的，有石块组成的横线、一排排的窗户还有水平的飞檐。

布鲁内莱斯基之后又出现了几位著名的文艺复兴时期的建筑师。其中有一位名叫布拉曼特，设计了原计划为罗马教皇建的大教堂。他最初计划将这座教堂建为世界上最大的一座教堂，命名为圣彼得大教堂。但开工没过多久，他便去世了。布拉曼特之后又有其他几个建筑师参与这座建筑的设计，但最后由米开朗基罗全权负责。米开朗基罗是文艺复兴时期最伟大的雕刻家，同时他还是伟大的画家、诗人和出色的建筑师。米开朗基罗接手这项工作时，年龄已经很大了，因此直到他快去世时，这座建筑才大致完成。他将这座教堂设计成希腊十字形，中央是一个精美的圆拱。

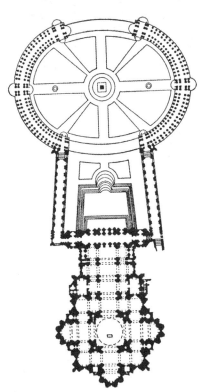
● 罗马圣彼得大教堂平面图

不过米开朗基罗将圣彼得大教堂的一切都设计的太大了，反而使整座建筑看起来没有本来的那么大。我知道这听起来很好笑，你肯定认为一个东西本身越大，看起来肯定也就会越大。但事实并非如此，一个东西看起来的大小取决于它与周围事物的比例。比如，如果你单独看一棵树的照片，肯定不能判断这棵树是大是小，除非树的旁边还有一个人、一条狗或一栋房子，可以用来作参照。地图也是这样，如果没有一个衡量比例，你也很难从地图上看出一个地方离你是 30 英里还是 300 英里。

圣彼得大教堂的窗户大约是普通人身高的四倍。除非有人站在窗户旁，否则你会自然地认为这些窗户都只有一个人那么高，因为大部分的窗户都是这个高度。所以说，圣彼得大教堂的一个大问题就是缺少参照物。

米开朗基罗去世后很久，另一位建筑师给这座大教堂加了一个新的正面，稍微切断了米开朗基罗漂亮圆顶的正面视线。他还将正面加长了，把整座教堂改成了拉丁十字形。后来又有一位名为贝尔尼尼的建筑师在教堂正面加了两排柱廊。大教堂前部有一块环形空地，两排柱廊就正好立在空地边缘。

贝尔尼尼建的柱廊非常漂亮，但并没有将教堂衬托得更大，因为它自身也跟大教堂一样，缺少参照物。注意图片中广场上有一些人，如果以这些人为参照物，你就大致知道大教堂有多么庞大了。

哥特式柱式和罗马柱式也有着天壤之别，文艺复兴时期建筑师主要运用罗马柱式。他们有时甚至将原有的罗马建筑推倒，用里面的圆柱来建文艺复兴式建筑。

意大利还有许多著名的文艺复兴时期的建筑师，他们都留下了许多有名的建筑，但我还是直接跳过他们，给你讲讲帕拉迪奥的故事吧。帕拉迪奥将圆柱的一种特殊运用推广开来，也就是让柱子从地面一直往上延伸，有两三层楼高。这叫做"帕拉迪奥风格"。他曾写过一本书，介绍这种建筑风格，意大利和其他一些国家的许多建筑师都发现这种方法非常有用。圣彼得大教堂正面的圆柱直达两层楼的高度之上。

文艺复兴式建筑从意大利传播到了其他国家，然后一直沿用至今。所有新的建筑风格都是对旧风格的一种继承和创新。虽然文艺复兴式建筑风格是从罗马建筑中发展而来，但文艺复兴时期注重的是开拓创新。尽管探险家、科学家和思想家的许多思想都来自对古老方式的研究，但他们还是为我们的现代生活开拓了新的道路。总之，他们既回顾历史，也展望未来。

第21章 英国建筑

你有没有被锁起来过？我认识一个小男孩，不小心被锁起来了。他没干什么坏事，也不是被抓去锁在监狱里。

他只是去了一家大博物馆参观一些绘画作品。他穿过一间又一间画廊，走得浑身酸痛乏力，这时他看见有间屋子里有一个舒服的沙发，就坐上去休息。沙发实在太舒服了，小男孩不知不觉就睡着了。等他醒来时，天已经黑了，他当然就有点害怕了。你想想，四周都是高大的埃及国王石雕像，在黑暗中隐隐约约、阴森恐怖，不管是谁都会害怕！小男孩立即跑到门边，却发现门给锁住了！

他大喊大叫，用力捶门，但博物馆早就关门下班了，没人听到他的叫喊。这个可怜的小男孩只得整晚都待在里面了。你可以想象一下，第二天早上，当守门人打开博物馆大门，看到门口有一个又惊又饿的小男孩等着出去时，该有多么诧异。

这个小男孩发现，博物馆住起来很不舒服，哪怕就待一晚也不舒服。事实上，我们在这本书里介绍的大部分建筑都不适合居住。你想想，谁会愿意住在帕台农神庙、圣索菲亚大教堂、比萨斜塔或理姆斯大教堂里呢？如果没有大批仆人负责整理，就连文艺复兴时期修建的城堡和宫殿住起来也不方便。

人们在很久以前就开始修建用来居住的房子，为什么这些房子没有在建筑史上占据重要位置呢？

一个原因是，人们在修建住房时，没想过要把它们建得像神庙或大教堂那样保存那么久。住房通常用木头建成，渐渐就腐朽了。有些房屋像鞋子衬衫那样磨损掉了；有的旧房子被拆掉建新房子；还有一些房子就被烧毁了。因此很难找到一栋像古希腊庙宇一样古老的住房。

不过住房通常比纪念性建筑更有趣。比如，我对英国普通住房的喜欢，就要远远超过自英国哥特式大教堂以来修建的各种有名的大型公共建筑。我想你们肯定也会更喜欢普通住房，下面我就给你们介绍英国的住房。

英国哥特式建筑风格一直在变化，渐渐地，后期的哥特式建筑与早期的有了天壤之别。伊丽莎白一世时期，英国哥特式建筑已经发生了翻天覆地的变化，简直就算不上哥特式风格了，所以人们就给这种建筑风格起了另一个特别的名字。

因为这个时期英国统治者都属于都铎家族，这种建筑风格就被称为"都铎式"。都铎式建筑介于哥特式与文艺复兴式建筑之间，是英国所有建筑中最具英国特色的建筑。

都铎王朝时期，庄园渐渐取代了中世纪城堡的位置。这个时期修建的许

● 都铎式建筑

多庄园一直保存至今：墙上有高大的凸窗，突出于墙壁之外，有些有三层楼高。都铎式窗户通常是平顶，跟哥特式的尖拱不一样，但大部分都和哥特式窗户一样有窗饰，而且与意大利里卡迪宫一样，窗户也是整齐划一的横向排列。窗户和烟囱都是因为需要才安装的，绝不只是为了外观漂亮，烟囱通常是圆柱形，有些是螺旋状。

都铎式房屋都非常朴素，主要用作舒适实用的住房，而不仅仅是为了炫耀美丽外观。都铎式房屋看起来非常舒适温暖，一个原因就是它们修建的材料全都可以在邻区内找到，像石块、砖头或木头和石灰的混合物。因此这些房屋和周围的环境非常协调，就像自然长在那儿一样。

这一段你可得多看几遍才能理解了，因为这里有很多"内部"和"外部"。既然都铎式房屋主要用作住房，内部肯定就比外部更重要了。都铎式房屋的外部就只是简单的外部，不像意大利文艺复兴式建筑，为了追求外观效应，把外部建得非常漂亮，内部却非常简单。这也正是这两种建筑风格最大的区别。

都铎式庄园地面一层是一个大厅，第二层通常是一个长廊或一个横贯

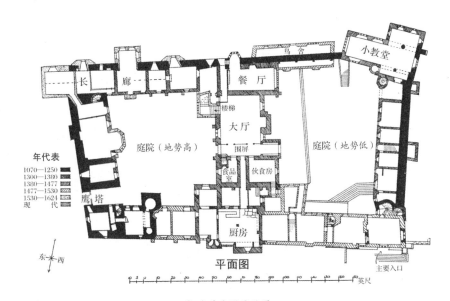

● 哈登庄园平面图

斯特拉特福莎士比亚故居

整座大楼的大厅，长廊将二层的所有房间连接在一起，通常用来挂家庭成员的画像。

除了大型庄园外，都铎王朝时期还留下了许多小型房屋，通常地面一层由砖块砌成，更高几层用橡木做支架，支架里面塞满砖块和石灰。黑色的木支架衬托着白色的石灰墙，非常显眼。由于上面的横条纹，小女孩把这种房屋叫做"斑马房"，但它们的真名叫做"半木结构建筑"。

英国许多看起来好玩的小旅店或酒馆都是半木结构。驿站的马车过去常在这些地方歇息，经过长长一天路途的劳累，旅客会觉得这些小旅店格外温暖舒适。有些老旅店的名字非常奇怪，像斗鸡、狐狸和猎犬、六铃铛、羽毛以及小孩和鹰旅店等等。

其中有两座半木结构的小房屋非常有名，都是名人的故居，一座是莎士比亚故居，也就是莎士比亚出生的房子；还有一座是莎士比亚妻子安妮·海瑟薇的故居。上图就是莎士比亚的出生地斯特拉特福故居。

英国住房朴实、舒适，美如图画。难道你不喜欢吗？

第22章 "商标"建筑

你肯定听过能防火的房屋，不过你听过能防火的动物吗？据说有一种名叫四足鱼的小动物，长得像蜥蜴，能防火。16世纪的人们认为，即使把四足鱼放进火里烤，也没什么关系，火越大，它反而越开心。因此他们曾经把防火的石棉布称为"四足鱼皮"。

在16世纪，有一位法国国王名为弗朗西斯一世，他的标志便是一条四足鱼或一个大写的F，这两个标志就像是他的两个商标，他统治期间修建的所有建筑都贴有这些标志。弗朗西斯一世是一个富有强大的君主，最大的爱好就是花钱购买最好的画家、金匠、雕刻家以及建筑师的作品。为他工作的画家、金匠和雕刻家大部分都是意大利人，但建筑师主要是法国人。

法国文艺复兴式建筑与意大利文艺复兴式建筑很不一样。大部分法国文艺复兴式建筑外形仍然是哥特式风格，线条也是自下而上垂直于地面的。而意大利式建筑内线条主要是水平的。导致这种差异的原因就是，法国文艺复兴式只是对哥特式的逐步修改，而意大利文艺复兴式却不是渐变的过程，而是对哥特式的突然背离。

意大利许多教堂都是文艺复兴式风格，法国教堂却大多属于哥特式。在法国只有大部分宫殿和城堡是文艺复兴式风格。法国卢瓦尔河河畔修建了许多城堡，这条河也就因此被称为"城堡之乡"。

城堡之乡的布卢瓦有一座著名的城堡，叫布卢瓦城堡，一直到现在还存在。布卢瓦城堡有些部分是在法国文艺复兴开始前修建的，是哥特式风格。但有一部分是由弗朗西斯一世按文艺复兴式风格修建的，这一部分叫做"弗朗西斯一世之翼"。建筑外墙上建有一个敞口的塔，有点像防火梯，里面有

● 法国布卢瓦城堡弗朗西斯一世之翼

一个著名的旋转楼梯，梯塔和建筑其他部分一样，也由石块和大理石建成，阶梯上到处刻着四足鱼图案和大写的 F。所有四足鱼图案都是皇室专有的图案，头部带有皇冠，周围隐约有许多舞动的小火苗。弗朗西斯一世的这些"商标"也可以在建筑的其他部分找到。

注意这座建筑的哥特式特征，比如，梯台和屋顶上都砌有突出的滴水嘴。

如果你沿着布卢瓦城堡的梯台往下走，同时另一小朋友自下往上走，你们俩肯定会在台阶中间相遇。不过法国还有一座楼梯，同时往下和往上走的两个人绝不会相遇。这听起来有点不可思议，却是真实的。这座"互不相遇的楼梯"就位于香波尔城堡的主塔里。

所有喜欢读骑士故事的小朋友，当你们看到香波尔城堡时，一定都会吓一大跳。香波尔城堡非常庞大，一部分是用加固了的城墙修的，四周曾有一条护城河。塔楼和烟囱都高耸入云，看起来倒像哥特式风格。"互不相遇的楼梯"就位于香波尔城堡最高的塔楼内，之所以"互不相遇"，是因为

它由两座楼梯向上螺旋而成，而且两座楼梯不在一个平面上，一座比另一座高。纽约自由女神像内部的铁梯，也是以这种方式修建的。

当弗朗西斯一世厌倦城市生活，想换换生活方式时，就会住到香波尔城堡来。当然他也喜欢住在布卢瓦城堡。不过他最喜欢的还是枫丹白露宫。枫丹白露宫因漂亮的花园、梯田、湖泊和丰富多彩的内部装饰而闻名。不过宫殿的外部不及香波尔城堡和布卢瓦城堡有趣，所以我就不详细介绍它，直接跳到弗朗西斯一世的另一座宫殿——巴黎卢浮宫。

"不过，我怎么记得卢浮宫是一座博物馆呀！"你肯定会说。是的，卢浮宫现在的确是博物馆，而且是世界上最大的博物馆，不过建立之初它并不是博物馆，而是法国王室的宫殿。

卢浮宫非常大，一个画廊就有 25 英里长，所以仅仅穿过各个画廊就得花掉几个小时。当然卢浮宫也不是一次性建好的，弗朗西斯一世修建了一部分，后来的国王加建了其他部分，直到 19 世纪才全部完工。卢浮宫的修建跨越了整个法国文艺复兴时期，涵盖了早中晚各期的风格，是一座值得认真研究的建筑。

因为卢浮宫太大了，照片根本展示不出它的全部特色。每一张照片都只能拍到宫殿的一部分，各个部分的风格又完全不同，所以你最好还是亲

● 法国香波尔城堡

自去趟巴黎,亲眼目睹卢浮宫的风采。

　　许多著名的建筑师都参与了卢浮宫的修建,其中有两位分别叫做皮埃尔·莱斯科和克劳德·佩劳。

　　莱斯科是弗朗西斯一世的御用建筑师,而佩劳参与卢浮宫设计的时间要比莱斯科晚一个世纪。佩劳最著名的设计是卢浮宫东面长排的科林斯对柱。奇怪的是,佩劳事实上只是国王的御医,根本就不是建筑师,但他对卢浮宫东面的设计却非常出色。

　　在法国革命之前,卢浮宫一直都用作王室的宫殿。国王在法国革命中被斩首,卢浮宫也就改成了一个国家博物馆,并一直延续至今。

　　尽管弗朗西斯一世非常爱炫耀,喜欢大兴土木,但他还不算最奢侈的,在其后有一位法国国王更加挥霍无度,修建了更多金碧辉煌的宫殿。这位国王就是路易十四世,他修建了美轮美奂的凡尔赛宫。在法国变为共和国之前,后来的法国国王都不断地加建凡尔赛宫。目前这座宫殿由法国政府拥有和负责修护。凡尔赛宫建筑布置非常精美,使得原本豪华的宫殿显得更加富丽堂皇,但建筑本身其实非

🔵 卢浮宫及其平面图

🔵 巴黎荣军院的圆顶

🔵 凡尔赛宫内的镜厅

常单调，又长又方，没什么特色。凡尔赛宫内最有名的景观是镜厅，镜厅非常宽敞，四面墙上都是镜子，第一次世界大战的停战协议就是在这里签署的。

凡尔赛宫苑里离主建筑不远的地方有一座小得多的建筑，名叫小特里阿农园。这座建筑由路易十五世修建，是后来在法国革命中被砍头的玛丽·安托瓦内托王后最喜欢的居所。

法国革命一直将我们带进了19世纪。19世纪的法国也修建了许多有名的建筑。其中一座就是荣军院，因为底下有拿破仑的陵墓，所以被法国人奉为神圣之地。

在荣军院里你可以看到拿破仑的标志，一个大写的N。

法国万神殿的拱顶要比希腊众神庙小得多，不过拱顶底部有一圈细长的圆柱。法国万神殿既作为教堂使用，也是纪念巴黎守护神圣热内维耶芙的神社，里面有许多著名的壁画，描述的是圣热内维耶芙的生平事迹。

法国，尤其是巴黎，还有许多漂亮的建筑。我真希望我能一一向你们介绍。但这些建筑的名字都实在太难记了，像玛德琳教堂、凯旋门、橘园、埃菲尔铁塔等等。看到这么多难记的名字你肯定都已经晕了。好吧，我就不说了，这一章到此为止吧。

第23章 打破陈规

你有没有厌倦过做个好孩子？有没有在老师问你数学题时，有股冲动想把墨水全洒在窗户上或直接倒立起来？有没有在进入教堂时，想大声吹口哨，就因为里面实在太安静了，你实在忍受不了？

做这些事的一个大麻烦就是，事后你总会后悔。因为受惩罚可不是件好玩的事。差不多每次我尝试做个坏孩子时，都会对这一点有感触。

意大利的建筑师们，在设计了大约两百年的文艺复兴式建筑后，便是这种心态。他们似乎已经厌倦了乖乖地遵守各种规矩，设计漂亮的文艺复兴式建筑。他们认为，这些规矩"束缚"了他们自己的设计风格，因为一座严格意义上的文艺复兴式建筑，几乎每个细节的修建都得以古罗马建筑理念为基础。所以，一种新的建筑风格从文艺复兴式建筑风格中衍生出来，即"巴洛克风格"。这种风格的特点就是打破了各种已有的建筑规矩。至于为什么要叫巴洛克，我也说不上来，据说这个词始于一个葡萄牙语单词，意思是"变形的珍珠"。

当然，巴洛克建筑风格也因不守规矩受到了惩罚，不过不是被揍了一顿，而是从此被视为一个坏榜样。事实上，这种惩罚过重了，因为有些巴洛克式建筑其实是非常精美漂亮的。当然最差的巴洛克建筑也是糟糕透顶，它们实在太不守规矩了，简直就像学校里的恶霸学生。不过最好的巴洛克式

建筑一点也不坏，它们只是出于好玩才打破一些规定，就像一个好孩子有时会犯点错一样。

巴洛克式建筑大多布局很好，适合置于建筑所在之地，而且和周围的景色也搭配协调。唯一的不足就是，巴洛克式建筑看起来都太自大，堆满了各种装饰，像在炫耀一样，里里外外都建满了奇形怪状的圆柱、雕像和花哨的大理石板，让你想到非常非常花里胡哨的生日蛋糕。

巴洛克式建筑始于意大利，是 17 世纪意大利主要的建筑风格。目前世界上最漂亮的巴洛克式建筑也在意大利，是一座教堂，建在威尼斯大运河旁边。这座教堂修建的原因非常特殊：一场可怕的瘟疫夺走了三分之一威尼斯人的生命，一共死了六千多人。瘟疫过后，幸存的人们对自己能够幸免于难非常感恩，因此修建了这座漂亮的巴洛克式教堂，以示感恩之情，

● 漂亮的巴洛克式建筑：德累斯顿茨温热宫

● 帕尼尼·梅尔基奥尔大主教参观圣皮埃尔教堂

并命名它为"安康圣母教堂。"

安康圣母教堂是希腊十字形，正中央有一个大型圆顶，高塔上方也有一个小圆顶。用来支撑圆顶的扶壁形状像缎带卷。

请注意，整座教堂上刻满雕像和缎带卷形状的扶壁，看起来非常拥挤。不过从教堂通向下面运河的漂亮阶梯，也值得好好看看。从威尼斯水道上望过去，安康圣母教堂构成了威尼斯最美丽的画面之一。

花哨的巴洛克式建筑传播到了意大利各个角落，还传到了西班牙和葡萄牙。西班牙有一小部分巴洛克式建筑装饰实在太繁

● 安康圣母教堂

冗、太过招摇，你甚至都会认为它们简直就是疯子设计的。西班牙大部分的巴洛克式建筑都相当漂亮，不过如果西班牙没有这么明亮的阳光，这些建筑看起来就会非常丑。阳光越强烈，建筑能承受的装饰似乎就越多。

西班牙人还将巴洛克式建筑风格传播到了世界各地。罗马天主教教堂成立了一个组织，有点像中世纪时期的隐修士组织，用来传播天主教。这个组织的成员叫做耶稣会信徒，他们走到哪里就在那里建教堂，而且通常是巴洛克式风格的教堂。

17 世纪时，西班牙王国非常强大。西班牙人到处去探险，并以他们国王的名义，占领了差不多整个南美和大部分北美地区。西班牙探险者一到那里，耶稣会信徒马上就会跟去，向印第安人宣传基督教，为他们修建学

● 墨西哥城的大教堂

校和教堂。很快，美洲的巴洛克式教堂就比整个西班牙都多了。

这些耶稣会信徒修建的教堂都非常结实，经历了多次地震、各种变革和多年的疏于修葺后，大部分至今仍然屹立不倒。你可以想象这些信徒们费了多大劲。首先他们得学会印第安语，或者教会印第安人西班牙语，然后他们得告诉印第安人怎样用石块建房子，而且大部分房屋都是修建在最热的国家。在建房屋之前，还得先整平土地，从石矿里开采出石头。

上图画的是墨西哥城的大教堂，看起来和安康圣母教堂完全不像。不过这座教堂也是巴洛克式，看得出来，它上面的装饰也是非常多。

德国也有巴洛克式建筑。法国也有一些这种风格的建筑，但英国基本没有。如果你能记住 17 世纪、西班牙、葡萄牙和它们的殖民地、意大利和德国这几个关键词，你就对奇特的巴洛克式建筑风格最常用的时期和地点有了大致的认识。

第24章 英国文艺复兴风格

你有没有过一辆自行车？在我小时候，差不多每个小男孩都有一辆自行车。我们过去常常一起骑车去打棒球。一天下午，有一个小男孩迟到了。但他一到，大家就马上停止了棒球比赛。因为这个小男孩把自行车落在家里了，他就将一头山羊拴在小推车上，骑了过来。顿时所有其他小男孩都想要头山羊，尽管山羊根本不适合骑着赶路。

这也正是三百年前在英国出现的情况。当时一个名叫尼戈·琼斯的建筑师去意大利学习建筑，发现那里有许多文艺复兴式建筑。于是他决定认真研究古罗马建筑，等他回到英国后，就开始设计文艺复兴式建筑。这些建筑对英国人来说非常新鲜，人人都想有一栋，就像山羊对我们那群小男孩来说很新鲜，每个小男孩都想有一头一样。

文艺复兴式建筑风格传到英国的时间比较晚，就像那位骑着

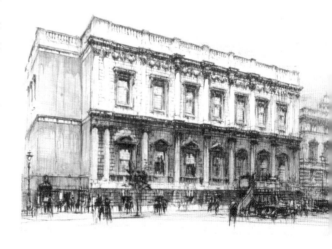

● 伦敦怀特霍尔宫的宴会厅

山羊参加球赛的小男孩晚到了一样；但一旦到达，影响便非同凡响。

英国建筑师很快就受命按照文艺复兴式风格，为王室设计了一座大型宫殿，称为怀特霍尔宫。不过整个设计中唯一修建出来的就只有宴会厅部分，由尼戈·琼斯设计，是他最有名的一件建筑作品。宴会厅本身也非常著名，看起来有点像凡尔赛宫的小特里阿农园，是英国首座基于罗马和意大利设计理念修建的建筑。

怀特霍尔宫的宴会厅是"外部不仅仅只是外部那么简单"的最佳范例。从外部看，宴会厅像是一栋两层楼的建筑，但事实上内部只有一层楼，只有一个四面都是露台的大房间。整座宴会厅内外部都非常漂亮，看到上页图片上临街那一层的罗马柱式和雕琢粗放的石块了吧？尽管这座建筑用作礼拜堂许多年，最终又改成了一家博物馆，但"宴会厅"这个名字一直没改。

尼戈·琼斯之后出现了另一位著名的英国建筑师，他本身并不是建筑师，至少一开始不是。他本来是一名天文学家和大学教授，叫做克里斯多弗·雷恩爵士。因为一场大火，他才成为了著名的建筑师。这场大火就是1666年发生的世界上有史以来最大的火灾之一。当时伦敦的一栋大楼突然起火，火势很快蔓延到其他建筑，人们无法控制火势，没过多久伦敦很大一片都被烧毁了。除了伦敦大桥和成千上万其他建筑外，五十多座教堂也在

● 克里斯多弗·雷恩爵士

● 伦敦圣保罗大教堂

大火中被烧毁，其中最大的便是古老的圣保罗大教堂。克里斯多弗·雷恩爵士受命重新设计圣保罗大教堂和其他教堂。他对哥特式建筑风格很不屑，喜欢的是文艺复兴式，因此便将重建的圣保罗大教堂设计成了文艺复兴式风格。

与所有其他哥特式大教堂一样，圣保罗大教堂也是十字形。雷恩爵士就在十字交叉处上方建了一座安有石顶灯的大圆顶。这个圆顶事实上有三层，最外面一层是真正的圆顶，最里面一层是天花板，中间还有一个砖砌的夹层，用来支撑石顶灯的重量。

圣保罗大教堂外部有两排柱廊，跟宴会厅一样，也是一排在上一排在下。与罗马圣彼得教堂的一排大柱廊相比，圣保罗大教堂的两排柱廊能更好地衬托主建筑的比例，看起来也就更加漂亮。不幸的是，圣保罗大教堂修建得很不谨慎，墙上的材料都很劣质，随着时间的推移，整座建筑变得非常

危险。几年前，这座教堂关闭了一段时间，工匠们加固了地基和支撑结构。目前圣保罗大教堂已经重新开放，而且也已足够牢固，不会坍塌了。

克里斯多弗·雷恩爵士自己便埋葬在圣保罗大教堂里。他坟墓上刻有一行拉丁文，意思是"如果你想看我的纪念碑，往四周看看就可以了"。圣保罗大教堂的确算得上是雷恩爵士的纪念碑，也是伦敦最著名的地标性建筑和英国最大的教堂。

雷恩爵士设计的其他五十多座小教堂中，没有哪两座是相似的。有些因外部设计而闻名；有些因漂亮的内部装饰而闻名；还有些则因优美的尖塔而闻名。事实上，雷恩爵士最著名的也正是他设计的文艺复兴式尖塔。他设计的尖塔非常受欢迎，美洲殖民地所有的教堂也都建有类似的尖塔。

今天有很多书专门介绍文艺复兴式建筑的设计规则和方法，许多建筑也正是依照这些书的说明修建出来的。比如，帕拉迪奥关于建筑的书早就译成了英文，他的设计理论被英国和美国的许多建筑师广泛运用。

克里斯多弗·雷恩爵士去世之后，文艺复兴式建筑风格继续在英国风行了许多年。在乔治一世、二世和三世统治期间，英国文艺复兴式建筑形成了自己独有的风格，称为"乔治式"。在讲到美国建筑时，我将具体讲乔治式建筑风格。

第 **25** 章　从小木屋到大房子

假如让你一个人搬到荒郊野外，从此以后住在那里，你想建座什么样的房子？如果有一把斧子，又能找到足够多的树，你很可能想建一座小木屋。不过如果你从来就没听说过小木屋，你很可能就会想建一种你知道的用来住的地方，那可能是一个洞穴。

最先在美洲定居的英国人就从未见过小木屋。他们首先想到的就是他们在英国小树林里见过的烧炭工人的小茅屋。这些小茅屋用树枝像编柳条椅那样编织而成。早期的定居者就仿照这些小茅屋修建了自己的住房，顶上是茅草堆成的尖尖的屋顶。小茅屋建好后，外形和印第安人的帐篷很像。

那小木屋呢？能确定前期的定居者也建了小木屋？是的，我确定。瑞典人在特拉华州定居后马上建了小木屋。瑞典人在瑞典时就住在小木屋里，等他们进入美国，发现这里到处都是木材，便也建了小木屋。接着小木屋很快流传开了。开拓者和定居者从美洲沿海地区一直往西推进，一路上树木丰茂，所以他们建了许多小木屋。

其中至少有一座小木屋后来非常有名，那就是亚伯拉罕·林肯出生的小木屋。这座小木屋位于肯塔基州的霍金维尔，现在整个被一栋高大的大理石房屋包围在里面保护起来。

早期英国定居者修建的房子有些是哥特式风格。在弗吉尼亚州詹姆斯

🪙 亚伯拉罕·林肯出生的小木屋

敦，早期定居者用砖砌了一座简单的哥特式小教堂，但早已倒塌。不过另一座名为"圣路加"的小教堂却一直保存至今。圣路加小教堂有着哥特式的尖窗和斜屋顶，这有点奇怪，因为英国人开始在美国定居时，文艺复兴式建筑风格已经进入英国多年，哥特式早就过时了。

新英格兰和弗吉尼亚许多早期定居者建的房屋都是哥特式的。这些房屋大多是木质结构，旁边装有用铰链固定的窗户，每扇窗户上有许多块玻璃窗格，叫做"竖铰链窗"。通常第二层会有一角突出来，或者远远超出第一层，前面会有一部分悬空。这些古老的哥特式房屋有些至今还存在。

没过多久，有关建筑的书开始传入美洲殖民地。这些书主要来自文艺复兴式建筑全面发展的英国，书里有房屋的设计图，可以方便美国工匠们在修建房屋时参考。文艺复兴式建筑在英国兴起时正是乔治家族统治时期，因此英国的文艺复兴式建筑就叫做"乔治式"。在最早期的一些哥特式建筑之后，美国早期建筑便大多是乔治式，今天我们仍然将这种建筑风格称为"乔治亚殖民式"，或者有时就简称为"殖民式"。

北部的乔治亚殖民式房屋大多是木质结构，南部的大多是砖制结构，不过宾夕法尼亚州的却是石制结构。这些房屋也不是由专门的建筑师设计的，而是手艺精湛的工匠参照从英国寄来的建筑书自己修建的。乔治亚殖民式建筑非常适合美国，因此今天的美国建筑师依旧广泛采用这种建筑风格。

除了乔治亚殖民式，还有荷兰殖民式，是在纽约定居的荷兰人非常喜欢的一种建筑风格。荷兰殖民式建筑的屋顶通常会在正面斜向下凸出来，盖在门廊上方。荷兰殖民式风格也仍旧被广泛运用在现代美国建筑中。

殖民式风格建筑通常都非常简约，没有太多装饰，这也正是它的一个迷人之处。大部分的装饰都雕刻在门道、壁炉架、楼梯和天花板的木板上。大门两旁有时会有一些半露方木柱、半露圆柱或罗马风格的圆柱。正门上方通常有一个气窗，上面刻有木窗饰，有些时候是扇形，所以叫做"扇形窗"。

殖民时期修建的房屋中有许多至今仍然存在。当然大部分都是在早期的定居地——东部各州。有些建筑是因为建筑以外的原因而出名。比如，弗农山庄便因为是乔治·华盛顿的故乡而著名。弗农山庄位于波托马可河河畔，每年都有成千上万的游客前去参观美国建国之父曾经生活过的地方。

费城的独立纪念馆因为是美国《独立宣言》的签署地而闻名，它当初也是由此而得名的。独立纪念馆是砖制乔治亚殖民式建筑的典范，其中的高塔让人联想起雷恩爵士在伦敦设计的尖塔。著名的自由钟就位于独立纪念馆内，因为响得太剧烈，钟已经裂开了。

我们都知道《独立宣言》是托马斯·杰斐逊起草的，他后来成为美国的总统。但你要是知道托马斯·杰斐逊也是当时最杰出的建筑师，可能会大吃一惊。建筑并不是他的职业，只是他的爱好。他是古罗马建筑的坚定推崇者，设计了许多古罗马风格的建筑。其中就包括他自己的庄园——蒙蒂塞洛。他还设计了弗吉尼亚大学：

🏛 费城独立纪念馆

托马斯·杰斐逊像

校园中间是一个空旷的方形草地，草地四周便是房屋，白色的圆柱衬着暗红色的砖房，非常漂亮迷人。

杰斐逊设计的建筑大部分是在美国革命之后修建，我们很难再将它们称为殖民式，因为那时的美国已经不再是大英帝国的一个殖民地了。更好的名称应当是早期共和国风格。

接下来一个时期，差不多所有的建筑都具有古希腊建筑的特色。一位名叫罗伯特·米尔斯的建筑师将华盛顿的财政大楼设计成了希腊柱廊式。他还设计了首座乔治·华盛顿的纪念碑——立在巴尔的摩的一根大型多立克式石柱，柱头有一座华盛顿的雕像。同时，他也设计了位于华盛顿的华盛顿纪念碑，那是当时世界上最高的建筑。华盛顿纪念碑是一个巨型方尖石塔，花了许多年才建成。

尽管美国东部最早被开发，但美国西部的建筑发展历程也值得我们了解。

美国西南部和远西部的大部分建筑都是西班牙风格。西班牙人主要在墨西哥定居。由于是建在西班牙殖民地内，这些教堂也就称为"西班牙殖民式"。

大约在美国大革命时期，来自西班牙的方济会修士开始穿过加利福尼亚州进入墨西哥。他们在加利福尼亚修建了许多教堂和其他建筑，他们的聚居地叫做"传教院"。

华盛顿的财政大楼

方济会修士们在离海滨一天路程远的地方，修建了一条公路，叫做"国王高速路"。传教院与中世纪时期的隐修院差不多，但因为除了印第安人以外方济会修士们找不到其他人帮忙，所以传教院都建得非常平

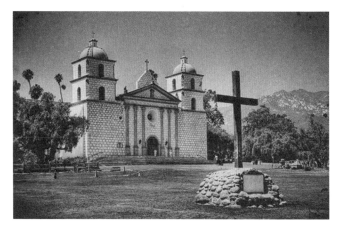

加利福尼亚州圣芭芭拉传教院

实牢固。每座传教院内都有一个小教堂，通过回廊与庭院周围的其他建筑连起来。房屋通常都是由晒干的砖头或土坯建成。

今天的建筑师也会采用传教院的建筑风格。而相比其他建筑风格，西班牙殖民式更适合加利福尼亚和美国东南部温暖的气候。因此今天在加利福尼亚仍然可以看到许多古老的传教院，虽然有些已经成了废墟，但还有一些保存完好。

还有一种西班牙殖民式风格是从印第安人建筑发展而来的。许多小朋友都认为，印第安人肯定就只会用树皮和兽皮建帐篷，事实上，亚利桑那和新墨西哥州西南部的印第安人也会建土砖房。这些土砖房都算是真正的套间房，它里面有许多房间，可供一大家子人居住，这种房屋就叫做"普埃布罗族印第安式建筑"。它们大部分是平屋顶，因为该地区很少下雨，通常有几层楼高，楼梯不建在里面，而在外部。

在新墨西哥定居的西班牙殖民者照搬了印第安人的这种建筑风格。印第安风格的建筑很容易辨认，都是安放在墙头突出木桩上的平屋顶。

法国人定居在新奥尔良，他们带来了法国的建筑风格，包括长长的窗户和铁制的露台。

希利尔讲艺术史
A CHILD'S HISTORY OF ART

所以呢，美国早期的建筑有许多不同的风格。下面我给你们列个单子，帮助你们记忆。你还可以自己做个测试，看看你能否说出每种建筑风格的一个特征。

小木屋

哥特殖民式风格

乔治亚殖民式风格

荷兰殖民式风格

早期共和国风格

西班牙传教院风格

西班牙印第安风格

法国殖民式风格

第26章 华盛顿首都和国会大厦

就像每个人都有大脑一样,每个国家也都有自己的首领:一个总统、一个国王、一个首相或是一个暴君。一个国家的首领通常都住在该国的首都。

美国革命之后,新建的美利坚合众国必须要有自己的首都。一开始美国人想把首都定在纽约或费城,但后来还是决定建一个全新的城市作为首都。他们选定了波托马可河河畔一块田野和森林之地,命名为"华盛顿"。美国人在大革命时得到过法国人的帮助,在修建新城市时,他们又获得了一位法国人的帮助。这个法国人就是埃尔·郎方,他给华盛顿设计了宽宽的林荫道、大街和花园。华盛顿开始按照郎方的设计图修建,但最开始建好时其实还完全算不上城市,只有寥寥几栋房子建在小树林里,用泥土"街"相互连通。

不过既然是首都,当然就要有一栋国会大厦了。因此美国举行了一次大型的国会大厦设计竞赛。参赛的设计方案有许多都非常不错。最终胜出的是威廉·索顿爵士,乔治·华盛顿和托马斯·杰斐逊都非常喜欢他的设计,所以国会大厦就按照他的设计动工了。

既然有了国会大厦,自然也就要有一栋总统府。在国会大厦建立的同年,总统府也开始修建。最初二十多年里,总统府就一直叫做"总统府",后来

突然有一天改名成了"白宫"。你知道为什么吗?

是因为一场大火。1812 年英美战争时,攻入华盛顿的英国士兵放火烧了国会大厦和总统府。大火过后,总统府的墙壁仍在,但石块都已经烧焦变黑。重建后的总统府为了掩盖烧过的痕迹,墙壁全刷成了白色,从那以后便被称为"白宫"。

幸运的是,国会大厦并没有全部被大火烧毁,之后也得到了重建,不过花了许多年才完全重建好。国会大厦最初只有正中央上方的一个低平拱顶,后来人们在原有建筑的两端又分别增建了一部分。增建的部分,一端叫做"参议院之翼",另一端是"众议院之翼"。新增了两翼后,原先的拱顶也随之扩建了。美国内战期间,尽管工人很少,林肯总统仍然坚持要继

● 华盛顿国会大厦

续圆顶的修建工作。因为在他看来，国会大厦的圆顶是美利坚合众国的象征，看着圆顶一天天建高，北方的美国人会大受鼓舞。

新建的圆拱顶差不多与罗马圣彼得大教堂的圆顶一样大，用的不是传统的木料、砖头或石块，而是新的建筑材料——铁。为了防止铁生锈，圆顶外就必须总是刷满油漆。43000 磅油漆有近 20 吨，你可以想象一下需要多少油桶才能装完。但国会大厦圆顶每上漆一次所需的油漆是 43000 磅的四倍！

国会大厦中有一个专门的雕像厅，里面放着美国 48 个州（现在美国有 50 个州——译者注）送来的各州最著名的两位人物的雕像。在雕像厅里讲秘密是很不安全的，因为如果你恰巧站在地板上有个金属星形标志的地方，你轻声讲一句话，整个房间都能听到。不过奇怪的是，这个星形标志并不是用来偷听悄悄话的，而是一种标志，这个地方便是约翰·昆西·亚当斯总统卸任后当选国会成员时书桌曾经摆放的位置。从这个位置发出的声波会由墙壁反射到房间的另一边，所以在这儿讲的悄悄话整个屋子都能听到。

国会大厦有趣的事到处都是，其中就包括它有一条地下铁路。地下火车用电力发动，从国会大厦主楼通到国会图书馆、参议院办公楼和众议院办公楼。这三栋楼彼此离得很远，地下火车可以节省国会成员来回走动的时间。

国会大厦是永远都看不完的，你看到的越多，就仿佛还可以看到更多。它常常被视为世界上最庄严堂皇的政府大楼。不过它之所以对整个建筑界来说非常重要，还有另一个原因。因为这座大厦实在太完美了，美国 48 个州中，许多州修建的州议会大厦都是仿照这座大厦而建，只不过规模稍小。因此这绝对是一栋值得美国人民骄傲的建筑。

华盛顿还有其他许多雄伟的建筑，其中一座便是林肯纪念堂。林肯纪念堂是希腊风格，但又不同于一般的希腊风格，是希腊风格和美国风格的结合。尽管圆柱和其他细节部分采用的仍是古希腊风格，但有一些调整和

● 华盛顿林肯纪念堂

创新，从而满足建筑整体风格的需要。比如，省去了古希腊神庙里圆柱上的三角楣饰。

　　华盛顿还有一座大建筑叫做"联合车站"。这座建筑非常大，站在里面会让你觉得自己非常渺小，就像我们晚上躺在地上看天上的星星时，也会觉得自己很渺小一样。

　　目前华盛顿修建的新房子都是依照埃尔·郎方当初的设计图而建的。华盛顿是世界上最宏伟的城市之一，也是唯一一座还没发展成城市就已被定为首都的城市。

第 **27** 章 "彩虹"建筑和"葡萄藤"建筑

现在，谁愿意单手着地

与我一起顶起这座大桥？

——诗歌《奋勇护桥的贺雷修斯》节选

我小时候最喜欢的一首诗就是《奋勇护桥的贺雷修斯》。每当我爸爸大声读到罗马英雄贺雷修斯和他两个伙伴是如何勇敢地击退一支军队，阻止他们切断大桥，从而解救整座城市时，我都会热血沸腾。我甚至不知不觉地就把整首诗都记了下来。贺雷修斯奋勇护桥的故事大家都知道，但这座大桥本身的故事却很少有人知道。

诗里提到的桥是罗马的第一座桥，"勇敢三侠"的故事发生时，它还是罗马唯一的一座桥。它是木质结构，能用斧头砍断。这座桥对罗马来说非常重要，所以直接由所有教士负责管理。据说贺雷修斯和这座桥保住了整座城市后，教士们便亲自修建了一座新桥，其中教皇是最主要的负责人。

想象一下，如果贺雷修斯在护桥的时候，突然看见头顶飞过一架水上飞机，螺旋桨轰鸣作响，底下的"浮船"在太阳光下闪闪发亮，他会想到什么？他肯定会想到浮桥。因为浮桥就是用"浮船"支撑起来的。

下面我最好先给你们介绍一下世界上都有哪几种桥。你可能会觉得有

希利尔讲艺术史
A CHILD'S HISTORY OF ART

很多种，但事实上一共只有五种。不过少点也好，这样你们就可以很容易地把五种全记下来，以后看到任何一种桥都能说出它的种类了。

第一种是独木桥。最简单的独木桥就是架在小溪上的一根木头。

第二种是拱桥。彩虹便是漂亮的拱桥，只不过人不能在彩虹上走过去。中国就有许多漂亮的拱桥。

第三种是吊桥。悬在两棵树之间的葡萄藤对小猴子来说，就是再好不过的吊桥了。

第四种是悬臂桥。用一块木板就可以搭一座悬臂桥。你拿着木板的一端，让它的另一端刚好碰到旁边的桌子，但不要放到桌子上，这样放置的木板就叫做悬臂桥。悬臂桥事实上就是一端固定的独木桥。通常情况下，悬臂桥的悬臂从河流两岸往河中央延伸，然后在中间会合。

第五种是桁架桥。桁架桥外部有一个刚性构架，叫做"桁架"，将桥梁各部分固定在一起。桁架可以安在桥面上方也可以安在下面，跟自行车车架有点像。悬臂桥一般都有桁架。桁架桥可以是木桥，也可以是钢桥或铁桥。

你肯定会想，为什么这五种桥没有包括浮桥呢？事实上，浮桥就是独木桥，只不过桥梁不是架在木桩上，而是架在船上。

最早的桥自然是独木桥。波斯帝国的泽克西斯一世大帝公元前480年入侵希腊时，修建了一座横跨达达尼尔海峡的浮桥。

奇怪的是，希腊人修建了许多完美的建筑，比如帕台农神庙，却很少建桥。这是因为，希腊人坐船比走路的时间更多，根本不怎么需要桥。而且希腊的河流都非常窄，虽然会把脚弄湿，但不用架桥就能过去。

罗马人是以前最伟大的桥梁建筑者。可以说"条条大路通罗马，路路都有许多桥"。不仅在意大利，而且在西班牙、法国、英国和奥地利，都有罗马人修建的坚实大桥，方便行人去他们想去的地方。罗马人修建的大桥许多至今仍然存在，而且经历了两千多年历史后仍在使用。一些是木桥，自然早就不存在了；但大部分都是石桥，而且石块之间衔合得非常好，基

● 古罗马高架渠

本上不需要用灰泥。

不过罗马人建的最大的桥并不是为了方便行人，而是用来引水的。在古希腊，如果你想洗澡，就得用水罐去河边或井里打水回来，或者直接把小溪当作浴缸。不过在罗马城里，许多的房屋都有自来水，也有公共浴室，里面有盛满清澈河水的室内浴池，你可以躺在里面舒舒服服地洗澡。所有的水都是用长长的高架渠引进城的。高架渠就是顶部建有水槽的石桥，将水从几公里外的山间小溪一直引到城区内。

高架渠穿过山谷时，并不是先沿着山谷往下，然后再从另一边上来，而是直接腾空架过去。古罗马人不太会修水管，所以如果高架渠先向下再向上走，水就会在底部全洒出去。加尔桥是世界上最著名的高架渠的遗迹，位于法国尼姆附近的加尔河上。

罗马帝国衰落后，桥梁建筑也跟着衰败了。整个黑暗时期内几乎没有建任何新的桥梁。接着到公元 12 世纪，出现了一个奇怪的现象，欧洲各国的桥梁再次由教士负责修建。只不过这一次所有的教士都是基督教教士，他们组建了一个社团，叫做"桥梁兄弟社"。

桥梁兄弟社的成员开始只在河流渡口修建小旅店，供行人歇息。不过他们很快就在这些地方修建了自己的桥梁。桥梁兄弟社成员修建的大桥，通常桥面中间部分非常窄，一次刚好只够过一个马夫，这样一来，强盗和士兵们便很难冲过桥打劫过桥的行人了。当然，马车在这种桥上通过就比较麻烦了，其实马车在大路上走也不见得有多方便。这些桥大多两端都有大石塔加固，所以不仅可以阻挡强盗，还可以阻止敌军过桥。

中世纪时期，最著名的桥梁应当是泰晤士河上古老的伦敦大桥了。伦敦大桥上建有房屋，有些有四五层楼高，但桥墩不是很结实，所以老是需

● 法国卡奥尔一座中世纪桥梁

要修缮。大桥有些部分甚至在不同时期都有塌陷，有首著名的歌叫做"伦敦桥倒下来"，唱的就是 1209 年 ~ 1831 年期间，旧伦敦大桥被拆掉，新伦敦大桥建起的故事。中世纪之后便是文艺复兴时期，在此期间人们修建了许多著名的大桥。其中包括威尼斯的叹息桥、佛罗伦萨的老桥、巴黎最古老的桥——至今还叫"新桥"，以及皇家桥和玛丽桥（它们也在巴黎），所有这些都是石桥。

现代桥梁建筑始于 1830 左右的铁路建设。那时先是建了许多铁桥，接着发展成了钢桥，最终是钢筋混凝土桥，也就是在混凝土里加入铁条，使大桥更加结实。许多漂亮的钢筋混凝土桥都是最近几年修建的，它们通常都是拱桥，有的只有一个拱洞，有的有多个。钢筋混凝土桥是美国最受欢迎的道路桥。

铁桥和钢桥通常都是桁梁式桥。事实上，世界上所有的桁梁式桥都是现代建立的。

亚洲和南美洲最早的桥梁是吊桥，用绳索或植物藤做成，摇晃得很厉

● 纽约东河之上的布鲁克林大桥

害。一些吊桥现在还在使用。过吊桥时,你总会忍不住祈祷自己能活着过去。事实上,尽管吊桥摇晃,却很结实。不过要想骑着大象或开着汽车过去就不行了。

　　现代的吊桥大多是用钢索吊起。大部分都非常大,建一座桥要花好几百万美元。其中最著名的是位于纽约东河之上的布鲁克林大桥。在布鲁克林大桥之后,人们又修建了许多更大的桥,但这座桥一直被视为"现代吊桥之父",是所有吊桥中最耐看的一座。布鲁克林大桥可以安全承载整群的

大象，事实上，它每天也的确承载着大量的汽车。

你下次出去旅游时，记得多观察各种桥。有些行人会在旅行时跟桥梁玩游戏，看自己能不能准确说出每种桥的名字。这个游戏中，吊桥算 20 分；悬臂桥 15 分；拱桥 10 分；桁梁桥 5 分；独木桥 2 分。有些时候你走过一座桥时，完全看不出它是哪种桥，能看到的就只有桥上的栏杆和桥面。这种情况就只能算 1 分。你可以和好朋友比赛玩这个游戏，谁先说出桥梁的种类，就得分。

最后我想说，并不是所有的桥梁都是漂亮的，但不漂亮的桥梁远比我们建的不漂亮的建筑少得多。只要愿意去发现，即便是不漂亮的桥梁，通常也有有趣的故事。比如，英国的巴恩斯特珀尔有一座桥，是世界上最丑的桥之一。这座桥有许多大小不一的拱洞，但拱洞的大小并不是建筑师专门设计的，而是根据每个市民捐赠资金的多少来决定的。

第28章　摩天大楼

多高才算高？对一座大山而言，可能几英里才算高；对一架飞机而言，甚至最高的大山也不算高；但对一栋大楼而言，一千多英尺就已经算是高了。虽然一千多英尺跟大山和飞机的高度比不算什么，但对于一栋大楼来说，却足够高了，比大山或飞机的高度还要让人惊叹。

非常高的大楼被称为摩天楼。摩天楼由美国人发明，最初世界上大部分的摩天楼也都建在美国。美国大部分城市都有摩天楼，但最著名的还是纽约。纽约一共有两百多座高耸入云的摩天楼，像一个巨型牙刷上的鬃毛，远远看去也像是梦境中的仙塔，让人难以置信。不过如果你爬到一座摩天大楼的顶部，你会发现，从那儿眺望看到的景象更加让人难以置信。

哥特式大教堂的特征就是高塔和耸立的尖顶，但如果旁边有座摩天楼，哥特式大教堂立马显得一点都不高了。你肯定在质疑，人类怎么可能在地面上建出那么高的房子呢？但人类的确建了许多座这样的高楼，其中一座有120层，从楼顶望下去，街上的行人看起来都像是移动的黑蚂蚁。你掐自己一下，如果很痛，就证明你不是在做梦，我说的是真的，这栋大楼是真实存在的。你肯定又会惊叹，建这么高一栋大楼得花多长时间啊！

错了！建一座哥特式大教堂可能需要几百年，建一座摩天大楼需要的时间却非常短。如纽约帝国大厦有120层，却只花了不到一年时间便建好了。

神奇吧！

神奇的事还多着呢！比如，现代的摩天大楼居然是用自动卡车建成的！它的修建完全按时间表逐步进行，每一块石头、每一条钢桁，甚至每一节水管都由卡车按时装来，放到需要的位置上。如果材料运到的顺序不对，先到的材料不能立即使用，又没其他地方可以安放，就会挡住路，导致街上交通堵塞，整栋大楼也必须暂停修建。所以卡车装来的材料不能堆在地上太久，必须一运到就马上卸下来，吊到需要的地方。

因此，建摩天大楼时，事先的准备工作显然是非常重要的。建筑师和工程师的设计图都得仔细绘制，仔细审查。所有建筑材料都得事先预订好，随时待用，这样，在需要时才能不早不晚准时运到。正因如此，一座摩天大楼才能够如此迅速地建好，同时又不会引起周围街道交通堵塞。

另外，摩天大楼的建筑材料也与其他建筑不一样。摩天大楼内部是钢筋结构，每层楼就是一个钢筋笼，外墙固定在钢筋笼之上。因此，外墙根本不起任何支撑作用，所有重量都由钢筋笼承受。你要是知道你们家房屋的外墙其实并没有立在地面上，一定会大吃一惊。不过摩天大楼的外墙也正是如此，不是立在地面上，而是悬在钢筋笼上。有时候你甚至会看见摩天楼的外墙与地面之间有条裂缝，墙壁根本就没接触到地面！

当然没人会愿意爬楼梯上到摩天楼的顶楼，那要爬很长时间。而且即使你爬上去了，你也会累倒，根本没力气走下来。所以，摩天楼没有电梯肯定不行。摩天楼里的电梯也跟火车一样，有常速和高速之分，可以直接把你带到大楼的每一层。最新修建的摩天楼里的电梯都设计得非常巧妙，每个乘客等电梯的时间不用超过一分钟。

摩天楼是在19世纪末期开始兴起的。早期的摩天楼形状像竖立的大鞋盒。当建了很多这种鞋盒形的高楼后，人们发现这些大楼会挡住街道和周围建筑的光线。所以许多城市就制定了摩天楼的修建规则，规定所有摩天楼不得再建成鞋盒形，而且楼层越高，宽度就得相应变小。

第 28 章　摩天大楼

比如，摩天楼的底部可能是一条街区宽，但等建到一定高度时，上面的楼层就得缩小宽度，以免挡住底下街道的光线。为了确保摩天楼顶部的尖塔基座大小不超过整座楼地基面积的四分之一，尖塔就得建得非常高，要直入云霄。

因为有了这些限制性规定，新建的摩天大楼看起来跟旧式的很不一样。不过旧式摩天楼之所以看起来不一样，还因为过去的建筑师在设计摩天楼时，总喜欢掺入一些传统的建筑元素。比如，有些摩天楼底部设计了希腊柱式，尽管这些柱子根本不用承受任何重量，纯粹只是用来做样子。还有些摩天楼仿照文艺复兴式建筑风格在顶部建了许多大型飞檐，但这些飞檐也跟希腊柱一样毫无实用价值。总之，这些旧式摩天楼的外部都很"做作"，"做作"的建筑自然绝不会漂亮。

而新建的摩天楼却一点都不"做作"，也不刻意模仿任何过去的建筑风格。有些人将新建的摩天楼称为"赤裸裸的建筑"。这些摩天楼外部没有任何老式的装饰，为了让它们同样漂亮，建筑师们将重心放在它们的外形上，尽可能将它们的外形设计得非常漂亮。各种颜色也开始大量运用。许多摩天楼外墙是黑色的砖墙，顶部则刷成了整齐的金色，比如纽约的美国暖气公司大楼和旧金山的里奇菲尔德总部大楼。还有些摩天楼底部楼层采用黑红色砖墙，随着楼层升高，砖墙的颜色慢慢变浅。克莱斯勒总部大楼和帝国大厦外部则使用了不锈钢，呈明亮的镍色。

摩天楼上成百上千的窗户也不再是墙上的洞那么简单，而是有增强建筑美观度的作用。有些摩天楼的窗户看起来像是从下往上走的直线，像哥特式建筑中的线条一样将视线往上拉。还有些窗户则是呈横线排列。另外还有些摩天楼的窗户像一层层方块，越往上走，方块越小。

我好像还没告诉你，摩天楼都是用来作什么的。首先我可以肯定地告诉你们的是，摩天楼绝不是为建了好玩的，一定是有用才会建的，如有些摩天楼是用来工作的办公楼；有些是用来居住的公寓；还有些……建一座

🔵 纽约帝国大厦

摩天楼得花几百万美元，所以建好后也就必须要能够赚钱。最好的赚钱方式就是把里面的房间租出去，用作办公室或公寓。办公大楼一层通常会有一家银行、一个小商店，甚至一间剧院。有些办公大楼同时有上万人在里面办公，一到下午五六点的下班时间，所有人就会同时走出大楼，造成周围街道的交通拥堵。

摩天大楼远看近看都很漂亮，而且你对它们了解越多，就越会发现它们很神奇。如果你从未见过摩天楼，我告诉你一件事，听了以后你就能想象到摩天楼到底有多高了：摩天楼的邮筒滑槽上有一些特殊的装置，专门用来减缓信件下滑速度。因为摩天楼实在太高了，滑槽非常长，如果信件滑得太快，就会在半途中自燃起来！

第29章 建筑新思想

你有没有见过一座蓝房子？我是指全蓝的房子，蓝屋顶、蓝墙壁，甚至蓝烟囱。我从没见过这样一座房子，但我能确定它看起来肯定很奇怪。

你有没有见过一座全由钢筋和玻璃建成的房子呢？这样一座房子开始看起来可能也很奇怪，但它的奇怪跟蓝房子的奇怪不一样。蓝房子为什么要全刷成蓝色，找不到任何合理的解释；但钢筋玻璃房子全用钢筋玻璃建成，却能找到很好的理由。你一旦习惯了钢筋玻璃房，就会非常喜欢它，发现它住起来要比普通房子健康得多。蓝房子则不同了，不管你有多习惯，我还是看不出它有什么好处。

蓝房子和钢筋玻璃房都是原创建筑，所以没有原型。不过大部分建筑风格都有自己的原型，有的甚至有长长一串原型。比如：罗马风格源自希腊风格，罗马式风格源自罗马风格，哥特式风格则源自罗马式风格。所以，大部分新的建筑风格都是从旧的风格发展而来的。今天大部分建筑运用的风格，也都是过去的建筑师非常喜欢的风格。

只要现代建筑和过去的建筑有相同的用途，现代建筑就可以一直对旧的建筑风格进行创新运用。不过现代建筑的一些新用途，却是过去的建筑师想都想不到的。因此有些建筑师就认为，既然建筑的用途在自由变化，

建筑的设计风格自然也应当自由创新。比如，既然哥特式建筑最为流行时，哥特式风格和发电厂完全沾不上边，现代的建筑师又干吗要把发电厂设计为哥特式呢？同样，既然古罗马人听都没听过加油站，又干吗要把加油站的柱子建成古罗马式呢？

因此，许多建筑师发现，建筑的设计风格最好要由它的用途来决定。现代建筑的风格一定要能直接展现出建筑的用途，不能让用途被旧的风格形式隐藏了。这种现代化的建筑风格通常叫做"功能主义"。

早期的摩天楼通常有文艺复兴式飞檐，主入口处还有古希腊或古罗马柱式。建筑师们后来发现，哥特式是最适合摩天楼的建筑风格，因为哥特式大教堂和摩天楼同样注重线条的垂直性，所以他们修建了许多哥特式摩天楼，比如，纽约城内著名的伍尔沃斯大楼。不过更现代的摩天楼设计得

● 联合国总部大楼

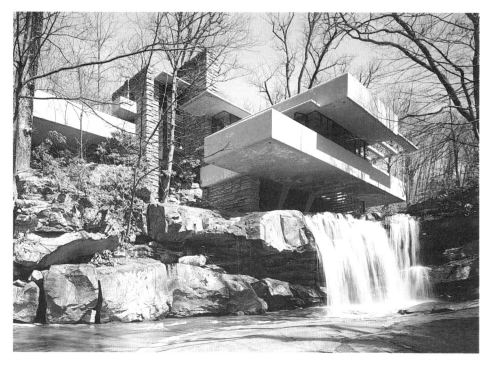

更加简单，就只是在钢筋构架外面添加了一层保护材料。

　　这种摩天楼的一个典范就是第二次世界大战后在纽约修建的联合国总部大楼。这座大楼外形像是一本竖立放置的翻开的书，看起来非常单薄，让人不由自主地希望能用一个大书夹把这本书架起来，别被风吹倒了。不过事实上，这座大楼并不需要任何书夹，因为它也跟其他摩天楼一样，由深埋在地底的钢梁牢牢固定住。这座大楼非常漂亮，而且简单平实，没有任何花哨的装饰：没有滴水嘴、没有飞檐和雕像，也没有任何曲线，所有线条不是完全垂直就是完全水平。大楼外部有许多窗户，使大楼看起来没那么单调。这些窗户不但可以增加室内的光线，还可以减少大楼的重量。

　　事实上，这座大楼的窗户实在太多了，据说，所有窗户玻璃加起来差不多有 5 英亩（英美制地积单位，1 英亩约合 4046.86 平方米——译者注）。你们家吃完晚饭后，你妈妈可能不到半个小时就能把碗筷都洗完。但把这座大楼的所有窗户玻璃都擦一遍，得花好几个小时。想想看，那该是个多么艰巨的任务呀。

　　现代住房的设计甚至也开始放弃旧的建筑风格，以适应新的用途。美国建筑师弗兰克·劳埃德·赖特是最早设计功能主义住房的建筑师之一。开始，他在国外要比在美国国内更受欢迎。日本东京防震的帝国酒店是他最著名的设计作品之一，这座酒店跟你见过的所有其他建筑都不一样。

　　欧洲也发展出了一种新的建筑风格，和钢筋玻璃房一样，也是完全原创，没有任何原型。功能主义风格在荷兰和德国最主要用于住房。功能主义住房也是用钢筋、玻璃、砖头和混凝土建成，但它们对这些材料的运用要比以往任何其他风格都好。比如，功能主义住房的屋顶都加有钢筋，非常结实，不管落在上面的大雪有多厚，都能承受住，所以它们的屋顶通常是平的，不用砌成斜的。另外，砌成平屋顶也很方便在上面建玻璃阳台。

　　因为古朴的砖房都是高高的斜屋顶，你可能就会认为，这些非常现代的房屋会损坏古朴荷兰式砖房的面貌。不过不用担心，因为新式住房通常都集中建在一块儿。事实上，要是一整条街都是古朴荷兰式住房，就只有一座小小的功能主义房子，看起来肯定会很不顺眼。不过，如果所有新式房屋都建在一块儿，看起来就会很舒服，光滑的水泥和玻璃墙面看起来非常干净整洁。

　　和欧洲一样，美国的住房通常也不是功能主义风格。不过美国修建的功能主义厂房、仓库、商店和办公楼却越来越多。这些建筑都值得你留心观察，因为可以这样说，随着你慢慢长大，这些建筑肯定也会变得越来越重要。现在许多厂房都装有空调，因此，尽管窗户从不打开，室内也会始终保持适宜的温度，空气比室外更加洁净。

　　功能主义厂房自然不会有太多装饰，它们主要靠简洁流畅的线条和漂亮的外形吸引你。现代装饰的代表是后期的摩天楼和许多新建的公共建筑，如图书馆和火车站。内布拉斯加州议会大厦是世界上最受欢迎的新式建筑之一，由著名美国建筑师贝特伦·古德西设计。这座大楼跟以往的建筑完全不同，但没人认为它很古怪，相反，差不多人人都喜欢它。

一栋建筑必须要与其周围的环境相符。有些建筑本身很漂亮，但就是不适合建在某些地方。比如，如果在几座摩天楼之间建一栋古希腊神庙，看起来肯定就会很奇怪。同样，如果一个校园内所有建筑都是哥特式风格，在里面建一座钢筋玻璃大楼就会显得很不对劲。

一栋建筑的设计还要与它所处的历史时期相符。世界上每个重要的历史时期都有其独特的建筑风格，各个时期的风格也各不相同。虽然我们现在也还在建哥特式建筑，但当今时代最重要的建筑风格已经不再是哥特式、古罗马式或古希腊式，当今时代必须要有自己的建筑风格，与以往所有时期都不同的建筑风格。

● 内布拉斯加州议会大厦

所以，下次你看到一栋大楼时，尤其是一栋新建的大楼时，你可以问自己这样两个问题：这栋楼是不是符合它所处的时代？是不是建在合适的位置？你甚至可以直接向这栋大楼提出这两个问题，它当然不会开口回答你的问题，但只要你仔细观察，

它可以帮助你找到答案。不过，也许未来的大楼真的可以开口回答你的问题呢。虽然很难想象一栋大楼能开口讲话。但在未来，或许你只要按一下一栋大楼墙壁上的按钮，楼里的电子喇叭就会叫道："我是一栋用钢筋、玻璃和塑料建成的大楼；我的设计师是约翰·琼斯；我建于1992年。我不想自夸，但我的确认为我非常适合我所在的位置。希望你们也这么认为哦。"

另一个新的建筑想法就是在工厂里像制造汽车那样建造房子。这种房子用钢筋和玻璃组装而成，一次可以生产几百座，用的时候，只要把各部分拼接到一起就可以了。这种组装的房子比自己砌的房子便宜得多，而且住起来也很方便。一开始生产出的房子可能不怎么漂亮，但随着工厂技术的进步，生产出的房子也就会不断地完善。可能等你们成为祖父祖母时，就会住在一座由工厂生产的房子里，而且每隔一两年，你还会把旧房子卖掉换座新的。

还有一个新想法就是，将每个城市中贫民窟里的大杂院改建成舒适干净的住房。这些住房必须设计地非常完善，必须要有操场、花园、空地以及充足的阳光，当然最重要的是，必须要很便宜，穷人能够租得起。在大部分欧洲国家，政府都出资为工人和他们的家属修建这种住房。这种住房所在的地区通常叫做"花园城"。

花园城大多位于大城市的郊区，都设计得非常巧妙周全，尽管里面住了很多人，也不会感觉拥挤。每个小花园城便是一个独立的社区，有自己的商店、学校和教堂。

美国的贫民窟已经越来越少，但要想真正消除贫民窟，还有许多工作要做。把贫民窟改建成漂亮的花园城，是建筑界另一个会伴随你一块儿长大的新想法。或许，有一天你也会参与到这项工作中，亲自将贫民窟里的旧房子改建成漂亮的新房子。